Die Mysterien des Lebens Jesu und die christliche Existenz

herausgegeben von Leo Scheffczyk

unter Mitwirkung von Johann Auer · Franz Courth S.A.C.
Richard Glöckner · Ferdinand Holböck · Kurt Krenn
Wilfried Paschen · German Rovira · Joseph Schumacher
Georg Söll S.D.B. · Anton Ziegenaus

PAUL PATTLOCH VERLAG · ASCHAFFENBURG

Umschlagentwurf: Hans Numberger
Satz: Fotosatz Völkl, Germering
Gesamtherstellung: Druckhaus Goldammer, 8533 Scheinfeld

ISBN 3-557-91293-0

Inhaltsverzeichnis

Einführung: Zum theologischen Thema der Mysterien des Lebens Jesu 7

Leo Scheffczyk, Die Bedeutung der Mysterien des Lebens Jesu für Glauben und Leben des Christen 17

Anton Ziegenaus, Die ewige Sohnschaft Jesu Christi als Grund der Heilsbedeutung seiner Lebensmysterien 35

Richard Glöckner, Neutestamentliche Wundergeschichten und frühchristliche Gebetsparänese 57

Wilfried Paschen, Die Machttaten Jesu in historischer Sicht . . 75

Ferdinand Holböck, Das Mysterium der Kindheit Jesu 86

German Rovira, Der Heilssinn des verborgenen Lebens Jesu . 95

Franz Courth, S.A.C., Der Heilssinn der Versuchung Jesu . . 126

Johann Auer, Die Bedeutung der Verklärung Christi für das Leben des Christen und für die Kirche Christi 146

Kurt Krenn, Die Stellvertretung am Kreuz als Ermöglichung menschlicher Sühne 177

Joseph Schumacher, Auferstehung: Vollendung des Lebens Jesu und Bestimmung des Christseins 198

Georg Söll S.D.B., Der Mensch Jesus als Vorbildursache der Verwirklichung des Menschen 225

Einführung: Zum theologischen Thema der Mysterien des Lebens Jesu

Der Arbeitskreis »Theologie und Spiritualität«, der auf Anregung des »International Institute of the Heart of Jesus« entstand und der zusammen mit diesem Institut der Förderung der Christusfrömmigkeit auf theologisch-wissenschaftliche Weise dienen möchte, legt hier nach der Veröffentlichung vom Jahre 1982 seinen zweiten Tagungsbericht vor. Er geht auf das Symposion zurück, das in der Zeit vom 17.10.–20.10.1983 unter dem Protektorat des Hochwürdigsten Herrn Erzbischofs von München und Freising, Prof. Dr. Friedrich Wetter, in München unter Beteiligung von über vierzig Fachtheologen und interessierten Laien aus europäischen Ländern und aus Übersee stattfand.

Das Symposion stand unter dem Thema »Die Mysterien des Lebens Jesu und die christliche Existenz«. Es beabsichtigte, ähnlich wie die vorausgegangene Thematik »Christusglaube und Christusverehrung«[1], eine konkret-frömmigkeitsbezogene Christuslehre zu entwickeln, die das unaufgebbare »An-sich« der Christuswahrheit in das »Für uns« einer lebendigen Christusbegegnung überführen sollte.

Während die auf der ersten Tagung behandelte Thematik eine gewisse Konzentration auf den Gedanken der Herz-Jesu-Verehrung vornahm (als des Inbegriffs der dem Menschen zugewandten gottmenschlichen Liebe, der schon im Neuen Testament am Symbol der geöffneten Seite Jesu Christi [vgl. Joh 19,34] ansetzt[2]) und so die Aufmerksamkeit auf den Höhepunkt der Offenbarung der Selbsthingabe des Erlösers richtete, geht es beim Thema der »Mysterien des Leben Jesu« gleichsam um das Aufzeigen und das Nachschreiten des Weges Jesu zu diesem Höhepunkt der Öffnung des Herzens am Kreuz.

Daraus ergeben sich einige für die Theologie wie für die Frömmigkeit bemerkenswerte Unterschiede zwischen den beiden Themen, die dennoch ihre innere Zusammengehörigkeit nicht aufheben, sondern

[1] Neue Zugänge zur Christusfrömmigkeit (hrsg. von L. Scheffczyk), Aschaffenburg 1982.

[2] Vgl. J. Heer, Das johanneische Bild des Durchbohrten in seiner soteriologischen Bedeutung: ebda., 37–54.

nur den Beziehungsreichtum ein und desselben »Geheimnisses unseres Glaubens« (vgl. 1 Tim 3,16) aufdecken. Das »Herz« versinnbildet nämlich die gottmenschliche Erlösungswirklichkeit Jesu Christi mehr in personal-seinshafter Weise, die »Mysterien des Lebens Jesu« tun dasselbe im Modus des Ereignishaften, des Geschehens, der »acta und passa«[3]. Sie sind das Erlösungsgeheimnis im Vollzug.
Der erste Aspekt geht so vornehmlich auf das gottmenschliche Mitsein und Fürsein des Erlösers bezüglich der Menschen, der zweite Gesichtspunkt erfaßte mehr die Art und Weise der geschichtlichen Verwirklichung dieses Mitseins. So verhalten sich das Kultgeheimnis des »Herzens Jesu« und das Lebensgeheimnis der Mysterien des Herrn zueinander (wenn das vergröbernde Bild erlaubt ist) wie das Zentrum und der zu durchmessende Radius eines Kreises.
Bei der Herz-Jesu-Verehrung wendet sich der Blick auf den in dem Realsymbol zusammengefaßten konzentrierten Ausdruck der gottmenschlichen Liebe, die in der am Kreuz geöffneten Seitenwunde die Fülle des Lebens und der Gnade auf die Welt entließ. Das »Herz Jesu« symbolisiert den durch Kreuz und Auferstehung hindurchgegangenen Herrn, der als der Erhöhte seine Liebeskraft auswirkt und »alles an sich zieht« (Joh 12,32). Im »Herzen Jesu« ist gleichsam das »Ergebnis« und das »Resultat« des Werkes Jesu in seiner übergeschichtlichen Bedeutung zusammengefaßt. Es repräsentiert das überzeitliche, übergeschichtliche Sein des gottmenschlichen Erlösers in seinem Bezug zur Menschheit.
Demgegenüber liegt der Nachdruck bei der Betrachtung der Geheimnisse des Lebens Jesu mehr auf dem Weg des Erlösers als auf dem Vollendungsziel. Das Augenmerk richtet sich mehr auf die Entfaltung des Heils in der Geschichte als auf den übergeschichtlichen Ertrag; das Interesse geht weniger auf das Resultat und das Ergebnis als auf die Motive und Faktoren, die zu diesem Ergebnis führten. Die »Mysterien« künden weniger von dem vollendeten gottmenschlichen Sein des Erlösers als von seinem geschichtlichen Weg im Zustand knechtlicher Entäußerung, aus welchem sich die Erhöhung ergab. Die »Mysterien des Lebens Jesu« gleichen so den Wachstumskräften, welche in der Frucht vom Kreuzesbaum zusammenströmen. Soll aber die Macht der Liebe, die im Geheimnis des Herzens zusammen-

[3] S. th. III q 27: quae fecit et passus est.

gefaßt ist, entschlüsselt und entfaltet werden, soll die Fülle dieses Geheimnisses der Liebe erschlossen werden, dann geht das nur im Blick auf die Taten und Werke des Lebens Jesu, die in dem am Kreuz erhöhten und durchbohrten Herzen aufgenommen und zusammengefaßt sind.
Versteht man die »Mysterien des Lebens Jesu« als den in der Dimension des Menschlichen und der Geschichte verlaufenden Heilsweg des Gottmenschen zum Vollendungsziel der Erlösung, so wird man den unmittelbaren Bezug zum Heilsweg des Menschen unschwer erkennen. Der Mensch, der diesen Weg betrachtet, der sich selbst auf ihn stellt und ihn begeht, wird vom Geschehen, das Jesus Christus auslöste, selbst erfaßt. Er lernt verstehen und erfährt, daß die Etappen des Lebens Jesu die Marksteine seines eigenen Weges sind, daß das Christenleben als Vollzug an der Bewegtheit des Lebens Jesu Anteil hat und nicht nur an seinem gleichsam sachlichen Ergebnis.
Um der Fülle dessen inne zu werden und den Reichtum der Liebe Christi zu erfassen, muß der Mensch sich das gleißende Licht des gottmenschlichen Geheimnisses Christi, das im »Herzen Jesu« zusammengefaßt erscheint, gleichsam im Prisma der Lebensgeschichte des Herrn zerlegen. So erst vermag er die Vielgestaltigkeit, die Intensität und Tiefe der gottmenschlichen Liebe annähernd zu erfassen. An der Erniedrigung des Sohnes in das Menschenleben hinein, an der Schwachheit des Kindseins, an der Verborgenheit seines frühen Lebens, an seiner Versuchung, aber auch an seiner Verklärung, zuletzt an seinem Leiden und Sterben und an seiner Auferstehung vermag dem heilsuchenden Menschen das Heilsgeschehen in seiner das Menschsein als ganzes ergreifenden Menschlichkeit aufzugehen. Erlösung wird so von ihrer (in der Soteriologie vielfach drohenden) »staurologischen Engführung« befreit und als die das ganze Leben des Menschen durchwirkende Dimension offenbar.
In Würdigung dieser im legitimen Sinne »anthropozentrischen« Sicht des Erlösers wie der Erlösung hat die neuere Theologie den alten Topos der »Mysterien des Lebens Jesu« nach einer langen Zeit seiner Vernachlässigung durch die strenge Systematik, die mehr an der »Logik« des Wirkungszusammenhanges von Kreuz und Heil interessiert war (vgl. die klassischen »Erlösungstheorien«) als an der Erschließung seiner lebensmäßigen Fülle, wiederentdeckt, aber doch anscheinend nur für einen Augenblick; denn dieser Vorgang der Wiederentdeckung, der sich u. a. in der neueren Dogmatik des Sammel-

werkes »Mysterium Salutis« abzeichnete[4], scheint nun wieder von anderen, stärkeren Tendenzen überlagert und verschüttet zu werden. An sich wären nämlich die Neigung der exegetischen Forschung zum historischen Jesus (trotz des Einspruches der Bultmann-Richtung) und das systematische Interesse an einer »Christologie von unten«, die induktiv und empirisch vom menschlichen Leben Jesu her das Persongeheimnis Christi verstehen lehren möchte, positive Voraussetzungen und Impulse für die Neuentdeckung der Mysterien Jesu. Nimmt man noch den damit verbundenen methodischen Zug zu einer »narrativen Christologie« hinzu[5], die ebenfalls auf historisch-erfahrungsorientiertem Wege und mit Hilfe der kommemorativ-erzählenden Methode das Erlösungsgeschehen vergegenwärtigen möchte und aus dem für die Gegenwart aufbereiteten Erzählstoff den Funken der Erfahrung auf den bereiten Hörer überspringen lassen möchte[6], so wird man eine solche Konstellation für die Wiederaufnahme dieses klassischen theologischen Themas als günstig ansehen können. Und doch hat diese Konstellation – aufs Ganze gesehen – dem Thema nicht zum neuerlichen Durchbruch verholfen.
Dieser Mißerfolg hat seine tieferen Gründe, die zunächst an einem rein äußeren Umstand zu ersehen sind: es fällt auf, daß in den genannten Richtungen nicht eigentlich vom Mysterium Jesu oder von den Mysterien seines Lebens die Rede ist, die als Heilsmysterien zu deuten wären. Allen diesen Einstellungen eignet der Verlust des Geheimnis- und Mysterienhaften an den »acta et passa« Jesu, die gerade nicht als mysterienhaft ausgedeutet werden, sondern im Horizont gegenwärtiger Welterfahrung als beispielhaft für heutige Selbstverwirklichung und Handlungsorientierung des Menschen interpretiert werden sollen. Darum wird hier nicht von »Geheimnissen« des Lebens Jesu erzählt, sondern es werden aus dem manchmal sehr willkürlich und nach dem vorgefaßten Schema behandelten Evangelienstoff pragmatische Muster erhoben, welche dem modernen Menschen die pädagogische, soziale, ja politisch-revolutionäre Vorbildhaftigkeit des Wirkens Jesu nahebringen sollen. So wird etwa Gewicht darauf gelegt, daß aus dem Handwerker Jesus der religiöse

[4] Mysterium Salutis (hrsg. von J. Feiner und M. Löhrer) III/2, Einsiedeln 1969.
[5] Vgl. dazu J. B. Metz, Erlösung und Emanzipation, in: Erlösung und Emanzipation (hrsg. von L. Scheffczyk) Quaest. disp. 61, Freiburg 1973, 120–140.
[6] Ebda., 139.

Wanderlehrer wurde. Daraufhin kann Jesus vorbildhaft zum »Mann aus Nazareth«, der alle Rollen und Schemata sprengt«[7], stilisiert werden. Das Leben dieses Mannes wäre demnach vor allem darauf gerichtet gewesen, das Bewußtsein dafür zu schärfen, »daß Jahwe schon am Kommen, schon im Nächsten erfahrbar ist«[8]. So wird Jesus »zum Fanatiker dieser Erfahrung«[9]. Darum ist Jesus auch nicht als mystisches Schuld- oder Sühneopfer gestorben. Er schenkt uns durch seinen Tod nur »die begründete Hoffnung, die sich immer neu an seiner Gestalt entzündet, daß auch unser Einsatz für die uns anvertrauten Menschen die Todesgrenze zu durchbrechen und dem Leben einen Sinn über den Tod hinaus zu geben vermag«[10].

Bei der Hervorhebung aller dieser exemplarischen Taten ist eine Berufung auf ein Mysterium weder nötig noch möglich, weil es sich um die Werke eines Menschheitsbeglückers und eines sozialpolitischen Genies handelt, die durchaus wiederholt werden können. Der tiefste Grund aber, warum das Mysterium aus diesem Lebenszusammenhang entschwindet, ist die umgeformte Erlösungsvorstellung. Hier wird Erlösung nicht mehr als ethisch-personales Geschehen der Wiederherstellung des Liebes- und Gnadenbundes zwischen Gott und Menschheit verstanden, sondern als horizontal-sozialer Vorgang zur Verbesserung der menschlichen Lebensverhältnisse.

Der Einwand gegen diese Umprägung ist nicht nur von seiten der oft willkürlichen Interpretation der Texte zu erheben, sondern ebenso auch von seiten der sachlichen Bedeutsamkeit dieser Jesusdeutung für die Nöte des Menschen wie der modernen Gesellschaft; denn bei genauerem Hinblick kann sich erweisen, daß die Praxis des sozialpolitisch verstandenen Jesus für die Sozialaufgaben der modernen Welt wie für ihre Problematik keine Lösungen bietet.

Die Aufhebung des gnadenhaft-übernatürlichen Erlösungsglaubens in Formen säkularisierter Weltverbesserungsstrategien macht tatsächlich ein Nachdenken über »Mysterien« des Lebens Jesu unmöglich. Darum muß der Glaube an die Existenz solcher Geheimnisse, die das Leben des Erlösten betreffen und sich in ihm fortsetzen, auf

[7] G. Baudler, Wahrer Gott als wahrer Mensch. Entwürfe zu einer narrativen Christologie, München 1977, 74.
[8] Ebda., 105.
[9] Ebda., 105.
[10] Ebda., 171.

dem Grundgeheimnis aufgebaut sein, das allen christologischen Aussagen ihre einzigartige Bedeutung wie auch ihren absoluten Erlösungswert zuschreibt: es ist das Geheimnis des göttlichen Ursprungs der Person Christi. Deshalb ist eine der ersten Überlegungen dieses Bandes der »ewigen Sohnschaft Jesu Christi als dem Grund der Heilsbedeutung seiner Lebensmysterien« gewidmet; denn erst auf diesem Grunde kann sich die Heilsbedeutung der Lebenstaten Jesu erheben, die sonst in einer allgemeinmenschlichen Bedeutung versinken müßten. Wenn also in der Aufnahme und Aufarbeitung des Lebensganges Christi faktisch eine »Christologie von unten«[11] getrieben wird, so ist es jedenfalls eine solche, die das »von oben« kommende Moment im Glauben an die Gottessohnschaft Jesu einschließt und voraussetzt. Anders ist eine gläubig-heilshafte Sicht der Geschehnisse des Lebens Jesu nicht zu gewinnen; denn der alleinige, bloße Mensch mit seinem Tun wäre kein Gegenstand des Glaubens; von einem solchen bloßen Menschen aus gäbe es aber auch keinen Aufschwung zu einem Gottmenschen; denn die Differenz zwischen Mensch und Gott ist »von unten«, vom Menschen her, nicht zu überwinden. Sie muß von vornherein von Gott selbst überwunden sein. Soll jedoch die gläubige Option für den Gottmenschen das Interesse an den Mysterien des Lebens Jesu in seiner menschlichen Artung und Gewichtung nicht präjudizieren und mindern, dann muß sich die Aufmerksamkeit mit besonderer Intensität auf die geschichtliche Wirklichkeit Jesu Christi und auf seinen irdischen Lebensweg konzentrieren. Das gelingt nicht ohne Hinwendung zu den neutestamentlichen Quellen, welche heute nicht ohne Zuhilfenahme der historisch-kritischen Methode zu erschließen sind. Deshalb beschäftigen sich zwei exegetische Beiträge mit der geschichtlichen Beurteilung der Berichte über das Wirken Jesu, paradigmatisch an einer besonders umstrittenen Geschehenskette ausgewiesen: an den Wundern und Machttaten Jesu Christi. Diese Untersuchungen dienen der Sicherung des biblischen Erzählstoffes, in welchen die Taten Jesu eingefügt sind. Bezüglich der Wunder wird erkennbar, daß sie trotz mitschwingender theologischer Motivationen und ihres »Sitzes« in der gottesdienstlichen Verkündigung konkrete Zeichen für die in

[11] Vgl. W. Kasper, Christologie von unten? Kritik und Neuansatz gegenwärtiger Christologie, in: Grundfragen der Christologie heute (hrsg. von L. Scheffczyk) Quaest. disp. 72, Freiburg ²1978, 141–170.

Christus erfolgte Heilung und Rettung der Menschen bleiben. Dabei wird freilich auch etwas von der exegetischen Problematik und den Grenzen der »historischen Vernunft« erkennbar, die sich im Spannungsfeld von Wahrscheinlichkeiten bewegt und die ihre Gewißheit nicht ohne eine mitgehende gläubige Erfahrung gewinnen kann.

Was die Auswahl der auch in der Tradition nicht streng fixierten Reihe der einzelnen Lebensgeheimnisse Jesu betrifft, so ist sie hier faktisch aus erklärlichen Gründen auf die Kerngeschehnisse reduziert und auf gewisse Hochpunkte begrenzt, welche in ihrer Heilsbedeutung besonders herausragen. Aber unter dem Gesetz der Heilsgeschichte stehend, ist keines der Lebensgeschehnisse Christi für die die ganze Lebenswelt des Menschen ergreifende und umgestaltende Erlösung ohne Bedeutung. Dem trägt die Aufnahme auch solcher Begebenheiten Rechnung, die bei vordergründiger Betrachtung leicht unter die bloßen Voraussetzungen des Heilwirkens Jesu gezählt werden könnten wie die Geschehnisse der Kindheit Jesu. Wie die Kindheitsgeschichten als solche, auch wenn sie nur von zwei Evangelien aufgenommen sind (Mt 1–2; Lk 1–2), zum neutestamentlichen Offenbarungszeugnis gehören, so ist auch das Kindsein Jesu und das Leben in Nazareth in besonderer Weise vom Geheimnis umhüllt, das aus der Ökonomie des Heils nicht herausgebrochen werden kann und nicht etwa in einen privaten Bereich abgedrängt werden darf, den es für die Person des Erlösers so nicht gab. Freilich beschränken sich die Berichte darüber vielfach auf die Anführung der bloßen Fakten (vgl. Lk 2,51 f), die nicht im Medium erzählender Geschichten dargeboten sind und keinen öffentlichen Charakter zeigen. Sie nehmen die Form einer Tat- und Sachoffenbarung vor dem öffentlichen Auftreten Jesu an. Das Geheimnis Christi ist hier gleichsam nochmals in eine Hülle des Schweigens eingefasst. Aber auch dieses Schweigen ist eine sprechende Stille, die dem Menschen etwas zu sagen hat, auch wenn die Interpretation dessen, was hier gesagt werden soll, großen auslegerischen Takt verlangt, der das Verhüllte nicht durch legendarische Zusätze entschleiern und es der bloßen Neugier oder Wißbegierde unterwerfen darf. So wird in einem Beitrag die Kindheit Jesu als besonders ausgeprägte Form der Selbstentäußerung des Gottessohnes und seiner Solidarität mit der Schwäche des Menschlichen interpretiert. Der Sohn als liebenswürdiges und liebebedürftiges Kind vermag einen starken Impuls auf die Wirklichkeit der Erlösung zu vermitteln, die im Menschen das Kindsein vor dem Vater bewirkt. In ähnlicher Richtung wird das verborgene Leben Jesu in seinem Heilssinn erschlossen und als Zeichen gedeutet für die tiefgreifende schöpfungsgemäße Natürlichkeit des Lebens des gottmenschlichen Erlösers und für das Elementare der Erlösung, das die alltäglichsten menschlichen Ordnungen von Ehe, Familie, Beruf und Arbeit durchdringt und das Anonyme zur einzigartigen Bedeutsamkeit erhebt.

Aber unstreitig gewinnt diese Zeichenhaftigkeit eine für den Menschen beeindruckendere Kraft und Mächtigkeit in gewissen dramatischen Lebensgeschehnissen Jesu, die auch nach den biblischen Zeugnissen als Steigerungspunkte des Lebens des geschichtlichen Jesus ausgegeben sind, wie ja jedes Menschenleben solche Steigerungen und Überhöhungen der Lebenslinie kennt. Ohne Anspruch auf Vollständigkeit und in Entsprechung zu den Neigungen und Affinitäten der betreffenden Autoren konzentriert sich hier das Interesse auf die Versuchung Jesu Christi, auf seine Verklärung, auf den Sühnecharakter seines Leidens und Sterbens wie auf seine die Erlösung vollendende Auferstehung. Diese wird hier bewußt zu den Mysterien des Lebens Christi gerechnet, insofern sie dieses menschliche Leben mit der dem Sohn angestammten Herrlichkeit des Vaters umkleidet.

Die Versuchungsszene wird hier entschlüsselt als verborgene Epiphanie des »Stärkeren« unter den Bedingungen der von Sünde und von den Kräften des Dämonischen angetasteten Welt. Sie zeigt nicht nur den Gottmenschen in einer bis zum Paradox gesteigerten Solidarität mit dem versuchlichen Menschen, sondern sie erweist ihn auch als den »Urheber und Vollender des Glaubens« (Hebr 12,2), der dem Menschen den Weg der Erlösung durch die vielfältigen Gewalten des Bösen und durch viele Bedrängnisse bahnt.

Dem steht in einer gewissen dialektischen Bewegtheit das Ereignis der Verklärung Christi gegenüber, das trotz der Anzweifelung seiner Geschichtlichkeit und seiner Zuweisung unter die Mythologeme (R. Bultmann) als Wirklichkeit der am irdischen Jesus aufbrechenden Doxa ernst genommen werden muß (und von Exegeten als Geschehen auch ernst genommen wird). Dieses für den Charakter der Lebensmysterien Jesu besonders signifikante Ereignis (insofern es das Geheimnis göttlicher Kraft und Herrlichkeit mitten im Leben Jesu und aus ihm hervorbrechen läßt), das in seiner Bedeutsamkeit von der Liturgie und Theologie der Ostkirchen am angemessensten erkannt wurde, vermag den Grundduktus des Christenlebens in Angleichung an das Leben Jesu Christi aus der Verborgenheit ans Licht zu führen: die Zusammengehörigkeit von Leiden und Verklärung, von Erniedrigung und Erhöhung, und zwar in dieser Abfolge und Ordnung, die erst im Durchgang durch die Gestalt des Todes die Gestalt der Auferstehung (vgl. Röm 6,5) erreicht. Daß diese Abfolge von Erniedrigung und Verherrlichung auch der Gestalt der Welt im ganzen ein besonderes Siegel aufprägt, ist nicht das geringste Ergebnis dieser am Verklärungsgeschehen ansetzenden konkreten Christologie, die zugleich auch kosmische Perspektiven freisetzt.

Wenn so auch die Vertiefung in die Lebensmysterien Christi einer staurologischen Engführung des Erlösungsgeschehens entgegenwirkt und die ganze lebendige Schwingungsweite des Erlösungsgeschehens sichtbar werden läßt, so ist doch andererseits die Zusammenführung dieser vielfältigen Linien zum Gipfel von Kreuz und Auferstehung nicht zu bestreiten. Allerdings scheinen sich diese höchsten Ereignisse, in denen die Lebenslinie Jesu ihren Gipfel gewann, einer realistischen Vermittlung zur menschlichen Wirklichkeit hin und einer Überführung in diese zu widersetzen, weil in ihnen scheinbar Unvergleichliches und Unvertauschbares geschah. Aber gerade an diesen Punkten hat das Prinzip des Austausches zwischen den Lebensmysterien Christi und dem Gnadengeheimnis des Christenlebens seine Bewährungsprobe zu bestehen. Darum wird im folgenden unter Heranziehung eines philosophischen Ansatzes das heute viel erörterte Problem des stellvertretenden Leidens aufgenommen und ausgearbeitet und einer Lösung entgegengeführt, die nicht den heute weltläufigen Solidaritätsgedanken zugrundelegt, sondern die Wahrheit einer seinshaften Imputation des Tuns des einen im anderen. Sie hat darin ihre Wurzel, daß zuerst der Gottmensch selbst durch den Liebestod am Kreuz das Ganze des Menschseins durchmessen und ergriffen hat, daß aber daraufhin auch der erlöste Einzelne für das Ganze stehen und wirken kann. In ähnlicher Weise wird das geschichtlich-übergeschichtliche Ereignis der Auferweckung des Herrn, der verklärenden Auferstehung, als Vollendungsgeschehen am Leben Jesu wie am Leben des Menschen interpretiert, das besonders auch die Leiblichkeit und damit die Materialität der Schöpfung betrifft und der Welt eine überzeitliche Zukunft erschließt, die in der Kirche schon jetzt verborgen anwest.

Wenn mit der Annahme dieser wenigen Daten und Fakten der Reichtum des erlöserischen Lebens Jesu Christi auch nicht ausgeschöpft ist und wenn aus diesem noch eine Vielzahl von anderen heilsbedeutsamen und das Leben des Menschen betreffenden Geschehnissen hervorgeholt werden könnte (so etwa die heilsgeschichtlich bedeutsame Taufe Jesu [Mk 1,9–11 parr.], die dramatische Erschütterung in Getsemani [Mk 14,32–42] oder der Verlassenheitsruf am Kreuz [Mk 15,34]), so tritt doch auch in dieser Beschränkung das Grundanliegen einer gläubigen Vertiefung in die Geheimnisse des Lebens Jesu hervor, das hier nicht völlig aufgearbeitet, sondern der Theologie nur zur Anregung vorgestellt werden sollte: Die immer noch zu vertiefende Einsenkung des göttlichen Erlösens in die conditio humana und in die menschliche Geschichte, die bis zum mystischen Austausch beider Geschehensreihen vorangetrieben werden kann, gemäß dem paulinischen »Nicht mehr ich lebe, Christus lebt in mir« (Gal 2,20). Das führt, wie der letzte Beitrag herausstellt, zu einer Form der »Nachfolge Christi«, die über das ethisch nachzuvollziehende Beispiel hinausreicht in die Dimension der seinshaften Gleichgestaltung mit Christus und der Umgestaltung in ihn, wie sie Augustinus in dem Satz des Enchiridion ausspricht: »Was also in der Kreuzigung Christi, in seiner Grablegung, in seiner Auferstehung am dritten Tag, in seiner Himmelfahrt, in seinem Sitzen zur Rechten des Vaters geschehen ist, ist so geschehen, daß durch diese mystischen Geschehnisse, nicht bloß durch mystische Lehren, unser Leben seinem Leben angeglichen und so christlich werde in dieser Welt«[12]. Damit ist zugleich auch das Fruchtbarwerden dieser Angleichung für die Welt im ganzen angedeutet.

Leo Scheffczyk

[12] Ench. n. 14 c 53 (PL 40, 257 f).

Die Bedeutung der Mysterien des Lebens Jesu für Glauben und Leben des Christen

von Leo Scheffczyk, München

Die folgenden Überlegungen möchten als Einführung in die Bedeutung des Themas der »Mysterien des Lebens Jesu« verstanden werden. Es geht um ein gewisses Vorverständnis des Gesamtproblems, das wohl nicht ohne Berücksichtigung der theologiegeschichtlichen Tradition gewonnen werden kann.
Dabei kann es nicht um die Darbietung der Geschichte dieses theologischen Lehrstücks der »vita Jesu« gehen, die noch nicht geschrieben ist und die hier auch nicht in einer Kurzform erstellt werden soll. Es sollen vielmehr nur einige typische Ausformungen dieses theologischen Beweisortes aus der Geschichte angeführt werden; danach soll das Augenmerk auf den Verlust dieses christologischen Grundsatzes in der Neuzeit gelenkt werden; schließlich soll aus der Kenntnis der Geschichte eine Begründung für die zu fordernde Erneuerung dieses christologischen Grundsatzes wie für seine bleibende Bedeutung in Theologie und Frömmigkeit gegeben werden.

1. Traditionelle Ausformungen und Motive der theologischen Wahrheit von den Mysterien des Lebens Jesu Christi

Die theologische Betrachtung und Wertung der mysteria Christi reicht bis in die Ursprungszeit des nachbiblischen christlichen Glaubensdenkens zurück. Erstmals spricht Ignatius v. Antiochien († um 110) von den drei »aufsehenerregenden Mysterien«[1] der Jungfräulichkeit Marias, der menschlichen Geburt des Gottessohnes und seines Todes, die sich, vom Teufel unbemerkt, in Schweigen vollzogen und gerade durch ihre Verborgenheit zur Wirkung gelangten. Entsprechend möchte Ignatius auch sein Martyrium als vollständiges Untergehen vor der Welt verstehen, um so als wahrer Jünger Christi erfunden zu werden.[2] Das sich hier andeutende Grundmotiv der

[1] Eph 19,1.
[2] Röm 4,2.

Würdigung der Ereignisse des Lebens Jesu ist vornehmlich ihr Verborgenheitscharakter, der die Macht der Offenbarung umso wirksamer zur Geltung bringt. Aber auch das Motiv der Exemplarität dieser Geschehnisse für das Christenleben klingt deutlich an.
Anders wertet Melito v. Sardes († um 150) in seiner Paschahomilie die Ereignisse: die Geburt aus der Jungfrau, das Hängen am Kreuze, das Begrabenwerden in der Erde und das Auferstehen aus dem Grabe. Er sieht sie als »zum Pascha unseres Heiles« hinzugehörige Geschehnisse, als Ausfaltungen des zentralen Paschamysteriums und also in ihrer objektiv-soteriologischen Bedeutung[3].
Reicher und differenzierter wird die Motivation im abendländischen Bereich bei Hippolyt († 235). Vom Geheimnis der Oikonomia her, d. h. von der Sendung und sichtbaren Erscheinung des Sohnes in der Menschheit, vermag Hippolyt den irdischen Taten Jesu Christi eine gesteigerte Bedeutung abzugewinnen[4]. Es geht bei allen Geschehnissen des Lebens Jesu Christi um das Werk der Erlösung, das mit der Menschwerdung beginnt. Aber die Menschwerdung als solche ist ein verborgenes und schwer erkennbares Geschehen des Göttlichen.[5] Sie gleicht einem Inkognito, das in den Taten Christi nach und nach aufgedeckt werden muß, vor allem in Tod, Höllenfahrt, Auferstehung und in der zweiten Wiederkunft.[6] Die Begebenheiten des Lebens Jesu sind als ein erlöserisches Offenbarungsgeschehen gedacht. Der Nachdruck dabei liegt auf dem Dreiklang: Menschwerdung (als Abstieg und Erniedrigung), Kreuzestod und Auferstehung. So ist Christus von den Toten auferstanden, damit in diesem Ereignis unsere eigene Auferstehung sichtbar gemacht werde. Andeutungsweise verbindet Hippolyt auch die Taufe Jesu mit dem Geheimnis seines Leidens, weil sie auf die Vergebung der Sünden hinweist.[7] Es ist das eine theologische Erklärung der Stufung des Erlösungsgeschehens.
Das Interesse an diesen Taten, die in typologischer Schriftdeutung

[3] Vgl. O. Perler, Méliton de Sardes . Sur la Pâcque et Fragments (Sources Chrét. 123) Paris 1966; A. Grillmeier, Das Erbe der Söhne Adams in der Paschahomilie Mélitons: Mit ihm und in ihm. Christologische Forschungen und Perspektiven, Freiburg 1975, 175–197.
[4] Vgl. L. Bertsch, Die Botschaft von Christus und unserer Erlösung bei Hippolyt von Rom, Trier 1966.
[5] In Dan IV, 37.
[6] Fragment zur großen Ode (P. Nautin, Dossier 20–22).
[7] De antichristo 45.

schon aus dem Alten Testament erhoben werden, ist näherhin darauf gerichtet, in ihnen die Oikonomia Gottes, d. h. den Erlösungsplan des Vaters mit der Menschheit hervortreten zu lassen. Das geschieht vor allem dadurch, daß Jesus durch seinen Tod am Kreuz den Tod besiegte und den Fluch zum Leben wandelte. Aber diese sich in der Geschichte Jesu Christi auswirkende, sich stufenweise erhellende Oikonomia offenbart auch immer etwas über das Wesen Gottes, über sein dreifaltiges Sein. Es ist nicht so, daß theologia und oeconomia hier (und allgemein in der Patristik) getrennt nebeneinander verliefen. Mit diesen Gedanken entwickelt Hippolyt zwar noch keine zusammenhängende Lehre von den Mysterien des Lebens Jesu, aber er trägt bedeutungsvolle Bausteine zu ihrer Erstellung bei: so ist ihm das Ausbreiten der Hände Jesu am Kreuz das Zeichen der Sühne, aber auch der Vergebung[8]. Dabei wird auch schon die Verbindung dieser Geschehnisse mit dem Leben des Christen deutlich. Die Taufe Christi ist ein Zeichen auf das hin, was in der Taufe am Christen geschieht. Sie macht das Leben des Christen wie auch das Leben der Kirche zu einem Passionsgeschehen.[9]
Wiederum eine andere Ausrichtung gewinnen die Ereignisse des Lebens Christi bei den am griechischen Paideia-Gedanken und am lehrhaften Element der Offenbarung interessierten Alexandrinern. Für Origenes († um 254) haben diese Geschehnisse vor allem eine offenbarungspädagogische Bedeutung[10]. Sie dienen der Anpassung des Göttlichen, d. h. der Erscheinung des Logos an das geringe Auffassungsvermögen der Menschen, die durch das Menschliche dieser Begegnisse zur Erkenntnis des Logos geführt werden sollen.
Zwar wird hier alles Menschliche an Christus in nicht ganz zutreffender Weise als Verhüllung des Göttlichen verstanden; aber wenn diese Hülle durchstoßen wird, läßt sich das Geheimnis des Logos selbst im Kinde Jesu erfassen, woraufhin bei Origenes die ersten Spuren der Verehrung und der Andacht zum Kinde und zur Menschheit Jesu auftauchen, die danach in der Frömmigkeit des östlichen Mönchtums weiterentwickelt wurde[11].

[8] Vgl. L. Bertsch, a.a.O., 77ff

[9] De antichristo 61.

[10] Vgl. B. Studer (unter Mitarbeit von Br. Daley), Soteriologie in der Schrift und Patristik: Hdb. d. Dogmengeschichte (hrsg. v. M. Schmaus, A. Grillmeier, L. Scheffczyk, M. Seybold) III, 2a, Freiburg 1978, 90ff

[11] A. Grillmeier, Mysterium Salutis III, 2, 10.

Für Origenes' Interesse am Aufstieg zum Logos ist besonders die Vorliebe für das Ereignis der Verklärung Christi charakteristisch, weil es seinem Grundzug der Enthüllung des Göttlichen am besten entgegenkommt.[12]
Auch wenn die Begebenheiten des Lebens Jesu in dieser Epoche selten vollständig aufgenommen und ausgewertet sind und wenn in dieser Hinsicht die Apokryphen und Pseudoepigraphen ein viel reichhaltigeres Material darbieten, so ist doch der sachliche Unterschied bedeutsam: bei den Apokryphen herrscht eine überzogene, phantasievolle Ausschmückung biographischer Daten zur Stillung der Wißbegier[13], bei den theologischen Schriftstellern dagegen ist das heilsgeschichtliche Interesse an dem Offenbarungs- und Vorbildcharakter dieser Ereignisse führend, die als Entfaltung des einen gottmenschlichen Mysteriums gewertet werden. Im ganzen war hier das heilsökonomische Denken bestimmend, das die Oikonomia Gottes auch auf die Ereignisse des Lebens Jesu ausdehnte.
In der Ära der arianischen Auseinandersetzungen und der christologischen Streitigkeiten trat dieses heilsökonomische Interesse verständlicherweise zugunsten einer mehr rational beweisenden Argumentation bezüglich dieser Fakten zurück. Damit legte sich etwa bei Athanasius († 373) wie bei den Kappadoziern die Unterscheidung dieser Ereignisse in göttliche Hoheitsbeweise und menschliche Niedrigkeitsbeweise nahe[14], welche letzteren aber mit allem soteriologischem Gewicht ausgestaltet wurden, wie das auch in dem berühmten Brief Leos I. an Flavian geschieht[15]. So wurden die Fakten mehr auf die beiden Naturen verteilt und dem Beweis für das Persongeheimnis Christi und für seine Erlösungskraft unterstellt. Dagegen hat die gottmenschliche Einheit dieser Fakten Theodor von Mopsuestia auf Grund seiner besonderen Einheitsauffassung der beiden Naturen stärker betonen können.[16] So vermag er dann auch die Geburt Jesu, die Darstellung im Tempel, sein im Evangelium geschildertes Leben und seine Taufe als Typen unmittelbar auf das übernatürliche Leben des Christen zu beziehen.

[12] Vgl. M. Eichinger, Die Verklärung Christi bei Origenes. Die Bedeutung des Menschen Jesus in seiner Christologie, Wien 1969.
[13] Vgl. A. Grillmeier, Mysterium Salutis III, 2,9.
[14] B. Studer, a.a.O., 130; 179f
[15] C. Silva-Tarouca, S. Leonis Magni tomus ad Flavianum, Romae 1958.
[16] B. Studer, a.a.O., 181ff

Auch am Ende der griechischen Patristik bezeigt Johannes Damascenus († 749) ein Interesse an den Geschehnissen des Lebens Jesu; denn Christus habe sich alles Unsrige angeeignet und es sich assimiliert[17]. Obgleich diese Erwägungen im Führungsfeld spekulativen Denkens über die hypostatische Union und die zwei Wirksamkeiten Jesu stehen, dienen sie doch auch dem Erweis der Wahrheit, daß Christus »alles angenommen hat, um alles zu heiligen«[18], uns (z. B. durch sein Gebet) ein Beispiel zu geben und uns den Aufstieg zu Gott zu bahnen[19].

Dies ist vor allem auf den Christozentrismus des Ambrosius v. Mailand († 397) zurückzuführen und auf den charakteristischen Grundsatz »per Christum hominem ad Christum Deum«[20]. Der soteriologische Zug seiner Christologie bestimmte ihn zu einer sehr persönlichen Erfassung der Ereignisse des Lebens Jesu, in denen er vor allem den Tugendlehrer Christus hervortreten sah. So gilt ihm das verborgene Leben Jesu in Nazareth als Verherrlichung des Vaters durch den Sohn, aber zugleich auch als Beispiel der Kindesliebe[21]. Die Verklärung Christi aber eröffnet Hoffnung auf die künftige Herrlichkeit, die den Tod nicht zu fürchten braucht.[22]

Einen gewissen Höhepunkt erreicht die Auswertung der Geheimnisse des Lebens Jesu in den Schriften des hl. Augustinus († 430). Der Bischof von Hippo, der im Zentrum seiner Soteriologie den Gedanken von der Mittlerschaft Christi stehen hat, ordnet diesem Gedanken auch die Mysterien des Lebens unter. Diese sind nach ihm zur demonstratio und commendatio amoris Dei gedacht; denn es gilt der Grundsatz: »Credimus pro nobis Deum hominem factum, ad humilitatis exemplum et ad demonstrandam erga nos dilectionem«[23]. Die Menschwerdung Gottes offenbart demnach vor allem die demütige Liebe Gottes, die den Menschen zu einer gleichgestimmten Antwort und einer gleichgesinnten Haltung verpflichtet. Die Darstellung und Ausführung dieser Grundhaltung des Menschgewordenen erfolgt in den dicta und facta Jesu, in denen Jesus sein magisterium und sein ex-

[17] De fide orthodoxa III, 22.
[18] Ebda., III, 20.
[19] Ebda., III, 24.
[20] Vgl. dazu B. Studer, a.a.O., 195f
[21] In Luc II, 8, 65.
[22] Ebda., VII, 1.
[23] De Trinitate VIII, 5, 7.

emplum gegenüber den Menschen ausübt. »Augustinus hält tatsächlich, besonders in seinen Frühschriften, viel darauf, daß Christus den Menschen durch seine Lehre und sein beispielhaftes Leben gerettet hat«[24], wobei dem exemplum sogar das größere Gewicht zukommt. Daraufhin kann der Bischof von Hippo das Leben Christi insgesamt als eine »disciplina morum«[25] bezeichnen. Sie bietet den Menschen im einzelnen das Beispiel der Treue Jesu gegenüber dem Vater dar, sie schließt den Gehorsam, die Selbstlosigkeit, den Leidensmut, die Geduld des Erlösers ein; sie beweist sich vor allem aber auch in der tiefen Demut des Gottmenschen.

Dabei verbindet Augustinus die exemplarische Bedeutung des Tugendlebens Jesu direkt mit seiner erlöserischen Aufgabe und Wirkung. Damit ist zugleich auch gesichert, daß diese Werke und Haltungen Jesu nicht nur Vorbildcharakter in einem äußerlich-moralischen Sinne besitzen, insofern sie die Menschen zu einem ähnlichen Verhalten mahnen und anspornen. Die hier von Augustinus eigens herangezogene Wahrheit vom »Christus medicus«, welcher als »salvator« zugleich »sanator« ist und die »salvatio« mit der »sanatio« verbindet, bringt es zur Gewißheit, daß das exemplum Christi seinshaft verstanden und im Sinne eines wirksamen Urbildes gedacht ist, das seine Kraft anderen mitteilt und zur Abbildung drängt. Die Taten des Lebens Jesu sind also Teil seines effizienten erlöserischen Wirkens und tragen Wesentliches zur Heilung des durch die Sünde verwundeten Menschen bei.

Trotzdem setzt der Kirchenvater von Hippo einen Unterschied zwischen den genannten Werken des Erdenlebens Jesu vor seinem Tod und dem Kreuzes- und Leidensgeschehen selbst. Während jene nach dem Verständnis Augustins mehr der Ordnung der gratia externa zuzurechnen sind oder (in höherer Einstufung) der medizinellen Gnade zugehören, nehmen die mit Leiden und Sterben Jesu zusammenhängenden Taten unstreitig den Charakter der übernatürlichen elevierenden Gnade an. Es ist bezüglich dieses Unterschiedes auch eine Deutung möglich (die zwar über Augustinus hinausgeht, aber seinen Gedanken keinen Zwang antut), nach welcher die Lebenstaten Jesu nach Art von Sakramentalien auf das Leben des Erlösten wirken, während Leiden und Sterben Christi geradezu Sakramentscharakter

[24] B. Studer, a.a.O., 165.
[25] De vera religione 16, 32.

an sich tragen. Deshalb ist hier die Rede vom »sacramentum passionis« angebracht[26].
In Übereinstimmung mit dieser Tradition entwickelt auch Leo d. Gr. († 461) das Thema von der Heilung der menschlichen Schwächen durch die menschlichen Tugenderweise Jesu, der auch an den »affectus naturae nostrae« teilhatte[27]. Aber in den Predigten über die Geheimnisse des Lebens Jesu zeichnet sich deutlich eine Weiterentwicklung ihrer sakramentalen Auffassung und Wirkweise ab. Dem entspricht die sichtliche Bevorzugung der hervorragenderen Geheimnisse, die sich auch in der Liturgie der Kirche niedergeschlagen haben: Weihnachten, Epiphanie, Ostern und Himmelfahrt. So ist die Geburt Christi aus der Jungfrau »ein Vorbild unserer sakramentalen Wiedergeburt aus dem gleichen Geiste und der Kirche«[28]. Die Heilsbedeutung der Lebensereignisse Jesu wird im sakramentalen Leben der Kirche verwahrt und lebendig erhalten. Dabei ist die moralisch-exemplarische Bedeutung nicht aufgegeben, wie etwa das Wort in der Predigt über die Verklärung Christi zeigt: »Auch sollen die Gläubigen durch das Beispiel des Herrn zu der Erkenntnis gelangen, daß man inmitten der Versuchungen dieses Lebens trotz allen Vertrauens auf die verheißene Seligkeit, doch eher um Geduld als um Glorie bitten müsse; denn die glücklichen Tage unserer Herrschaft können nicht früher kommen als bis die Zeit des Leidens vorüber ist.«[29]
Obwohl die heilsökonomische Grundauffassung der Theologie, wie sie die Väter vertraten, im frühen Mittelalter der scholastischen Analyse und Synthese wich, blieb doch der Topos von den Mysterien Christi dank der Traditionsgebundenheit des Lombarden der nun anhebenden dogmatischen Theologie erhalten. Aber es ist für den gewandelten Denkstil bedeutsam, daß der Lombarde im 3. Buch der Sentenzen die nicht unerwähnt gelassenen Verhaltensweisen des Menschen Jesus wie Gebet, Leiden, Traurigkeit und Sterben vor allem zur Demonstration der wahren Menschheit Christi verwendet[30], die aber beispielsweise einen menschlichen Erkenntnisfortschritt nicht kannte[31]. Dabei steht auch nicht die Angleichung an das kon-

[26] So B. Studer, a.a.O., 166.
[27] Sermo 54, 4.
[28] B. Studer, a.a.O., 208.
[29] Sermo 51, 5.
[30] Sent. III, d. 15–21.
[31] Sent. III, d. 13 c.38.

krete Menschenleben im Vordergrund, sondern an die theoretisch gefaßten vier Stände der Menschheit.

Eine größere Beachtung finden die Lebensereignisse Jesu in der weitergeführten heilsgeschichtlichen Linie der Theologie. Aber bei einem ihrer Vertreter, Honorius Augustodunensis († 1130), werden diese Ereignisse, wie das Erscheinen des Sternes bei der Geburt Jesu, das Kommen der Magier, die Flucht nach Ägypten oder das verborgene Leben in Nazareth fast ausschließlich unter dem Aspekt staunenerregender Zeichen für das Geheimnis der Menschwerdung begriffen, das aber mit diesen Zeichen keine innere Verbindung eingeht. Sie sind gleichsam nur sinnliches Anschauungsmaterial für die Bedeutung des Christusereignisses.[32]

Auf diesem Hintergrund tritt die Bedeutung des hl. Thomas für die Aufnahme und Behandlung dieses christologischen Artikels recht deutlich hervor. Unabhängig von der Entscheidung der Frage, ob Thomas seiner Summe ein heilsgeschichtliches Konzept zugrunde legte oder nicht, ist die Reichhaltigkeit bedenkenswert, mit der er im dritten Teil in den qq 35–45 die vita Christi behandelt. Mögen diese Erörterungen über Geburt, Beschneidung, Taufe, Versuchung, Wunder und Verklärung Christi und danach in den qq 46–59 über Leiden und Erhöhung auch stark vom spekulativ-rationalen Denken über das Persongeheimnis Christi geprägt sein, so tritt doch das Interesse am heilsgeschichtlichen Zusammenhang und am heilshaften »pro nobis« dieser Gegebenheiten genauso deutlich hervor, häufig in eigentümlicher Vermischung des rein christologischen Interesses mit dem heilshaft-geschichtlichen und dem religiös-exemplarischen.

Als beispielhaft für die Mischung der Motive kann etwa der Satz aus den Antworten der q 40 über die Lebensführung Christi dienen, wo es heißt: »Die Lebensführung mußte dem Zweck der Menschwerdung entsprechen, der ihn in die Welt geführt hatte«[33] – das ist das heilsökonomische Motiv. Es wird gefolgt von dem spekulativ-christologischen Motiv: »Christus wollte durch seine Menschheit seine Gottheit offenbaren«[34]; es läuft schließlich ins moralisch-beispielgebende Motiv aus: »Christi Tat ist unsre Lehre«[35]. Man hat mit Recht auch das sapientiale Motiv hervorgehoben, die Vermittlung der

[32] Elucidarium, PL 172, 1121ff

[33] S. th. III q 40 a 1.

[34] S. th. III q 40 a 1 ad 1.

[35] S. th. III q 40 a 1 ad 3, als Zitat des hl. Bernhard v. Clairvaux.

Weisheit Christi, das Thomas hier bestimmte. Dabei ist jedoch nicht zu übersehen, daß das Mysterium der Passion einen besonderen Rang empfängt als das Mysterium seiner höchsten Selbstentäußerung, das dann auch, ähnlich wie bei Leo d. Gr., in die sakramentale Gleichgestaltung des Christen weitergeführt wird. Hier tritt wieder die direkt sakramentale Abzweckung des höchsten Lebensmysteriums Christi hervor.

Eine relativ neue Ausformung gewinnt der Topos, auch wenn er nicht immer in allen Einzelheiten behandelt wird, in franziskanischer Schulrichtung. Bei Bonaventura dringt die kontemplative Schau der Mysterien Jesu stärker hervor, etwa nach dem Grundsatz des Itinerariums: »Gehen wir mit Christus, dem Gekreuzigten, aus dieser Welt zum Vater.«[36]

Die sapientiale Auswertung der Geheimnisse wird hier zur mystischen Verinnerung weitergeführt, gemäß dem paulinischen »Christus lebt in mir« (Gal 2,20). Daß auch die erneuerte Scholastik des 16. Jhrs. dieses nun schon feststehende christologische Thema übernahm, zeigt vor allem Franz Suarez († 1617) in seinem Werk »De incarnatione«[37], das wohl die umfangreichste Darstellung der Geschehnisse des Lebens Jesu von der Empfängnis in Maria bis hin zum Endgericht bietet mit der Aufnahme aller verfügbaren Details aus der Tradition, mit großer Eindringlichkeit in der Auslegung und Diskussion der Einzelheiten. Aber genau besehen, ist das Motiv der ausführlichen Darstellung dieses Themas nicht so sehr ein sapientiales und ein zum Nachvollzug aufrufendes, sondern ein mehr rationales, auf die Wahrheit dieser Ereignisse dringendes, aber auch auf die Frömmigkeit zielendes. Im Vorwort stellt Suarez den Grundsatz auf, daß die Wahrheit die Frömmigkeit stützen, die Frömmigkeit aber mit ihrem Reiz zu tieferer Ergründung der Wahrheit anregen solle. Die Reichtümer des Lebens Jesu sollen so zu einer konkreten, lebendigen Christuserkenntnis führen.

Diese reichentfaltete Tradition von den Geheimnissen des Lebens Jesu findet danach in der »Französischen Schule«, zumal in P. Bérulles »Discours de l'état et des grandeurs de Jésus par l'union ineffable de la Divinité avec l'humanité« eine höchste Zusammenfassung, die von der mystischen Glut des Gedankens vom Zusammenhang der irdi-

[36] Itinerarium, 47; 155.
[37] Opera omnia (ed. Vivès) XIX, 1877.

schen Mysterien Jesu mit seiner Präexistenz und seiner Herrlichkeit erfüllt ist.[38]
In der beginnenden Neuzeit wandert dieser Topos aber aus der Theologie aus und zieht sich allein in die Frömmigkeit etwa der ignatianischen Exerzitien zurück, ohne von hier aus das christliche Leben im ganzen bestimmen zu können.
Die theologiegeschichtliche Betrachtung wird sich hier vor die Aufgabe gestellt sehen, auch den Rückgang dieses christologischen Lehrstückes in der Neuzeit zu bedenken und zu erklären.

2. Der Schwund des christologischen Topos in der Neuzeit

Es ist bemerkenswert, daß die Neuzeit mit ihrer Wende zum Menschen und zur Geschichte keine Weiterführung dieses christologischen Grundsatzes verband, wo man doch denken könnte, daß die Anthropozentrik und das Interesse für das Positiv-Geschichtliche eine solche Weiterführung nahegelegt hätten. Der Ausfall erscheint um so verwunderlicher, als etwa die Aufklärung ein starkes Interesse am Menschen Jesu zeigte und ihn, um eine gängige Formel dieser Zeit zu gebrauchen, als »Menschen wie wir« betrachtete, nur »in Absicht auf Geist, Weisheit, Tugend und Religiosität von keinem Sterblichen übertroffen«[39]. Auch im Umfeld der romantischen Bewußtseins- und Gefühlsreligiosität wurde Jesus, wie etwa bei Schleiermacher († 1834), als Urbild vollkommener Frömmigkeit geschätzt, aber seine Lebensereignisse wurden als solche keiner besonderen Betrachtung gewürdigt. Das änderte sich auch nicht in der rational-liberalen Betrachtungsweise eines A. Ritschl. († 1889), der in Jesus das Ideal der sittlichen Berufung zur Arbeit an einem sittlich verstandenen Gottesreich verkörpert sah und der daraufhin das Leiden und Sterben Jesu nur als Bewährung dieser seiner Berufstreue verstand.
Im 20. Jh. hat nach dem Zusammenbruch der Leben-Jesu-Forschung, die selbst auch nicht zu einem Christus totus der Mysterien führte, die kerygmatische Erhebung des sog. »Christus des Glaubens« ebenfalls das geschwundene Interesse am heilsbedeutsamen

[38] 1623.
[39] W. Philipp, Christus in der Sicht der Aufklärungsepoche: Jesus Christus. Das Christusverständnis im Wandel der Zeiten (hrsg. v. H. Graß u. W. G. Kümmel) Marburg 1963, 107.

Leben Jesu nicht wiedererweckt. Als charakteristisch für diese Einstellung darf der bekannte Satz R. Bultmanns angeführt werden: »Aber der Christos kata sarka geht uns nichts an; wie es in Jesu Herzen ausgesehen hat, weiß ich nicht und will ich nicht wissen.«[40] In neuester Zeit wertet zwar W. Pannenberg in seiner Christologie, die er jenseits von Barth und Bultmann ansetzen möchte, die grundsätzliche Bedeutung von Leben und Handeln Jesu sehr hoch[41], aber doch nur im Sinne der Ausrichtung auf die Auferstehung. Es geht hier im Grunde um die Allgemeingültigkeit, ja um die Idee der Auferstehung, die jedem Menschenleben vorgegeben ist. Insofern interessiert an Jesu Leben eigentlich nur die Demonstration dieser Idee, nicht aber interessieren die menschlichen Einzelheiten, die ohnehin gemein-menschlich ausfallen.

Auch wenn G. Ebeling in der wohl neuesten protestantischen Dogmatik das Christusereignis als ein göttliches Sprachgeschehen faßt und auf den Generalnenner bringt: »In dem gesamten leibhaftigen Menschsein Jesu, im Leben und Sterben, kommt Gott zur Sprache«[42], so liegt der Nachdruck auf dem vollmächtigen Wort Jesu und auf dem Ruf zur Nachfolge, der unsere Glaubensexistenz angeht, aber nicht auf Heilstatsachen, die für eine existentielle Worttheologie nicht von Bedeutung sein können. Deshalb sind die nicht unerwähnt gelassenen Wunder nur Interpretamente der Wahrheit, »daß der Glaube selbst von wunderbarer Macht ist«[43].

Was in der neuerlichen Hinwendung zum historischen Jesus, die in den sog. »Befreiungstheologien« geschieht, vor sich geht, zeigt eine merkwürdige Ambivalenz zur Tradition von den »Mysterien Jesu«. Es werden gewisse Ereignisse des Lebens Jesu aufgenommen, soweit sie in das Konzept eines politisch-sozialen Befreiers passen, es wird aber ein anderer, innertheologischer Aspekt ausgeschlossen. Ausdrücklich sagt J. Comblin über die traditionelle Deutung der Taten Jesu: »Es handelt sich um einen Jesus, dessen Gesten steif und stereotyp werden und nur noch theologische Themen sind.«[44] Eine solche Enttheologisierung dieses Themas deutet sich auch bei Schillebeeckx in der Auffassung vom Leiden Jesu an, die sich in dem Satz zuspitzt,

40 Zur Frage der Christologie: Glauben und Verstehen I, Tübingen ^{3}1958, 101.

41 Grundzüge der Christologie, Gütersloh 1964, 195 ff.

42 Dogmatik des christlichen Glaubens II, Tübingen 1979, 92.

43 Ebda., 464.

44 Vgl. G. Gutiérrez, Theologie der Befreiung, München 1973, 215.

»daß wir nicht dank dem Tode Jesu, sondern trotz seines Todes erlöst sind«[45]. Das will sagen, daß das Leiden Jesu als solches keine theologische, von Gott her bestimmte Bedeutung habe, sondern nur faktisch und pragmatisch gewertet werden dürfe, nämlich als Kraft des Widerstandes gegen die von Menschen korrumpierte Geschichte. Deshalb wird bezeichnenderweise die mittelalterliche, auch die franziskanische Verehrung des Leidens Jesu an den Symbolen von Krippe und Kreuz als unkritische Leidensmystik abgetan.
Insgesamt bestätigt sich an diesen Erscheinungen das Urteil A. Grillmeiers, daß »die in unserem Jahrhundert neu bereiteten Möglichkeiten einer vertieften und eingeordneten pietas mysteriorum Christi durch die neue Entwicklung mit einem Schlag sich ins Nichts aufzulösen scheinen«[46]. Die kritische Beurteilung dieser gegenüber der Tradition deutlich feststellbaren Ausfallserscheinungen enthält auch schon Hinweise auf die positive und bleibende Bedeutung der scientia und der pietas mysteriorum, auf die der Christusglaube und die Christusfrömmigkeit auch heute nicht verzichten können.

3. *Die bleibende theologische Bedeutung des Topos der Mysterien des Lebens Jesu*

Im Blick auf die positive Tradition und die negative Einstellung der Neuzeit zu diesem zentralen Lehrstück kann man die Frage stellen, worin der Grund für diese verschiedenartige Einstellung gelegen ist. Er läßt sich in zwei Tatbeständen auffinden. Einmal ist ersichtlich, daß die traditionelle Theologie alle diese Geheimnisse auf dem Fundament oder auf dem Hintergrund des Gottgeheimnisses der Person Jesu Christi aufgetragen sah und sie aus diesem Grunde hervortreten ließ. Das führt zu der grundsätzlichen Erkenntnis, daß ein Erkennen und Anerkennen der Daten und Fakten des irdischen und des überirdischen Lebens Jesu als Mysterien überhaupt nur möglich ist auf dem Grunde des Glaubens an die Gottheit Christi und an die Menschwerdung. Wer etwa wie A. Ritschl den Begriff der »Gottheit Christi« nur halbherzig beibehalten möchte als Ausdruck der religiösen Wertschätzung des Menschen Jesus, der gelangt nicht zur Erkenntnis von

[45] E. Schillebeeckx, Christus und die Christen, Freiburg 1977, 710.
[46] A. Grillmeier, a.a.O., 21.

Mysterien im Leben Jesu, wie ja schon der Begriff ohne reale Bindung an das Gottheitliche nicht passend wäre.
Aber der Ausfall ist nicht nur im mangelnden Glauben an die Gottheit Christi gelegen, sondern ebenso auch im Mangel an einem realistisch-geschichtlichen Heilsglauben, der an dem sich in der Geschichte verwirklichenden Heil festhält und nicht nur an einer über den geschichtlichen Ereignissen schwebenden Bedeutung oder Idee vom Heil hängt. Wer deshalb wie G. Ebeling schon die Menschwerdung nur als ein sog. Wortgeschehen versteht, in welchem Gott am Menschen Jesus »zur Sprache kommt«, der kann trotz aller Aussagen über das wahre Menschsein Jesu und über seine Verkündigung nicht zur Anerkennung der Bedeutung von Heilstatsachen kommen. Weder das idealistische noch das existentialistische noch das kerygmatische Verständnis des Christusgeschehen kommt zu einer nennenswerten Beachtung der Lebensereignisse Jesu. Wenn man dagegen das Persongeheimnis Jesu und seine realgeschichtliche Verwirklichung anerkennt, dann stößt man nicht nur auf die Tatsache der Existenz von Mysterien des Lebens Jesu, sondern man vermag diese Tatsachen auch als eine Lichtquelle für viele theologische Zusammenhänge zu erfassen oder als einen geistigen Knotenpunkt, von dem eine Vielzahl von theologischen Gedankenlinien ausgeht und auch scheinbar ganz entfernte theologische Sachgebiete erhellt.
Will man solche Linien, ohne Anspruch auf Vollständigkeit, einmal ausziehen und verschmäht man dabei nicht eine gewisse systematische Anordnung, so wird man natürlich beim Zentrum selbst ansetzen und die Bedeutung der Ereignisse des irdischen wie des überirdischen Lebens Christi für das Persongeheimnis Christi, zumal für das Geheimnis des wahren Menschseins der göttlichen Person des Sohnes herausstellen. Das wäre die christologische Bedeutung dieser Geheimnisse. Man könnte freilich meinen, daß die Wahrheit vom wahren Menschsein Christi schon getroffen und auch erschöpft sei, wenn man das Dogma von der hypostatischen Union auslegt und die Einheit der zwei Naturen in der Person des Logos ontologisch begründet. Damit hat man aber das Menschsein Jesu nur als bleibendes Wesen erfaßt und das jeder Natur eignende dynamische Moment unberücksichtigt gelassen. Man hat auch das Individuelle dieser Menschennatur noch nicht eingeholt, wenn man nur auf das Geheimnis der Menschwerdung verweist und das Menschsein Jesu nur mit dem Hinweis auf den Ursprung in der Menschwerdung begründet. Denn

das Individuelle legt sich bei einem geschichtlich verfaßten Wesen erst in dessen Lebensgeschichte aus, es tritt in seinem ganzen Dasein zwischen Geburt und Tod zutage. Insofern hat die Tradition alle diese Taten Jesu, vor allem die unter den Aspekt der Erniedrigung, der exinanitio (Phil 2,6–11) fallenden Geschehnisse als Ausdruck der wahren Menschheit Christi gewertet und dem Doketismus gegenübergestellt.

Heute wird man den Doketismus nicht mehr eigentlich als Gefahr ansehen können, aber deshalb auch besser verstehen, daß es bei den menschlichen Geschehnissen des Lebens Jesu nicht nur um die Verteidigung seiner abstrakt gefaßten Menschheit geht, sondern auch um die Darstellung seiner individuellen menschlichen Besonderheit. Erst aufgrund dieser sich in der Lebensgeschichte zeigenden Besonderheit vermag man dann auch des Allgemeingültigen und Exemplarischen des Lebens Jesu für die Menschen ansichtig zu werden; denn wenn man nur bei der Behauptung bleibt, daß Jesus im Besitz einer wahren menschlichen Natur war, hat man die Gefahr nicht gebannt, aus ihm die Abstraktion eines idealen Menschen oder auch eines ganz gewöhnlichen Menschen zu machen, was beides gegen seine Individualität, seine Originalität und Besonderheit als Mensch verstoßen würde.

Vom christologischen Zentrum ausgehend, wird man folgern müssen, daß die Ereignisse des Lebens Jesu den Charakter einer absoluten Besonderheit innerhalb des bleibenden Rahmens des Gemeinmenschlichen an sich tragen und offenbaren. Dieses absolut Besondere ergibt sich für den Glauben zuletzt aus der Einheit dieses Menschen mit Gott, aus welcher Einheit die Lebensereignisse auch erst ihren Geheimnischarakter gewinnen; denn wir verwenden hier den Begriff des Mysteriums nicht wie sonst für menschliche Begebnisse, in denen wir auch Geheimnishaftes anerkennen, sondern wir verwenden ihn im spezifischen Sinne des sich in diesen Ereignissen besonders offenbarenden Heilsplanes Gottes, aber auch des sich offenbarendes Wesens Gottes. Das ist der gleichsam nach rückwärts gewendete Erkenntnisstrahl, der aus diesen Geheimnissen auf den im Leben Jesu wirksam werdenden Willen Gottes wie auch auf das Wesensgeheimnis Gottes zurückgeht. Das ist, wenn man so will, der göttliche Offenbarungsaspekt dieser Geschehnisse, in denen sich Gottes Willen und Wesen offenbart.

Der erstgenannte Teilaspekt, der die Offenbarung des göttlichen

Heilswillens betrifft, enthält in sich die Auslegung des göttlichen Erlösungsplanes in der menschlichen Geschichte, in den Lebensereignissen des Gottmenschen und unter Mitbeteiligung des Menschen. Was also Gott mit der Menschheit geplant hat, legt sich uns konkret und anschaulich in der Lebensgeschichte Jesu Christi aus. Man muß, ohne den Schleier der Verborgenheit von dieser Geschichte hinwegzuheben, der auch ein notwendiger Ausdruck der exinanitio ist, wohl zugeben, daß es sich in diesem kurzen Abschnitt zwischen Menschwerdung und Erhöhung Jesu Christi, egal ob man ihn als Mitte oder als Ende der Zeit bezeichnet, was beides seinen Sinn hat, jedenfalls um die höchstqualifizierte Phase der Menschheitsgeschichte handelt, um die Konzentration von Heilsgeschichte und heiliger Geschichte vermittels des unmittelbaren Wirkens des fleischgewordenen Logos des Vaters in ihr. Die Väter waren darum recht beraten, wenn sie mit Hilfe ihrer Typologie und der allegorischen Exegese im Erscheinen Christi und in den Lebensereignissen die Erfüllung aller Heilswirkungen und aller Heilszeichen Gottes in der Menschheit sahen. Wenn sich darin aber die Erfüllung aller heilsgeschichtlichen Führungen Gottes findet, dann darf man daraus eine weitere Folgerung ableiten und sagen: In diesen Geschehnissen verwirklicht sich der Sinn der Geschichte und enthüllen sich die Grundkräfte der Geschichte Gottes mit den Menschen: die Auseinandersetzung zwischen Gott und dem Bösen, die Scheidung und Entscheidung der Menschen, die Erniedrigung als Durchgang zur Höhe, die Übernahme der Todesgestalt der Geschichte als Mittel zum Gewinn endgültigen Lebens, das Sterben als Aufgang zur Auferstehung. Nach Maximus Confessor läßt sich das ganze Drama der Geschichte, das Ringen zwischen Gott und der Weltnatur, schon an der Ölbergszene ablesen.[47] Der Weg Jesu enthüllt den heilsgeschichtlichen Plan Gottes, wenn auch in einer Weise, die über menschliche Logik hinausgeht und den Menschen zur Verehrung des Geheimnisses führt, wie es bei Paulus am Ende der heilsgeschichtlichen Kapitel des Römerbriefes (Röm 11,33–36) geschieht.

Aber die menschlich-geschichtliche Offenbarung des Heilsplanes Gottes im Lebensweg Jesu wirft für den Blick des Glaubens zugleich auch Licht auf das Geheimnis Gottes selbst. Besonders die griechische Erlösungslehre hat die Rückerstattung der wahren Gotteser-

[47] Vgl. H. Urs v. Balthasar, Kosmische Liturgie, Einsiedeln ²1961, 265f

kenntnis und damit der Gottebenbildlichkeit als Wesensmoment der Sendung Christi hervorgekehrt. Es kann aber nun kein Zweifel sein, daß die Offenbarung Gottes sich nicht nur in der Menschwerdung als solcher ereignete, ebensowenig allein in seinen Worten vom Vater, sondern im Spiegel des menschlichen Lebens Christi und seiner menschlichen Werke. Die Werke Jesu sind nicht nur wegen ihres theandrischen Charakters von besonderer Würde und Erhabenheit, sondern sie machen auch das Geheimnis des göttlichen Seins für das Erkennen des Menschen transparent gemäß dem johanneischen Jesuswort: »Wer mich gesehen hat, hat den Vater gesehen« (Joh 14,9). Was die sich zum Geringsten neigende Liebe Gottes ist, was seine Macht bedeutet, die sich um des Menschen willen auch in Ohnmacht kleiden kann, was Gottes Heiligkeit, aber auch Gerechtigkeit und zumal seine Menschenfreundlichkeit besagt, das alles kommt an den menschlichen Aktivitäten und Passionen Jesu Christi zum Leuchten. Das Leben Jesu darf deshalb als der erste, authentische Reflex des göttlichen Lebens aufgefaßt werden, ganz im Sinne der Aussage Bérulles: »So wird der unfaßbare Gott erkennbar in dieser Menschheit; der unerforschliche Gott läßt sich vernehmen in der Stimme seines fleischgewordenen Wortes, ... und der im Glanz seiner Größe furchtbare Gott wird erfahrbar in seiner Milde, Güte, Menschlichkeit.«[48]

Die Bedeutung der Mysterien des Lebens Jesu erschöpft sich jedoch nicht in ihrer christologischen wie in ihrer offenbarungstheologischen, d. h. auf das Gottgeheimnis gehenden Relevanz. Die den Menschen am tiefsten angehende und am stärksten treffende Bedeutung entfalten sie erst in ihrem soteriologischen Richtungssinn, der auf das Heil des Menschen zielt. Seit je hat man darum gewußt, daß das Geheimnis der Menschwerdung von Gott nicht gesetzt wurde, um ein höchstes Glaubenswunder vor den Menschen aufzustellen, sondern um vermittels des Gottmenschen das Heil und die Erlösung der Menschheit zu bewirken. Person und Werk des Gottmenschen wurden darum stets als eine untrennbare Einheit angesehen. Diese Erkenntnis erweist ihre Richtigkeit allein schon an der Tatsache, daß der Vorgang der Vereinigung mit der Menschheit und in Konsequenz die Geburt Christi selbst schon als Erlösungsereignis verstanden wurde. Aber in der systematischen Darlegung der Erlösung wurde

[48] Bérulle, Oeuvres complètes, Paris 1856, 216ff

doch das Augenmerk fast ausschließlich auf den Kreuzestod und seine meritorische Kraft gelenkt. Man nahm die Erlösung nur von ihrem Ergebnis her wahr, man blickte auf den Effekt, nicht aber auf das Werk als ganzes, man war an dem Resultat interessiert, nicht aber an dem Geschehen, das zu diesem Resultat führte.
Weil man Erlösung nicht mehr am ganzen Leben Jesu Christi orientierte, kam man in der Vergangenheit zu rein rationalen Erlösungstheorien, die später nicht befriedigten; man gerät aber aus demselben Grund auch heute unbesehen in eine ganz ähnliche Gefahr, nämlich, sich eine zeitgemäße Erlöungsvorstellung zu konstruieren und sie als Befreiung von sozialen Mißständen oder unrechten Strukturen zu deuten. Der Blick auf das ganze erlöserische Wirken Jesu dagegen vermag zu zeigen, in welcher Fülle von konkreten Geschehnissen sich die Erlösung des Menschen verwirklicht: im Gericht über die Sünde, in der Wiederversöhnung mit Gott, im Dienst an Gott und den Menschen, in der bis zum Tod gehenden Hingabe und in der Anteilgabe am Auferstehungsleben, das auch das natürliche Leben schon heilt und erhöht.
Wenn diese Geschehnisse als Werke des Erlösers alle erlöserischen Charakter in sich tragen, dann sind sie für den Christen nicht nur äußere Beispiele für die Verwirklichung des erlösten Lebens in Ausrichtung auf seine höhere Vollendung, sondern sie stellen auch die Urbilder der Erlösung dar, die im Leben der Erlösten nachgebildet werden sollen. Unter dieser Rücksicht erfährt die soteriologische Sinnrichtung dieser Ereignisse noch eine Überhöhung in der exemplarischen und mystischen Bedeutung des Lebens Jesu für den Christen. Zunächst sind sie die äußeren Richt- und Zielpunkte der schon in der Hl. Schrift begründeten Nachfolge Christi. Sie leiten aber nicht nur zur Nachfolge im ethisch-moralischen oder existentiellen Sinne an als Appelle zur Verwirklichung des Sinnes Christi, wie sie etwa in Phil 2,5 gefordert wird. Da diese Geschehnisse als Prägungen der ewigen Menschheit Christi bleibend in der menschlichen Natur des verherrlichten Christus verwahrt sind, gleichsam als bleibende Spuren eingetragen sind, vermag der Mensch vermittels des verherrlichten Christus an diesen Geschehnissen Anteil zu gewinnen und sie sich dem Geist und der Kraft nach zu assimilieren. Sie bieten so die Möglichkeit einer inneren Angleichung an das gottmenschliche Leben Christi und einer Umgestaltung des eigenen Lebens nach dem Urexemplar. Insofern läßt sich der Grundsatz des hl. Thomas: »Christi Tat ist un-

sere Lehre« mystisch vertiefen und zu der Erkenntnis ausweiten: »Christi Tat ist unser Tun und unser Leben«. Es ist das eine Möglichkeit zur realistischen Erfüllung der paulinischen Grundüberzeugung: »Nicht ich lebe, Christus lebt in mir« (Gal 2,20).
So lassen die Mysterien des Lebens Jesu eine Vielzahl von Ableitungen und Anwendungen zu, die insgesamt zu einer Vertiefung des Glaubens an den ganzen Christus führen. Sie decken die Wurzel dieses Glaubens als Lebensgemeinschaft mit Christus auf und setzen entscheidende Kräfte zur Umgestaltung des Lebens in Christus frei.

Die ewige Sohnschaft Jesu Christi als Grund der Heilsbedeutung seiner Lebensmysterien

von Anton Ziegenaus, Augsburg

Ein empirisch-analytisch denkender Mensch des 20. Jahrhunderts kann häufig mit dem Mysterium, dem Geheimnis nichts anfangen. Was soll man darunter verstehen? Es ist sicher etwas anderes als ein Rätsel: Dieses ist zu lösen und wäre dann kein Geheimnis mehr. Tatsächlich besteht in der Theologie die Gefahr eines solchen Mißverständnisses. Wenn Sören Kierkegaard vom »Paradox« spricht, versteht er darunter das Unerwartete und Überraschende, das aber bei entsprechender psychologischer Phantasie zu erklären und einzusehen ist. Z. B. legt Kierkegaard in den »Philosophischen Brocken« dar, daß im Grunde völlig selbstverständlich Gott in der Verhüllung der Knechtsgestalt erscheinen mußte, wenn er den Menschen in seine Gemeinschaft rufen will. Wie ein Königssohn, der ein einfaches Mädchen heiraten will, inkognito auftreten und bleiben muß, um sie nicht zu unendlicher Dankbarkeit für diese Erwählung zu erniedrigen, so konnte sich auch Gott nur in der Knechtsgestalt zeigen. Das Mysterium ist dagegen nicht psychologisch nachzuvollziehen. Doch darf es wegen seiner Undurchdringlichkeit nicht für schlechthin uneinsichtig, für widersinnig und widersprüchlich erklärt werden. Das in sich Widersprüchliche wirkt sowohl ontisch als auch existentiell zerstörend. Das Geheimnis, nicht auflösbar und doch nicht in sich widersprüchlich, gründet vielmehr in der Überkategorialität seiner Seins- und Sinndichte, wobei sich dieses geheimnisvolle Sein allerdings nicht total entzieht – ein totales Geheimnis wäre als solches nicht erkennbar und deshalb wertlos –, sondern erhellende Strahlen aus sich entläßt.

Schon unser natürliches Leben stößt immer wieder an Geheimnisse, deren innere Wirklichkeit verschlossen bleibt, die aber trotzdem das Denken ständig herausfordert. Das gilt etwa beim Geheimnis des Sterbens. Aber auch der Mensch selber, sein Woher und Wohin und sein Warum, ist ein empirisch nicht faßbares Geheimnis. Bei näherem Hinblick zeigt sich sogar, daß das den Menschen Auszeichnende

in dieser Geheimnishaftigkeit gründet, die über die bruta facta hinausweist.
Aus dieser Überlegung ergeben sich schon jetzt zwei Folgerungen. Gegenüber einer Aufklärungsmentalität, die meint, alles erfassen und erklären zu müssen und zu können, ist daran festzuhalten, daß dieser Ansatz eine das Wesen und die Tiefe des Menschen verfehlende rationalistische Blickverengung ist. Das Geheimnishafte ist trotz seiner Unfaßbarkeit einer entschleierten Wirklichkeitsdeutung vorzuziehen. Da aber ein totales Geheimnis nicht erkennbar und wertlos ist und kein absoluter Agnostizismus vertreten werden kann, stellt sich die Frage nach dem Zugang zum Mysterium. Er gelingt – das ist die zweite Folgerung – nur mittels der Beanspruchung aller geistigen Kräfte, also nicht nur des Verstandes, sondern auch der Intuition, des Willens und der Liebe.
Über diese natürlichen Geheimnisse hinaus gibt es auch heilsgeschichtliche Mysterien, wie die des Kreuzes, der Person Jesu Christi, der eucharistischen Gegenwart oder der Trinität. Wir wissen davon nur aus der Offenbarung, d. h. dem natürlichen Denken ist es entweder unmöglich oder äußerst schwer, von solchen Mysterien zu wissen. Im 1. Korintherbrief (2. Kap.) erinnert Paulus, daß die Führenden und Weisen dieser Welt die Kraft des Kreuzes und den Herrn der Herrlichkeit nicht erkannt haben; sie haben ihn gekreuzigt. »Wir verkünden Gottes Weisheit im Geheimnis.« Gott hat es geoffenbart »durch den Geist; denn der Geist erforscht alles, auch die Tiefen Gottes«. Diese Verkündigung »im Geheimnis«, von der Paulus spricht, bedeutet nun nicht im Sinn eines aufgelösten Rätsels, daß Verborgenes offenbar wird, sondern daß die Verborgenheit eines Mysteriums offenbar wird[1]. Während sich die Korinther der Erkenntnis rühmten, besagte für Paulus die Offenbarung des Geheimnisses, daß auf das Vorliegen eines Geheimnisses hingewiesen wird, das die Führenden der Welt nicht erkennen, aber dem Geisterfüllten Kraft und Glaubenssicherheit gibt. Dabei muß einem Mißverständnis begegnet werden: Wenn die Verborgenheit des Geheimnisses nur im Glauben erkannt wird, bedeutet diese Einsicht nicht nur eine subjektive Bewußtseinsveränderung, sondern eine neue, von Gott bewirkte, objektive Änderung des Seins und der Geschichte. Die Kraft des Kreuzes ist für Paulus eine objektive Heilstatsache.

[1] Vgl. Bornkamm: μυστήριον, in: ThWNT IV, 828.

Wie schon gezeigt wurde, gründet das den Menschen Auszeichnende und sein Wesen Bestimmende in seiner Geheimnishaftigkeit, letztlich in seinen Transzendenzbezügen. Eine Entschleierung dieses Geheimnisses führt zu einer biologistischen oder empiristischen Reduktion. Entsprechendes gilt auch für die heilsgeschichtlichen Geheimnisse: Wer der Versuchung nachgibt, sie einsichtig und verständlich zu machen – etwa durch die »Aufklärung« des eucharistischen Geheimnisses als eines Brudermahls oder des Geheimnisses Christi als eines religiösen Genies –, hat nur einen momentanen und vordergründigen Erfolg: Auf längere Sicht verliert ein entschleiertes Geheimnis an Tiefe und Faszinationskraft und damit auch an Interesse. M. a. W.: Wer in der ewigen Sohnschaft den Grund der Heilsbedeutung des Jesus von Nazareth sieht, stellt zwar beträchtliche Anforderungen an den Glauben, läuft aber nicht Gefahr, dieses Mysterium zu entleeren. Diese Spannungen zwischen aufklärenden, aber entleerenden und am Geheimnis der ewigen Sohnschaft festhaltenden, aber den Zugang erschwerenden Strebungen seien nun zunächst erörtert. Erst dann kann der trinitarische Grund der Lebensmysterien aufgezeigt werden.

I. Die ewige Sohnschaft: Interpretament oder Realität?

Die Mysterien Jesu finden in Theologie und Frömmigkeit keine besondere Aufmerksamkeit. Man spürt eine allgemeine Unsicherheit, etwa bei den Berichten von Wundern, Verklärung und Auferstehung. Diese Unsicherheit verweist auf eine tiefere Problematik bei der Frage nach Gott und Jesus Christus. Um der heutigen Zeit einen Zugang zu den Mysterien Jesu Christi zu erschließen, müssen zunächst diese Schwierigkeiten gesichtet werden.

a) Die Infragestellung der Präexistenz

Die Präexistenz des Sohnes und damit auch der Trinität wird in der neuzeitlichen Theologie von verschiedenen Ansätzen her in Frage gestellt. Am nachhaltigsten dürfte diese Entwicklung von der geistesgeschichtlichen Konstellation der zweiten Hälfte des 18. Jahrhunderts geprägt sein; Reimarus († 1768) zieht daraus die Konsequenzen für die Christologie. Er ist Deist: Angesichts der streng kausal bestimmten Wirklichkeitsauffassung des englischen und französischen athei-

stischen Empirismus sah er nur noch die Möglichkeit, die Existenz Gottes zu wahren, indem er sein Wirken auf den Schöpfungsanfang der Welt begrenzte. Seitdem herrscht in Theologie und Verkündigung große Scheu, von einem Eingreifen Gottes in diese Welt, von Wunder und Auferstehung zu sprechen.
Die göttliche Seite an Jesus Christus und seine übernatürliche Kraft und Sendung traten immer mehr zurück. Ein Problem bereiteten allerdings die betreffenden, äußerst zahlreichen neutestamentlichen Aussagen, die eindeutig eine solche Herkunft von Gott verkünden. Man suchte das Problem bibelkritisch zu lösen, d. h. man führt solche Stellen auf die nachösterliche Verkündigung zurück, deren Kontinuität zum irdischen Jesus stark angezweifelt wurde. Zwischen dem irdischen Jesus und dem Christus der Verkündigung bestünde also eine Diskrepanz. Schon Reimarus behauptete, Jesus habe seine Sendung im Sinn eines politischen Messias für das jüdische Volk verstanden, erst die Apostel hätten daraus eine religiöse und universal bedeutsame Gestalt gemacht.[2]
Aus dieser Diskontinuität zwischen dem irdischen Jesus und dem Christus der Verkündigung ergaben sich zwei Konsequenzen: Einmal sucht man aus den nachösterlichen Texten des Neuen Testaments die Gestalt des irdischen Jesus herauszuschälen. Besonders im 19. Jahrhundert wurde deshalb mit erstaunlicher Intensität (ca. 150 Beschreibungen) die Erforschung des Lebens Jesu betrieben. Dieser Jesus gilt für die einen als der Offenbarer wahrer Tugend, für andere als religiöses Genie (wie es auch musikalische Genies gibt), für dritte als Vorbild für echte Liebe, als Helfer im Befreiungskampf im politischen oder sozialen Sinn, als Verkünder wahren Menschseins. Auch wenn sich die Leben-Jesu-Forschung durch die Einsicht, daß die neutestamentlichen Schriften keine biographischen Angaben bringen, als undurchführbar erwies, wird bis heute der Versuch unternommen, den irdischen Jesus allein zur Lebensnorm zu erheben, etwa wenn Jesus als Inspirator wahrer Liebe oder menschlicher Würde gegenüber den gesellschaftlichen Schranken interpretiert wird.
Das eindringliche Reden von Jesus darf nicht über die starken Ver-

[2] Vgl. A. Schweitzer, Geschichte der Leben Jesu Forschung, 2. Bd., Hamburg [2]1972, 56ff; A. Ziegenaus, Grundstrukturen neuzeitlicher Christologie, in: A. Ziegenaus (Hrsg.), Wegmarken der Christologie, Donauwörth 1980, 128ff.

schiebungen im Vergleich zum kirchlichen Bild von Jesus Christus hinwegtäuschen. Die göttliche und übernatürliche Seite wird völlig gestrichen, ein solcher Jesus sogar gehaßt; A. Schweitzer schreibt: »Es war nicht so sehr ein Haß gegen die Person als gegen den übernatürlichen Nimbus, mit dem sie sich umgeben ließ und mit dem sie umgeben wurde.«[3] In der Mitte steht Jesus als Index und Paradigma für gelungenes Menschsein. Natürlich strahlt dieser des übernatürlichen Nimbus entkleidete Jesus eines besondere Faszination aus, aber dieses Mysterium Jesu überschreitet nicht die Grenzen der Komplexität des Natürlichen. Wahrscheinlich entspricht deshalb dieser Jesus dem modernen Autonomie- und Emanzipationsstreben, weil er Ideal für verwirklichtes Menschsein ist, d. h. Index für das aus natürlichen Kräften Mögliche.

Die genannte Diskontinuität zwischen dem irdischen Jesus und dem verkündigten Christus impliziert ferner die Konsequenz, daß alle kerygmatischen Texte, welche die Auferstehung, die Gottessohnschaft, Präexistenz, Schöpfungsmittlerschaft usw. betreffen, nicht als Realaussagen für echte Ereignisse bzw. für wirkliches Sein, sondern als Interpretamente zu verstehen sind. Sie entspringen der Initiative der Apostel, des Paulus (der dann zum Gründer des Christentums wird) oder – allgemein formuliert – der Urkirche; deshalb spricht man bei vielen Stellen von einer »Gemeindebildung«. Wird dieser Grundsatz anerkannt, bleibt nur noch die Aufgabe, die Motive für die spezifische Interpretation zu finden: Sie liegen in den persönlichen Intentionen der Apostel[4], in der besonderen Situation einer Gemeinde, in der Begegnung von der Jesusreligiosität und dem Hellenismus[5], oder die Verkündigungstexte gelten nur als der Mythologie entnommene Ausdrucksformen, die kein objektives Geschehen meinen, sondern nur den Hörer existenziell betroffen machen wol-

[3] A.a.O. 48.

[4] So Reimarus; vgl. Schweitzer, 56ff.

[5] Für Bousset liegt die Wurzel für die Verehrung Jesu als Kyrios im Kult in der antiken Mysterienreligion, für Adolf von Harnack sind die Dogmen Folge der Begegnung des jüdischen Glaubens Jesu mit dem Hellenismus.

len[6]. Wie auch immer solche Interpretamente begründet werden: Sie verlieren den Charakter heilsgeschichtlicher Mysterien.
Diese Entwicklung führte somit zu einer fast allseitigen Subjektivierung und Aufhebung der Mysterien der Offenbarung. Für die Leben-Jesu-Forschung sei diese These mit dem Urteil A. Schweitzers belegt. Es »fand jede folgende Epoche der Theologie ihre Gedanken in Jesus, und anders konnte sie ihn nicht beleben. Und nicht nur die Epochen fanden sich in ihm wieder: jeder einzelne schuf ihn nach seiner eigenen Persönlichkeit. Es gibt kein persönlicheres historisches Unternehmen, als ein Leben-Jesu zu schreiben«.[7] Dieselbe Subjektivierung bzw. Historisierung (Abhängigkeit von Zeitempfinden) wurde bereits für das Kerygma gezeigt. Jesus Christus als Interpretament ist in diesem Zusammenhang nur das, was der Interpret aus ihm macht, und deshalb kein Mysterium.
Das Mysterium, das eine Tiefendimension der äußeren Gestalt bzw. des sinnenfälligen Geschehens umfaßt, wird auch seitens einer konsequenten Erhöhungschristologie aufgelöst.[8] Ihr zufolge sind von der Auferweckung und Erhöhung Christi her, die erst die Einsetzung in die Gottessohnschaft bedeutet, alle Präexistenzaussagen (Schöpfungsmittlerschaft, ewige Sohnschaft) und Inkarnation konzipiert worden. Gegenüber der Chalkedonenser Lehre, daß die Person Jesu Christi eine volle menschliche und eine volle göttliche Natur vereinige, wird eingewandt, daß dieses Christusbild zu statisch und abstrakt sei und sich das volle Menschsein Jesu nicht entfalten könne, wenn er so stark im Schatten der göttlichen Natur und Person stünde. Jesus ist nach Schoonenberg wahrer, freier Mensch mit vollmenschlicher Personalität, der erst mit der Erhöhung Gott wird.

[6] So R. Bultmann; vgl. dazu H. Zahrnt, Die Sache mit Gott, München 1976 (dtv-tb), 223ff. – Ähnlich, wenn auch von anderen Ansätzen her, H. Küng (Christ-sein, München 1974, 439f): »Alle oft in mythologische oder halbmythologische Formen der Zeit gekleideten Aussagen über Gottessohnschaft, Vorausexistenz, Schöpfungsmittlerschaft und Menschwerdung wollen letztlich nicht mehr und nicht weniger als das eine: die Einzigartigkeit, Unableitbarkeit und Unüberbietbarkeit des in und mit Jesus lautgewordenen Anrufs ..., der letztlich ... göttlichen Ursprungs ist«. Küng gelangt damit nur zu einer Prophetenchristologie; vgl. A. Ziegenaus, 148ff.

[7] A.a.O. 48.

[8] Dazu zählen etwa P. Schoonenberg [vgl. A. Ziegenaus, a.a.O. 145ff; D. Wiederkehr, Konfrontationen und Integrationen der Christologie (in: J. Pfammater – F. Burger (Hrsg.), Theologische Berichte II – Zur neueren christologischen Diskussion, Zürich 1973) 82ff] und G. Baudler, Wahrer Mensch ALS wahrer Gott, Entwürfe zu einer narrativen Christologie, München 1978.

Diese Entwicklung bedingte eine inhaltliche Reduktion des Pleromas Jesu Christi und damit auch seines Mysteriums. Die Christozentrik ging verloren: Jesus Christus ist, wie am deutlichsten aus der Existentialtheologie Bultmanns zu ersehen ist, nicht mehr Zielpunkt der alttestamentlichen Heilsoffenbarung, nicht Ursprung und Ziel der gesamten, auch die materielle Welt einschließenden Schöpfung. Damit wird auch die Singularität und Universalität Jesu Christi hinfällig: Warum sollte ein Mensch, selbst wenn er ein Prophet wäre, einmalig, unüberbietbar sein, und zwar für alle Zeiten? So wird wiederum die Gefahr deutlich, daß die Strahlkraft der Gestalt Jesu Christi schwindet, wenn man sein Geheimnis zu stark erschließen will.

b) Aufweis der Ewigkeit des Sohnes

A. Grillmeier sieht in der devotio moderna und ihrer Betrachtung der Mysterien Jesu eine Reaktion auf den spätscholastischen Intellektualismus.[9] Auch die heutigen christologischen Entwürfe sind abstrakt und intellektualistisch: Der Zugang zum irdischen Jesus bereitet tatsächlich insofern Schwierigkeiten, als die Evangelien keine historisch getreue Biographie bieten; wenn nun die vorliegenden Berichte in Bezug auf Wunder, Verklärung, Auferstehung nur als Interpretamente für die Bedeutsamkeit Jesu gelten, ergibt sich ein äußerst abstraktes, unanschauliches Bild von Jesus Christus. Die Wende zu den Mysterien Jesu als einer »konkreten Christologie«[10] erscheint überfällig. Ist aber eine solche Wende von den exegetischen Ergebnissen her möglich und begründbar?
Die bibelkritische, den Text auf frühere Traditionsschichten und ihre konkrete Herkunft hin untersuchende Methode, erbrachte allerdings auch höchst wichtige Einsichten in die Christologie der ersten zwanzig Jahre nach den Ereignissen in Jerusalem und ermöglichte sogar einige sichere Aussagen zum Verhalten des irdischen Jesus. Einmal[11] wurden im Schrifttext bestimmte Christus- und Kyriosrufe (vgl. Röm 10,9; 1 Kor 12,3; Mt 16,16.20; 26,63; Lk 4,41; Mk 1,11; Apg 8,37; 9,22; 18,5; Joh 1,20; 7,26.41; 20,31; 1 Joh 2,22; 4,2.3.15) und

[9] Mysterien Christi in Frömmigkeit und Mystik, in: MySal III/2, Einsiedeln 1969 (hrsg. v. J. Feiner und M. Löhrer), 19.
[10] So Grillmeier, ebd. 3.
[11] Vgl. H. Schlier, Die Anfänge des christologischen Credo, in: B. Welte (Hrsg.), Zur Frühgeschichte der Christologie, Freiburg u. a. 1970, 13–58; ferner A. Grillmeier, Jesus der Christus im Glauben der Kirche, Bd. 1, Freiburg u. a. 1979, 1–132.

Glaubens- und Bekenntnisformeln (1 Thess 4,14; Apg 9,20; 17,3; 18,5; Joh 11,27; Hebr 3,1; 4,14; 10,23; Lk 24,33f) entdeckt. In diesem Zusammenhang sind ferner auch die Paradosisstellen (1 Kor 11,23ff; 15,3ff) zu erwähnen. Schließlich fand man im Text hymnenartige Formulierungen (Phil 2,6–11; Gal 4,4ff; Röm 4,25; 1 Petr 3,18ff; 1 Tim 2,5ff; 3,16ff; Eph 4,4 u. a.). Als Beispiel für diese Akklamationen und Bekenntnisformeln sei Röm 10,9 angeführt: »Denn wenn du mit deinem Mund bekennst: Herr ist Jesus, und in deinem Herzen glaubst: Gott hat ihn von den Toten auferweckt, so wirst du gerettet werden.«

Diesen Stellen eignen gewisse Gemeinsamkeiten. Häufig sind sie mit einem »wir glauben«, »wir bekennen« oder »wir bezeugen« eingeleitet, gefolgt von einem »daß« mit einer klaren inhaltlichen Auskunft. Da es sich neben den Paradosisstellen um Hymnen handelt oder ein für den Verfasser der Schrift unüblichen Ausdruck vorkommt – z. B. wird in Thess 4,14 das Verbum »auferstanden« gebraucht, während Paulus immer von »auferweckt« spricht –, da die Verfasser beim Adressaten diese Inhalte als allgemein angenommen voraussetzen und diese Formeln in den verschiedenen Schriftkomplexen begegnen, darf als sicher gelten, daß man hier auf das Urgestein christlicher Verkündigung stößt. Diese Formeln sind auf alle Fälle älter als die entsprechenden Schriften und gehörten zu dem aus Katechese und Liturgie geläufigen Glaubensschatz.

Deshalb lassen sich schon für die vierziger Jahre folgende Glaubensinhalte als gesichert nachweisen: Der irdische Jesus, der für die Menschen gestorben ist, ist auferweckt worden (auferstanden) und der Christus und der Herr. Der Erhöhung als Einsetzung zum Herrn entspricht die Erniedrigung des Präexistenten. Präexistenz, Erniedrigung und Menschwerdung sind eindeutig im Philipperhymnus (2,6ff) und in den Sendeformeln (Gal 4,4; Röm 8,3) ausgesagt[12].

Die im vorigen Abschnitt geschilderten christologischen Entwürfe müssen sich von diesen Ergebnissen wesentliche Korrekturen gefallen lassen. Wenn die Akklamation »Herr Jesus Christus« ein schon bei Paulus formelhaft gebrauchter ursprünglicher Prädikatsatz ist und bedeutet, daß der irdische Jesus der Messias und der Herr ist, kann keine diese Identität negierende Diskontinuitätsbehauptung

[12] In Hinblick auf die Sendeformeln vgl. R. Schnackenburg, Die Christologie des Neuen Testamentes, in: MySal, II/1, 327: »Die Sendung des Sohnes setzt für Paulus seine Präexistenz und das Verweilen in der göttlichen Sphäre voraus«.

zwischen Jesus und der Christus-Verkündigung der Urkirche überzeugen, und zwar nicht im Sinn des Reimarus und der Epoche der Leben-Jesu-Biographien, aber auch nicht im Sinne der konsequenten Erhöhungschristologie Schoonenbergs. Aber auch Harnacks und Bultmanns Auffassung von einer ursprünglichen – oder wenigstens so intendierten – dogmenfreien Verkündigung erweist sich als unhaltbar. Für die Urkirche gehörten von Anfang an die Identität von Jesus und Christus, seine Präexistenz, sein Heilstod und seine Auferstehung zum christologischen Credo. Ob man dieses Credo annimmt oder ablehnt: Die Kirche hat es schon nachweislich in den vierziger Jahren so verkündet und bezeugt; die Zeit ist zu kurz für eine Legendenbildung oder eine so wesentliche Veränderung, wie sie mit der Hypothese von der allmählichen Ausweitung der Erhöhung zur Präexistenz behauptet wird. Auch wenn in den späten Schriften des Neuen Testaments (Johannes, Kolosserbrief) die Präexistenz stärker betont wird, läßt sie sich doch schon als sehr früh belegen. Der Kyriostitel impliziert schließlich bereits die Universalität Jesu Christi; deutlich läßt dies der Philipperhymnus erkennen, demzufolge »beim Namen Jesu jedes Knie sich beuge, derer im Himmel, derer auf Erden und derer unter der Erde, und jede Zunge bekenne: Herr Jesus Christus«.

Gerade dieser Hymnus zeigt, in erstaunlicher Nähe zur Christologie von Chalkedon, daß das Subjekt des Präexistenten, der nicht an seiner Gottgleichheit festhielt, identisch ist mit dem des bis zum Kreuzestod Gehorsamen und mit dem des Erhöhten. Schon deswegen ist der irdische Jesus immer mehr als nur wahrer Mensch. Dieses Mehrsein Jesu wird nun auch von der speziellen Forschung um den historischen Jesus belegt. Ihr zufolge läßt die Abba-Anrede auf eine überraschend vertrauliche Gemeinschaft mit Gott schließen. Auch der messianische Jubelruf bei Mt 11,27 verankert die in Jesus geschehende Offenbarung in seinem einmaligen, exklusiven Verhältnis zum Vater: »Niemand kennt den Sohn als der Vater, und auch den Vater kennt niemand als der Sohn, und wem es der Sohn offenbaren will«. Hier handelt es sich wenigstens um ein sehr frühes, wahrscheinlich sogar um ein Logion des irdischen Jesus.[13]

[13] F. Mußner (Ursprung und Entfaltung der ntl. Söhneschristologie. Versuch einer Rekonstruktion, in: Grundfragen der Christologie heute, hrsg. v. L. Scheffczyk, Freiburg 1975, 86) zu Mt 11,27: »M. E. ist es bis jetzt trotz allen Aufwands an Gelehrsamkeit nicht gelungen, das Sohneslogion als nachösterliches Gemeindeprodukt zu erweisen«.

Von besonderem Wert für die Erforschung des historischen Jesus ist das von Käsemann formulierte Aussonderungsprinzip[14]: Käsemann geht von der starken Tendenz in der neuzeitlichen Christologie aus, die einzelnen Aussagen – seien sie nun als reale Inhalte oder als Interpretamente verstanden – aus der religiösen Umwelt herzuleiten. Wenn sich nun Vorstellungen finden, die weder aus dem Judentum, noch aus der religiösen Umwelt, noch aus einem Interesse des Urchristentums erklärt werden können, so müssen sie historisch echt sein, d. h. auf Jesus selbst zurückgehen.

Dieses Aussonderungsprinzip hat zwar seine Grenzen, weil es nur den nonkonformen Jesus erkennen läßt, doch besitzt es großen heuristischen Wert. Als »vorösterliche Elemente der Christologie«[15] können dann festgehalten werden: Jesus hat an der jüdischen Religiosität Kritik geübt und sogar Moses und das Gesetz zu korrigieren gewagt (vgl. Mk 10,6ff; 2,27f); jemand, der mehr als Moses zu sein beansprucht, mußte zum Stein des Anstoßes werden. Historisch ist ferner der Hintergrund der Perikopen um Jüngerschaft und Nachfolge. Nicht der Jünger sucht sich einen Meister, sondern Jesus beruft autoritativ und provokativ (verachteter Levi: Mk 2,24ff) zu seiner bedingungslosen Nachfolge (vgl. Lk 9,57ff); sie ist wichtiger als Besitz, Ehe oder verwandtschaftliche Bindung (vgl. Mk 10,21; Lk 14,25ff) und wird trotz Verfolgung vielfachen irdischen und himmlischen Lohn einbringen (vgl. Mk 10,28ff; Mt 10,37ff).

Aus dieser Aufforderung zur bedingungslosen Nachfolge spricht das hohe Selbstbewußtsein Jesu: Er erhob nicht nur den Anspruch, mehr als Moses zu sein, sondern wichtiger als Besitz, Verwandtschaft und das eigene Leben. Dieser absolute Anspruch ist nur berechtigt, wenn er tatsächlich Gottes Sohn im wesenhaften Sinn ist. Das Sohneslogion von Mt 11,27, die Abba-Anrede und dieser Absolutheitsanspruch Jesu widersprechen einer exklusiven Erhöhungschristologie und setzen die Präexistenz voraus. Wenn F. Mußner[16] vom »Rätselhaften« am Verhalten Jesu, von seiner »unerhörten Souveränität« spricht, so kündigt sich dahinter das Geheimnis seiner wesenhaften Sohnschaft an, das natürlich die Zeitgenossen Jesu vor Ostern nicht verstehen konnten.

[14] Zum ganzen vgl. J. Ernst, Anfänge der frühen Christologie, Stuttgart 1972, 90ff.
[15] Ebd. 125ff.
[16] A.a.O. 101.

Gegenüber religionsgeschichtlichen Parallelen und häufigen Thesen der Leben-Jesu-Forschung zeigen gerade diese Stellen und besonders die Nachfolgelogien, daß das Neue und Unterscheidende an Jesus nicht eine Idee oder ein moralischer Imperativ (wie: vorbehaltlose Liebe; keine Vorurteile und menschlichen Schranken – diese gelten nämlich unabhängig von der Person Jesu, der höchstens die Initialzündung gegeben hätte), sondern seine Person selber ist, die ihrerseits von einem einzigartigen Gegenüber zum Vater bestimmt ist.
Sehr früh ist bereits die Schöpfungsmittlerschaft Jesu Christi ausgesagt. Schon nach 1 Kor 8,6 »existiert für uns nur ein einziger Gott, der Vater, aus dem alles ist und für den wir sind, und ein einziger Herr, Jesus Christus, durch den alles ist und wir durch ihn«. Insofern kann die Behauptung nicht überzeugen, die Schöpfungsmittlerschaft sei erst eine Erkenntnis der Spätschriften des Neuen Testaments (Joh 1,2.10; Kol 1,16; Hebr 1,2f), zumal Kol 1,16 und wahrscheinlich auch Hebr 1,2 hymnenartig und daher frühere Texte sind. Wie vor Paulus diese Einsicht entstand, läßt sich schwer feststellen.[17] Hat die Reflexion über manche Wunder Jesu bereits den Anstoß dazu gegeben? Die Christozentrik der Heilsgeschichte schloß nicht nur ein, daß der Heilsplan auf Jesus Christus als seinen Höhepunkt zulief, sondern daß er als innere Dynamik sie vorantrieb: Der Fels, aus dem die Juden in der Wüste den geistigen Trank genossen, war Christus, heißt es in 1 Kor 10,4. Auch hier wird schon die Präexistenz implizit ausgesagt. Letztlich führte aber wohl der Kyriostitel zu einer universalen Ausweitung der Herrschaft Jesu Christi, wie Phil 2,10f und 1 Kor 8,6 zeigen.
Alle diese Gesichtspunkte zeigen, daß Präexistenz, einmalige Sohnschaft, Schöpfungsmittlerschaft und Inkarnation nicht erst späte, die ursprüngliche Christologie verfremdende Elemente sind.

II. Der trinitarische Ursprung des Mysteriums Jesu Christi

Die Präexistenz des Sohnes wurde, wie gezeigt, von Anfang an in der Kirche verkündet. Allerdings sind diese biblischen Aussagen etwas unscharf in Hinblick auf die Frage, ob diese Präexistenz ewig ist. Mit

[17] Vgl. zum Ganzen F. Mußner, Die Schöpfung in Christus, in: MySal, II, 455ff.

der Beantwortung dieser Frage nach der ewigen Sohnschaft entscheidet sich nicht nur das Mysterium Jesu Christi; sondern zugleich auch die Gottesvorstellung: Ist Gott in seiner Ewigkeit und in seinem Wesen ein einziger und allein, ohne ein personales Gegenüber, wie es eine philosophisch hochstehende Gotteslehre und auch die Hochreligionen des Judentums und des Islams verlangen, oder in sich lebendige Liebe? Deshalb muß die Frage beantwortet werden, ob die durch Jesus Christus geschehene Offenbarung über Gott selber etwas kundtut.

a) Die immanente Trinität als Grund der heilsgeschichtlichen Selbstoffenbarung Gottes durch den Sohn im Heiligen Geist

Hier kann nicht auf die trinitarischen und christologischen Häresien der ersten drei Jahrhunderte (Modalismus, Adoptianismus) eingegangen werden. Eine kurze Darlegung der Kontroversen der ersten Hälfte des 4. Jahrhunderts mit besonderer Berücksichtigung des Konzils von Nikaia soll die Voraussetzungen für einige trinitätstheologische Postulate schaffen.

Nach Arius[18] ist der Logos geschaffen und in der Zeit geworden. Er steht auf seiten der Geschöpfe und damit in einem uneinholbaren Seinsabstand zu Gott. Dieser ist »unaussprechlich für alle«, er hat nicht »seinesgleichen«, er »west für den Sohn als Unaussprechlicher«. Der Sohn kennt keine Gemeinschaft mit dem Vater, »hat seine Wesenheit nicht gesehen« und kann den Vater, »der für sich selber ist«, nicht »aufspüren«. Gott wird erst mit der Erschaffung des Sohnes Vater: »Solange der Sohn nicht ist, ist der Gott nicht Vater«. Arius versucht die höchstmögliche Würde des Sohnes mit der These zu wahren, daß der Stärkere »einen Erhabeneren oder Stärkeren oder Größeren« als den Sohn nicht, wohl aber »einen Gleichen neben dem Sohn« hervorbringen kann.

Gerade die letzte These des Arius zeigt, daß er mit der Behauptung der Geschöpflichkeit des Sohnes seine Singularität nicht mehr aufrechterhalten kann. Der »Eingeborene Gott« von Joh 1,18 ist zwar der faktisch einzige Sohn, aber prinzipiell sind mehrere solche Geschöpfe denkbar. Der Gott des Arius ist in sich verschlossen und zu

[18] Vgl. A. Grillmeier, Nicaea (325) und Chalcedon (451). Um das christliche Gottes- und Menschenbild, in: A. Ziegenaus (Hrsg.), Wegmarken der Christologie, Donauwörth 1980, 59ff.

keiner Gemeinschaft fähig; deshalb kennt ihn auch nicht der Sohn. Der Sohn kann daher die Schöpfung nicht erlösen, d. h. in eine Gemeinschaft mit Gott bringen. Die Schöpfung kann höchstens zum Logos als ihrem Ursprung und ihrem Ziel gelangen, aber nie zu Gott. Wie Gott bleibt auch die Kreatur in sich verschlossen. Die Offenbarung überbrückt diese Kluft nicht.

Obwohl Arius an der Präexistenz des Sohnes festhielt, wurde doch der Unterschied seiner Lehre zum Glaubensbewußtsein der Kirche offenkundig. Mt 11,27 zufolge »kennt« der Sohn den Vater. Er nennt ihn vertraulich »Abba«. In der Heilsgeschichte handelt und spricht Gott selber. Gerade in dieser Selbstoffenbarung Gottes liegt das Besondere der Inkarnation, wie es der Hebräerbrief (1,1f) formuliert: »Einst hat Gott zu den Vätern durch die Propheten gesprochen; in dieser Endzeit hat er zu uns gesprochen durch den Sohn«. Nach Joh 1,18 »hat niemand Gott je geschaut. Der eingeborene Sohn, der am Herzen des Vaters ruht, er hat Kunde gebracht«. Dieser Sohn lebt in Gemeinschaft mit dem Vater und will den Menschen diese Gemeinschaft ermöglichen: »Als die Fülle der Zeit kam, sandte Gott seinen Sohn, geboren von einer Frau ..., damit wir das Recht der Sohnschaft erlangten. Weil ihr aber Söhne seid, sandte Gott den Geist seines Sohnes in unsere Herzen, den Geist, der ruft: Abba, Vater« (Gal 4,4ff). Der Gläubige darf selber »Abba« rufen und hat »freien Zugang« (Eph 3,12) zu Gott. Vom Verständnis der Offenbarung, der Erlösung und der Taufe her, die gerade von der Gemeinschaft mit dem trinitarischen Gott geprägt ist, mußte die Kirche die Position des Arius verwerfen. Joh 3,16 will die Liebe Gottes dadurch verdeutlichen, daß er »seinen eingeborenen Sohn hingab«, und Paulus ist von der Zuversicht getragen, daß Gott »uns alles schenken« wird, wenn er unseretwegen »seines eigenen Sohnes nicht schonte, sondern für uns hingab« (Röm 8,32); dieser Sohn kann kein Geschöpf sein[19]. Andernfalls hätte Gott sich selbst nichts abverlangt, sondern einen Fremden geopfert. Wäre eine solche Einstellung nicht eher Herzlosigkeit statt Liebe?

Gegen die arianische Auffassung, Gott sei erst mit der Erschaffung

[19] Kierkegaard (Tagebücher, Bd. I, Düsseldorf-Köln 1962, 218) läßt sich vom Wortlaut zu Recht an Gen 22,16 erinnern: »Er, der Abrahams Erstgeborenen verschonte ..., er verschonte nicht seinen eingebornen Sohn«: Gott verlangt von sich mehr als vom Menschen.

des Sohnes Vater geworden, also nur akzidentell Vater, betont Nikaia, daß der Sohn »vom Vater, das heißt aus der Wesenheit des Vaters« gezeugt ist. Gott ist also seinem Wesen nach Vater und kann daher nie ohne Sohn gedacht werden. Wenn man nun die Liebesbegegnung von Vater und Sohn im Heiligen Geist berücksichtigt, ergibt sich in aller Deutlichkeit: Gott ist lebendige Liebe statt einsame Monas. Wenn der Sohn Mensch wird, offenbart sich Gott selber und nicht nur das höchste Geschöpf. Die Heilsgeschichte sagt nicht nur etwas Äußerliches von Gott aus, sondern letztlich ihn selber.
Hier kann nicht ausführlich auf die von der späteren Theologie herausgearbeiteten Eigentümlichkeiten der göttlichen Personen, d. h. auf das ihnen jeweils Eigene, eingegangen werden: Der Vater ist Vater und nicht Sohn, der Heilige Geist nicht Sohn usw. In der Theologie wurden diese Proprietäten bestimmt nach der Weise des Ursprungs der drei göttlichen Personen. Dabei machte sich in einer gewissen Kurzschlüssigkeit nicht selten die Auffassung breit, man könne von dieser höchst spekulativen Frage nach den innergöttlichen Prozessionen absehen bzw. sie als für die konkrete gläubige Lebensgestaltung unergiebig erklären; es genüge, ohne nähere Differenzierungen an der Gleichheit aller göttlichen Personen festzuhalten. Solche denkerisch anspruchslose Frömmigkeit macht sich z. B. keine Gedanken, zu welcher trinitarischen Person sie betet, da alle gleich sind. Im Hinblick auf die Inkarnation gilt als wichtig, daß einer aus den göttlichen Personen Mensch geworden ist; es gilt aber als überflüssige Spekulation, weshalb genau der ewige Sohn Mensch wurde.
Immanente Trinität bedeutet mehr als lebendige Liebe und Gemeinschaft in Gott. Es muß berücksichtigt werden, daß die Eigentümlichkeiten nicht nur die Verschiedenheit im Ursprung bezeichnen, von der »nach« den Hervorgängen abgesehen werden dürfte, sondern daß dieser Ursprung das ganze Sein und somit ein bleibendes Bezogensein ausdrückt. Es handelt sich um ein ewiges Hervorgehen, so daß Entstehen und Sein zusammenfallen.
Das Bleiben der Verschiedenheit des Ursprungs besagt in Hinblick auf den Vater: Gott ist in Ewigkeit Vater, »alle Vaterschaft im Himmel und auf Erden« (Eph 3,15), alles Sein und jede Gabe kommen von ihm; er ist der Schenkende, der Reiche, der Sprechende. Deshalb richtet sich jedes Gebet, Lob, Dank und Bitte letztlich an den Vater. Das monotheistische Anliegen einer reiferen Philosophie und der

Hochreligionen, das darin besteht, daß der Gottesbegriff nicht mehrere Götter zuläßt (mehrere Götter wären nur potenzierte endliche Wesen) und der Mensch in seinem Sein, in seiner Liebe und Hoffnung nicht gespalten sein will, wird voll von dieser Sicht des Vaters abgedeckt.

Das Bleiben der Verschiedenheit des Ursprungs besagt in Hinblick auf den Sohn: Er ist nicht ungezeugt, nicht im strengen Sinn a se, sondern in Ewigkeit aus dem Vater und auf ihn hin, er ist Empfangensein, Verdankt-sein, Armut, Hören, Hingabe. Natürlich müssen diese Begriffe, wie alle Aussagen von Gott, im analogen Sinn verstanden werden, d. h. alles Niedrige und Seinsmindere dieser Vorstellungen muß weggestrichen und alles Werthafte unendlich gesteigert werden. Deshalb besagt die Sohnschaft keine Minderung des Gottseins im Vergleich zum Vater, denn ohne den Sohn als ebenbürtiges Gefäß könnte sich die Fülle des Vaters nicht ergießen. Beide bedingen sich also gegenseitig. Der Sohn ist ferner Mitprinzip in Hinblick auf den Hervorgang des Heiligen Geistes, und beide begegnen sich in unvorstellbarer göttlicher Liebe im Heiligen Geist, »der mit dem Vater und dem Sohn zugleich angebetet und verherrlicht wird« (Credo).

Die Offenbarung des Sohnes als des ewigen Sohnes impliziert die Offenbarung der immanenten Trinität. Gott ist in sich Leben, Liebe und Gemeinschaft. Dieser Offenheit Gottes in sich ist die Zuwendung zur Welt, ihre Erschaffung und Erlösung, angemessen. Ein monadischer, in seinem ewigen Wesen verschlossener Gott, kann sich nicht zuwenden. Er erscheint unheimlich, wie im Märchen der einsame Mann im Wald, und erdrückt in seiner Allwissenheit und Allmacht. Gegen einen solchen Gott müsse man nach P. Tillich, J. P. Sartre und E. Bloch revoltieren. Ein monadischer Gott kann nicht Mensch werden, weshalb sich auch Judentum und Islam gegen diese Vorstellung wehren.[20] Ein trinitarischer Gott dagegen kann seine Transzendenz wahren, sich trotzdem zuwenden und in seine Gemeinschaft aufnehmen. Da die drei Personen in Gott nicht beliebig aneinandergereiht, sondern nach ihrem bleibenden Ursprung aufeinander bezogen sind, kann nicht jede göttliche Person Mensch werden. Der Vater, der die notwendigen Elemente des Gottesbegriffs

[20] Vgl. L. Scheffczyk, Katholische Glaubenswelt. Wahrheit und Gestalt, Aschaffenburg 1977, 197.

(Aseität, Ursprung und Ziel alles Seins, Transzendenz) wahrt, bleibt in seiner Unergründlichkeit und Verborgenheit. Dem Sohn, selber schon aus dem Vater hervorgegangen, entspricht das Hinausgehen bei Schöpfung und Inkarnation. Dem Sohn, der in sich, d. h. ewig, hörender, empfangender, armer ist, eignet bei aller Differenz doch eine besondere Nähe zum Geschöpf, das auch nicht von sich aus, sondern von Gott, dem Vater, her und auf ihn zu, arm, empfangend und hörend ist. Dem innertrinitarischen Hervorgang entspricht also die Sendung in diese Welt. Dieses Geheimnis Jesu Christi als des ewigen Sohnes soll nun in seiner Heilsbedeutung ausgefaltet werden.

b) Die ewige Sohnschaft als Grund der Lebensmysterien Jesu Christi und ihrer Heilsbedeutung

Die Bedingungen, mit denen die Bibel die Verheißungen Gottes umschreibt, wie Heil, Frieden, Gemeinschaft, Trost, zielen auf etwas Umfassendes und Ganzheitliches. Sie beinhalten mehr als nur momentanes Wohlbefinden, Waffenstillstand oder vorübergehende Freude. Da der Mensch auf Gott hin geschaffen ist und nach dem bekannten Wort Augustins in Gott allein seine Ruhe findet, kann letztlich nur Gott das Heil des Menschen sein. Die Gemeinschaft mit ihm kann schließlich kein höchstes Geschöpf im Sinn des Arius und damit auch kein endzeitlicher Prophet, oder »Platzhalter« und »Stellvertreter« (H. Küng) und kein mit der Auferstehung als Gott eingesetzter Mensch vermitteln, sondern nur jener, der Gottes Sohn im wesenhaften Sinn ist. Nur weil Gott Mensch geworden ist, kann der Mensch zu Gott gelangen. Arius war darin mit Recht konsequent, daß er dem Logos, der selber keine Gemeinschaft mit Gott besaß, auch nicht die Fähigkeit zusprach, diese Gemeinschaft zu vermitteln.

Diese Überlegungen erlauben den Schluß: Heilsbedeutsam im vollen und endgültigen Verständnis von Heil (= Gott) können die Lebensmysterien nur sein, wenn im Handeln Jesu Gott selber wirkt und sich als dieses Heil eröffnet.

In der heutigen Theologie wird dieser für die volle Heilsbedeutsamkeit des Handelns Jesu entscheidende göttliche Hintergrund nicht selten geleugnet oder wenigstens ignoriert. Man verweist dann auf das Verhalten Jesu, etwa gegenüber der Ehebrecherin oder den gesellschaftlich Geächteten, oder auf die Unbeirrbarkeit, mit der er seiner Aufgabe treu blieb, die ihm das Kreuz einbrachte, auf seine Liebe oder sein Hörenkönnen, da er immer Ohr und Auge hatte für die den

Mitmenschen verborgene Not der Armen. Der Einsatz Jesu für die Entrechteten und Zukurzgekommenen und seine Solidarisierung mit ihnen wird hervorgehoben.
Da solche schlagwortartigen Charakterisierungen des Besonderen an Jesus bekannt sind, brauchen sie nicht genauer belegt zu werden. Nur ein Beispiel sei näher besprochen. J. B. Metz nimmt in seinem Essay »Zeit der Orden? Zur Mystik und Politik der Nachfolge«[21], zum Selbstverständnis der Orden Stellung. Manches ist bedenkenswert, des Verfassers Befangenheit von eigenen Denkstrukturen ist bekannt. Wenn hier darauf näher eingegangen wird, so deshalb, weil das Thema der Nachfolge sicher christologisch bedeutsam und im übrigen auch aufgrund der Forschungsergebnisse um den historischen Jesus von einem nachösterlichen Verfremdungsverdacht befreit ist. Der Gehorsam, um diesen evangelischen Rat herauszugreifen, wird von Metz definiert: »Gehorsam als evangelische Tugend ist die radikale unkalkulierte Auslieferung des Lebens an Gott den Vater, der erhebt und befreit. Er drängt in die praktische Nähe zu denen, für die Gehorsam gerade keine Tugend, sondern Zeichen der Unterdrückung, der Bevormundung und der Entmündigung ist.«[22]
Bei dieser Definition fällt auf, daß der wesentliche Gesichtspunkt, die Jesusnachfolge, völlig außer acht bleibt. Das gleiche gilt für die Definition der Armut[23], bei der nicht nur die Jesusnachfolge, sondern jede religiöse Fundierung unberücksichtigt bleibt. Dieser Gehorsam mit den Wesenselementen »unkalkulierte Auslieferung« und »Solidarität« ist auch einem alttestamentlichen Juden verständlich, der aber von seinem Denken her den Absolutheitsanspruch der Person Jesu ablehnt.
Natürlich spricht Metz im Verlauf seiner Ausführungen häufig von der Jesusnachfolge; nur scheint sie ihm kein für die Definition wichtiges Element zu sein. Auch wird bei diesen Erwägungen nicht erkennbar, ob Jesus der präexistente Gottessohn ist. Wenn Metz von der Jesusnachfolge spricht, bleibt ferner unklar, ob sie sich, wie Jesus selbst es verlangt hat, tatsächlich auf die Person oder nur die Gehor-

[21] Freiburg i.Br. 1977.
[22] Ebd. 72.
[23] Ebd. 94: »Armut als evangelische Tugend ist der Protest gegen die Diktatur des Habens, des Besitzens und der reinen Selbstbehauptung. Sie drängt in die praktische Solidarität mit jenen Armen, für die Armut gerade keine Tugend, sondern Lebenssituation und gesellschaftliche Zumutung ist«.

samsmystik Jesu bezieht; dann wäre Jesus letztlich nur ein Lehrer, aber nicht der Adressat des Gehorsams. Von einem Wort Bonhoeffers sagt Metz, daß es »unerbittlich in die Mystik des Gehorsams Jesu weist: Jesus hält der Gottheit Gottes stand; in der Gottverlassenheit des Kreuzes bejaht er einen Gott, der noch anders und anderes ist als das Echo unserer Wünsche, und wären sie noch so feurig; der noch mehr und anderes ist als die Antwort auf unsere Fragen, und wären sie die härtesten und leidenschaftlichsten – wie bei Hiob, wie schließlich bei Jesus selbst. Gott, meine Freunde, redet zwar, aber er antwortet nicht, erläuterte ein alter leidenserfahrener Rabbi seinen ratlosen Schülern«[24]. Die Analyse dieses Textes erlaubt folgendes Resümée: Es geht Metz um ein Gehorchen, wie Jesus gehorcht hat – »bis zum Tod am Kreuz« –, aber ein Mehrsein Jesu wird nicht deutlich. Selbst eine besondere Intensität fehlt der Gehorsamshaltung Jesu, wie Metz ausdrücklich hervorhebt: »Das Verständnis seines Leidens kann und darf nicht komparativisch vermittelt werden.«
Natürlich spricht auch ein solcher Jesuanismus von den Mysterien Jesu. Das Verhalten Jesu war oft rätselhaft, schockierend, provokativ. Aber dieses sicherlich auffällige Verhalten bewegt sich nur im Rahmen religiös tiefer Menschlichkeit. Jeder Mensch ist schon ein Mysterium; warum nicht auch Jesus? Ein solches Verhalten kann schließlich inspirieren, begeistern oder anspornen, aber es kann nie ein Heilsmysterium im ganzheitlichen Verständnis von Heil sein. Nicht der Gehorsam und die Armut Jesu, geübt bis zur Radikalität des Kreuzes, kennzeichnet das Mysterium Jesu Christi. Dieses ist aus der präexistent-trinitarischen Herkunft Jesu zu deuten. Diese These soll nun an kurzen Beispielen – und daher etwas ungeschützt – begründet werden.
Die Liebe Gottes wird primär nicht an Jesu Verhalten zu den Randexistenzen, Sündern und Notleidenden deutlich, sondern entspricht der Mitte der Trinität: »So sehr hat Gott die Welt geliebt, daß er seinen eingeborenen Sohn hingab« (Joh 3,16). – Paulus (Röm 8,32) sieht ebenso den Höhepunkt der Liebe Gottes darin, daß er »seines eigenen Sohnes«, also des präexistenten, ewigen nicht schonte, sondern für uns hingab. Erst wer den Weg von der ewigen Präexistenz bis zum Kreuzestod bedenkt, ahnt das Geheimnis der Liebe Gottes.
Das Mysterium der Armut Jesu, dem die Nachfolge gilt, gründet

[24] Ebd. 69.

nicht in der irdischen Armut Jesu – die These von Metz: »Er war selbst arm«[25], ist schon als Tatsachenbehauptung fragwürdig (sicher gab es Zeitgenossen Jesu, die ärmer waren oder mehr Hunger litten als er) –, sondern in der Bereitschaft des Präexistenten zur Menschwerdung. Mit diesem Hinweis ermuntert Paulus die Korinther zur Freigiebigkeit (2 Kor 8,9): »Ihr wißt um die Gnade unseres Herrn Jesus Christus, wie er um euretwillen arm wurde, da er reich war, damit ihr durch seine Armut reich würdet.« Wenn der Poverello von Asissi an die Krippe führte, so nicht, um ein armes Menschenkind zu zeigen, sondern die Armut dessen, der reich war. Darin sah Franziskus das Motiv für seine eigene Armut.

Das Mysterium des Gehorsams Jesu, dem die Nachfolge gilt, wurzelt nicht im Kreuzesgehorsam allein, sondern in der Bereitschaft dessen, der nach dem Philipperhymnus »in der Gestalt Gottes war ..., sich entäußerte ... und bis in den Tod, den Tod am Kreuz gehorsam wurde«. Diesen in der Präexistenz gründenden Gehorsam hat auch der Hebräerbrief im Auge, wenn es im Vergleich zu den Gott nicht wohlgefälligen Opfern heißt (10,5ff): »Darum spricht er bei seinem Eintritt in die Welt: Opfer und Gabe verlangtest du nicht, einen Leib aber hast du mir bereitet ... Da sprach ich: Siehe, ich komme ... deinen Willen, o Gott, zu vollbringen.«

Gründet nicht auch die Nachfolgeforderung, verwandtschaftliche Bindungen zurückzustellen, in der Haltung dessen, der den Vater verlassen hat, Mensch wurde und Kreuzesnot auf sich nahm?

Ebenfalls zeigt der trinitarische Hintergrund bei der Taufe Jesu, daß die durch die Stimme vom Himmel geoffenbarte Sohnschaft weit über eine erst hier geschehene Sohnesannahme hinauszielt; der Bezug auf die Gottesknechtslieder (Js 42,1ff) lenkt schon den Blick auf das kommende Leiden (vgl. Mk 1,9ff).

Auch die Wunder Jesu zielen letztlich auf die Offenbarung des Sohnes. Jesus ist nicht nur mehr als Moses oder die Propheten (vgl. Lk 11,30ff), sondern überbietet auch alles bisher Dagewesene; deshalb ergehen die Weherufe über Chorazin und Betsaida (vgl. Lk 10,13ff). Vor allem aber fällt bei der Perikope über die Heilung des Gelähmten (Mk 2,1ff) auf, daß das Wunder die Vollmacht zur Vergebung der Sünden unterstreichen soll, die doch niemand vergeben kann »außer Gott allein«.

[25] Ebd. 60.

Aus diesen Überlegungen läßt sich als erste Schlußfolgerung festhalten: In Jesus von Nazareth, der am Kreuz sterben wird, ist Gottes ewiger Sohn Mensch geworden. In diesem Urmysterium gründen alle Einzelmysterien, wie Jesu Menschheit, Armut, Gehorsam, Freiheit von verwandtschaftlichen Bindungen, Taufe, Wunder, Tod, Liebe, Auferweckung (als die Erniedrigung zurücknehmende Erhöhung) und Offenbarung des Kyrios. Nur wegen dieser einmaligen Tiefe des Mysteriums sind die Lebensmysterien heilsbedeutsam in vollem Sinn.
Doch schließt sich daran sofort eine weitere Schlußfolgerung: Metz wehrt sich gegen ein komparativisches Verständnis des Leidens Jesu. Tatsächlich, wer in Jesus von Nazareth nicht zugleich Gottes Sohn sieht, wird mit Recht fragen, warum nicht ein anderer mehr gelitten oder geliebt haben oder ärmer gewesen (Jesus verhungerte nicht, sondern wurde eingeladen!) sein kann. Wer aber diese komparativische Sicht fallen läßt, kommt zugleich in die Verlegenheit, nicht mehr erklären zu können, warum man genau diesem Jesus in Armut, Gehorsam oder Liebe nachfolgen soll; vielleicht ist diese Schwierigkeit ein latentes Motiv, weshalb bei Metz die Nachfolge nicht mehr klar an die Person Jesu gekoppelt ist. Umgekehrt besagt diese Überlegung: Wer bei der Betrachtung der Liebe, der Armut oder des Gehorsams oder des Leidens schon bei der Präexistenz des Sohnes einsetzt und den Weg bis nach Golgotha verfolgt – wie es die Kirche von Anfang an getan hat –, für den ist die in Jesus aufleuchtende Liebe, oder sein Gehorsam usw. unendlich groß, einmalig und doch universal, d. h. alle erfassend und betreffend, weil sie eben in der Form der Sohnschaft aus der Trinität kommt.
Eine dritte Folgerung ergibt sich aus der Rückbindung des Geheimnisses Jesu Christi in der Trinität: Das Verhalten Jesu wird häufig mit dem gängigen Wort »Solidarisierung« erklärt: Er solidarisierte sich mit den Randexistenzen, Entrechteten, Armen, Leidenden usw. Auch Metz spricht von der Solidarisierung, die in der Nachfolge geschieht. Man kann allerdings fragen, weshalb – von der faktischen Wirkung einmal abgesehen – gerade Jesus diese vorbildhafte Funktion ausüben soll, und zwar für alle Jahrhunderte, und nicht eine andere philanthropische Gestalt. Aufgrund der ewigen Sohnschaft kann nun diese Singularität begründet werden. Aber dann wird wiederum die Bedeutung von Kenose und Menschwerdung primär als Solidarisierung bestimmt: Gott solidarisiert sich mit dem endlichen

und leidenden Menschen. Sicher wird dadurch die Einsamkeit überwunden, aber – so muß man fragen – wird dadurch nicht zugleich auch das Bewußtsein der Allgemeinheit der Not verstärkt, wenn noch zusätzlich einer leidet? Bei näherer Hinsicht wird die Not nicht dadurch erleichtert oder gelöst, daß ein weiterer im Leid mitgeht[26], sondern dadurch, daß er freiwillig mitgeht. Kierkegaard vermerkt in seinen Tagebüchern: »Das geduldige Leiden ist gar nicht das eigentlich Christliche – aber frei das Leiden zu wählen, von dem man auch frei bleiben könnte, es frei zu wählen um der guten Sache willen: das ist christlich. Hat etwa nicht auch mancher Heide geduldig gelitten? Und welche Ähnlichkeit besteht denn auch zwischen dem geduldigen Leiden (dem unumgänglichen Leiden) und der Tatsache, daß Christus Gott war und doch das Leiden wählte?«[27] Die Präexistenz Christi impliziert, daß er nicht in die condition humaine ungefragt hineinversetzt wurde wie die Menschen allgemein, sondern, daß er sie freiwillig und aus Liebe angenommen und durchgehalten hat. Hätte Jesus nicht den Vater um Legionen bitten können (vgl. Mt 26,53)? Hat er nicht den Kelch angenommen (vgl. Mt 26,39ff; Mk 14,35; Joh 18,11)? Hat Jesus nicht in doppelter Präexistenz, d. h. aus Liebe zum Vater und zu den Menschen, durchgehalten? Durch freiwillige Annahme und Durchstehen wird eine Not zwar nicht behoben, aber doch relativiert und dadurch erleichtert, gleichsam wie ein Märtyrer, der durch Glaubensabfall die Freiheit zurückerhalten könnte, aus dem Glauben heraus den Tod relativiert, ohne damit die Not des Sterbens zu leugnen.[28] Nicht im Gleichsein mit den Leidenden liegt das Wesen der Solidarisierung – so wird es heute zwar meistens aufgefaßt –, sondern in der Freiwilligkeit, in der das Leid angenommen wird. Durch die aufgrund seines Gott-seins und -bleibens freiwillige Annahme menschlicher Existenz und des Sterbens, der dunkelsten Stunde und des größten Leids in der Weltgeschichte, hat Jesus Christus das Theodizeeproblem entscheidend relativiert. Diese Haltung der Freiwilligkeit entspringt der Präexistenz und ist ein wesentlicher Zug an den Lebensmysterien Jesu Christi. Welthaftes, nur

[26] Von der Solidarisierung Jesu Christi mit den Menschen vor Gott sei hier deswegen abgesehen, weil dieser zwar theologisch bedeutsame Gesichtspunkte in diesem Zusammenhang weniger auftaucht und nur den Gedankengang komplizieren würde.

[27] Bd. II, Regensburg 1963, 160 (VII, A 254).

[28] Ausführlicher dazu A. Ziegenaus, Die Präexistenz Christi als Maßstab des christlichen Zeugnisses angesichts der Verneinung Gottes, in: MThZ 33 (1982) 83–98.

um die eigene Not kreisendes Denken wird allerdings wegen dieser freiwilligen Wahl Jesus lästern – wie der eine Schächer – und sein Kreuz als Torheit verhöhnen.

III. Die Erkenntnis des Geheimnisses im Heiligen Geist

Wenn schon jeder Mensch ein Geheimnis und deshalb auf keine Formel zu bringen ist, dann erst recht Jesus Christus als das tiefste Geheimnis. Die Versuchung liegt nahe, dieses Geheimnis einsichtiger und verständlicher zu machen, aber letztlich bedeutet eine solche Reduktion immer auch eine Verarmung und einen Verlust der Strahlkraft und Heilsbedeutsamkeit Jesu Christi. Dem Ausmaß seiner immer wieder auf Unglauben stoßenden Erniedrigung entspricht seine Erhöhung und damit auch die des Menschen, die er im Geist zu Söhnen des Vaters erhebt. Aber nicht nur der Erkenntnis- und Vorstellungskraft bereitet dieses Geheimnis Schwierigkeiten, auch und vor allem haltungsmäßig: Der Mensch unterliegt der dauernden Versuchung, »wie Gott sein« (Gen 3,5) zu wollen. Seine hohe Berufung und sein ihm gemäßes Heil besteht jedoch bei näherer Hinsicht nicht im Sein wie Gott, trinitarisch gesprochen: wie der Vater, sondern im Sein wie der Sohn. In der Vollendung werden wir Söhne mit dem Sohn sein und Abba rufen (vgl. Gal 4,6f). Die ewige Sohnschaft Jesu Christi und die Berufung des Menschen zu bleibender Sohnschaft, die Anerkennung, nicht von sich aus und auf sich hin zu sein, widerstreben dem heimlichen Emanzipationsstreben des Menschen. Schon der Sohn ist kein Emanzipierter, und das gilt nicht nur für seine irdische Existenz. In Gott findet sich bereits diese Ungleichheit der in bezug auf ihre Gottheit gleichen Personen. Doch Gottes Geist steht bei, »führt zur vollen Wahrheit hin«, »verherrlicht«, d. h. stellt den erniedrigten Jesus in die Herrlichkeit (vgl. Joh 16,13f), läßt das den Führenden der Welt verborgene Geheimnis der Liebe und des Kreuzes ahnen (vgl. 1 Kor 2,4ff). »Keiner kann sagen: Herr ist Jesus, außer im Heiligen Geist« (1 Kor 12,3).

Neutestamentliche Wundergeschichten und frühchristliche Gebetsparänese[1]

von Richard Glöckner, Walberberg

1. Die Wundererzählungen des Neuen Testamentes als Bitterhörungsgeschichten

Viele der (synoptischen) neutestamentlichen Wundergeschichten[2] sprechen in ihrer Einleitung (Exposition) nicht nur allgemein davon, daß Jesus einer menschlichen Notsituation begegnet, die er durch sein wundermächtiges Eingreifen wendet. Oft äußert sich die Not der Menschen in einer konkreten Bitte um Hilfe oder in einem Schrei nach Rettung. Die anschließende Heilung erhält damit den Charakter einer Bitt- bzw. Gebetserhörung.

So fleht der Aussätzige in Mk 1,40f Jesus kniefällig an: »Wenn du willst, kannst du mich rein machen«. Jesus vollzieht die Heilung mit der Antwort: »Ich will, sei rein!« Den Sturm auf dem See stillt er als Antwort auf die vorwurfsvolle Klage der Jünger: »Meister, kümmert es dich nicht, daß wir zugrunde gehen?« (4,38f) Die Auferweckung der Tochter des Jairus (5,21–43) und die Heilung des besessenen Jungen (Mk 9,14–29) lesen sich wie veranschaulichende Beispielerzählungen zur Gebetsparänese in Mk 11,23f. Dort verdeutlicht Jesus die Beziehung zwischen Wunderzeichen, vertrauensvollem Gebet und Gebetserhörung mit den Worten: »Wahrlich, ich sage euch: Wenn jemand zu diesem Berg sagt: Heb dich empor und stürze dich ins Meer!, und wenn er in seinem Herzen nicht zweifelt, sondern

[1] Die folgenden Darlegungen beinhalten eine kurze Zusammenfassung meiner ausführlichen bibeltheologischen Untersuchung, die unter dem Titel »Neutestamentliche Wundergeschichten und das Lob der Wundertaten Gottes in den Psalmen. Studien zur sprachlichen und theologischen Verwandtschaft zwischen neutestamentlichen Wundergeschichten und Psalmen« (Walberberger Studien 13), Mainz 1983, erschienen ist. Vgl. dort auch die genaueren Hinweise auf die Fachliteratur.

[2] Im Blick stehen vor allem die Wundergeschichten des Markusevangeliums und des lukanischen Sondergutes, weil dort die ältesten, uns zugänglichen Überlieferungen im Rahmen der Synoptiker greifbar werden. Die davon unabhängigen Erzählungen des Johannesevangeliums bleiben hier unberücksichtigt.

glaubt, daß geschieht, was er sagt, dann wird es geschehen. Darum sage ich euch: Alles, worum ihr betet und bittet – glaubt nur, daß ihr es schon erhalten habt, dann wird es euch zuteil«. Entsprechend ermuntert Jesus den Synagogenvorsteher, der ihn flehentlich um die Heilung seiner Tochter gebeten hat: »Sei ohne Furcht, glaube nur!« (Mk 5,36) Anschließend schenkt er die aussichtslos erscheinende Rettung des gestorbenen Mädchens. Die Bitte des Vaters um Heilung seines besessenen Sohnes (9,22f) wird zunächst als unsichere Frage laut: »Wenn du kannst, hilf uns! Hab Mitleid mit uns!« Jesus tadelt und korrigiert diese Unsicherheit des Glaubens: »Wenn du kannst? – Alles kann, wer glaubt.« Daraufhin ringt sich der Vater zu dem Glauben durch, dem die Erhörung verheißen ist; muß aber zugleich um die Überwindung seines Unglaubens bitten: »Ich glaube; hilf meinem Unglauben!« (9,24) Die Tochter der syrophönizischen Frau (Mk 7,24–30) wird nach einem Disput geheilt, der bei der Mutter einen Glauben erkennbar macht, der die Forderungen der Gebetsparänese in Mk 11,23f noch übertrifft. Ihr beharrliches Bitten, das sich nicht abweisen läßt, erinnert an Jesu Gleichnisse vom »bittenden Freund« (Lk 11,5–8) und von der »zudringlichen Witwe« (Lk 18,1–8). Wer unermüdlich bittet, dem wird die erwünschte Hilfe zuteil (vgl. Lk 11,9–13). Auch die Heilung des blinden Bartimäus (Mk 10,46–52) bietet ein anschauliches Beispiel dafür, daß beharrliches Gebet Erhörung findet. Gegen den Widerstand der Jesus umgebenden Volksmenge schreit der Bettler zum zweiten Mal seine Bitte um Erbarmen heraus. Jesus hört und erhört seinen Hilferuf, indem er ihm das Augenlicht zurückgibt. Schließlich sei noch eine Perikope aus dem Sondergut des Lukasevangliums genannt. Ähnlich wie der blinde Bartimäus wenden sich die zehn Aussätzigen in Lk 17,13 mit dem Gebetsschrei an Jesus: »Erbarme dich unser!« Daraufhin »sieht« Jesus sie, schickt sie zu den Priestern und läßt sie unterwegs rein werden (17,14).

In den genannten Beispielen fällt auf, wie verschiedenartig und breit gefächert unterschiedliche Glaubenshaltungen und Formen des Bittens zur Darstellung kommen. Neben der einfachen, vertrauensvollen Bitte (Mk 1,40; Lk 17,13) erscheint der Glaube, der nochmals von Jesus ermuntert werden muß (Mk 5,36). In der Seesturmgeschichte (Mk 4,38) wird die Bitte als vorwurfsvolle, fast verzweifelte Klage hörbar. In Mk 9,22 ist sie zaghaft und weiß nicht, ob sie Hilfe erwarten kann. Daneben erscheint sie als Ausdruck einer Glaubenshal-

tung, die mit Jesus ringt, bis er nachgibt (Mk 7,26–29), oder sie wird so lange wiederholt, bis Jesus sie hört und erhört (Mk 10,47–49).
Die Wundergeschichten sind somit weit davon entfernt, nach einheitlichem Schema Machttaten Jesu aneinanderzureihen. Sie bieten zugleich eine differenzierte Glaubens- und Gebetsparänese. Es erscheint als sinnvoll und erfolgversprechend, Jesus in der Not anzurufen. Er kann die Bitten der Menschen erhören. M. Held schreibt in seinen Untersuchungen zu den Wundergeschichten im Matthäusevangelium im Hinblick auf die allgemeine synoptische Überlieferung: »Immer ist das Wunder die Erfüllung eines vorher geäußerten Verlangens ... Wenn der Glaube in den Wundergeschichten demnach immer als eine Bitte zum Ausdruck kommt, so kann man mit Recht sagen, daß er ›im Grunde Gebetsglaube ist‹ ... Der Glaube verhält sich zu dem Wunder wie die Bitte zu ihrer Erhörung.«[3]
Im Anschluß an die dialogische Entsprechung von Bitte und Bitt-Erhörung heben verschiedene Wundergeschichten in der Ausleitung betont das Geschehensein des Wunders hervor (vgl. Mk 7,30; 8,25; 9,27), oder sie sprechen von einer Reaktion der Beteiligten, die sich in »Furcht« und »Entsetzen« äußern kann (vgl. Mk 5,42). Des öfteren antworten die Geheilten und die Zeugen des Wunders aber auch mit einem Lobpreis Gottes und mit einer verehrenden Hinwendung zu Jesus. Sie gehen fort und erzählen »rühmend«, was Gott bzw. Jesus an ihnen getan haben. So berichtet der rein gewordene Aussätzige (Mk 1,45) »bei jeder Gelegenheit, was geschehen ist«. Der Besessene von Gerasa, den Jesus von den Dämonen und damit zugleich von einem Leben in Grabhöhlen befreit hat, »verkündet in der ganzen Dekapolis, was Jesus Großes an ihm getan hat« (Mk 5,18–20). Auf die Heilung des Taubstummen reagieren die Beteiligten mit dem Lobpreis: »Er hat alles gut gemacht ...« (Mk 7,37). Der geheilte Bartimäus »folgt Jesus nach auf seinem Weg« (Mk 10,52). Der vom Aussatz befreite Samariter kehrt zu Jesus zurück, »preist Gott mit lauter Stimme ... wirft sich Jesus zu Füßen und dankt ihm« (Lk 17,15f; vgl. 7,16; 13,13).
Überblickt man die Wundergeschichten in ihrem Gesamtaufbau, so ist ihre Struktur häufig durch den Dreierschritt bestimmt: Bitte um

[3] Matthäus als Interpret der Wundergeschichten, in: Überlieferung und Auslegung im Matthäusevangelium, ed. G. Bornkamm, G. Barth und H. J. Held (WMANT 1), Neukirchen [4]1965, 268f.

Heilung, wundermächtige Bitterhörung und Bekundung von Dank (Nachfolge) bzw. öffentliches, rühmendes Erzählen des Geschehenen. Den derart skizzierten Aufbau kann man zwar nicht als allein vorherrschendes Grundmuster der Darstellung angeben, aber er kommt doch so häufig (ganz oder in Einzelelementen) vor, daß er eine für die neutestamentlichen Wunderperikopen charakteristische Erzählform repräsentiert.

2. *Die Dank- und Klagelieder des Psalters: Bittrufe zu Gott und betend-erinnernde, öffentliche Bezeugung seiner wunderbar rettenden Hilfe*

Die Darstellung der Wunder Jesu als Vorgänge wunderbarer Bitterhörungen, auf die die Geheilten mit öffentlich bezeugtem Lob und Dank antworten, hat deutliche und vielfältige Vorbilder und Parallelen in einer anderen Gruppe von biblischen Texten: den Psalmen. Besonders die Dank-, Klage- und Gebetslieder[4] des Psalters sind durch die Komposition von drei charakteristischen Themenkreisen bestimmt:

a) Der Betende legt vor Gott seine Notsituation dar, klagt sein Leid und bittet um das Eingreifen Jahwes.
b) In oft überschwenglicher Weise werden Dank gegenüber Gott und sein Lobpreis öffentlich verkündet.
c) Die bittende oder dankende Hinwendung zu Gott ist begleitet und durchsetzt von erzählenden Aussagen, in denen von früherem Leid und Gottes rettender Hilfe »vor großer Gemeinde« berichtet wird.

Diese drei Themenkreise können in verschiedener Reihenfolge variiert und mit anderen Aussagen wie z. B. weisheitlichen Reflexionen, Theophanieschilderungen oder allgemeinen Rückblicken auf die Geschichte Israels verbunden werden. Dennoch bilden sie zentrale, strukturbestimmende Brennpunkte des Psalmengebetes. Aus einer großen Zahl möglicher Beispiele[5] seien die Psalmen 28, 30 und 107

[4] Zur Formbestimmung vgl. H. Gunkel, Einleitung in die Psalmen, Göttingen [3]1975, 265–292; C. Westermann, Lob und Klage in den Psalmen, Göttingen [5]1977; H.-J. Kraus, Psalmen I, Neukirchen [5]1978, 36–60.

[5] Für die Klage und Gebetslieder vgl. etwa Ps 6; 13; 22; 31; 54; 88; 142; für die Danklieder vgl. Ps 9; 18; 66; 116; 118.

herausgegriffen und im Hinblick auf die Abfolge von Bittruf, Hinweis auf geschehene Gebetserhörung und öffentliche Bezeugung von Dank verdeutlicht. Ps 28 beginnt mit verschiedenen Bittrufen: »Zu dir rufe ich, Herr, mein Fels ... Höre mein lautes Flehen, wenn ich zu dir schreie ... Raff mich nicht weg mit den Übeltätern und Frevlern ..!« (28,1–3) Von Vers 6 an stehen dann Lob und Dank im Vordergrund, die mit einem erzählenden Hinweis darauf begründet werden, daß Gott die Bitten des Notleidenden erhört hat: »Der Herr sei gepriesen! Denn er hat mein lautes Flehen gehört ... Mir wurde geholfen. Da jubelte mein Herz; ich will ihm danken mit meinem Lied.«
Ps 30 beginnt als Danklied mit dem »hymnischen Ausruf«[6]: »Ich will dich rühmen, Herr!« Dann folgen verschiedene berichtende Aussagen, die das anfängliche Gotteslob aus der Erinnerung daran herleiten, daß Gott in der Not geholfen hat. Schließlich endet der Psalm mit einem erneuten Lobruf: »Du hast mich aus der Tiefe gezogen und läßt meine Feinde nicht über mich triumphieren. Herr, mein Gott, ich habe zu dir geschrien, und du hast mich geheilt ... Du hast mein Klagen in Tanzen verwandelt ... Darum singt dir mein Herz und will nicht verstummen. Herr, mein Gott, ich will dir danken in Ewigkeit.«
Besonders nachdrücklich verbindet Ps 107 in vier parallel aufgebauten Strophen die Abfolge der Aussagen, daß Menschen in Not geraten, zu Gott um Hilfe schreien, erhört werden und abschließend ihren Dank öffentlich bekunden sollen: Sie, die in der Wüste umherirrten ... in Dunkel und Todesschatten saßen ... den Pforten des Todes nahe waren ... in den Sturm auf dem Meer gerieten (107,4.10.18.23ff) ..., sie schrien in ihrer Bedrängnis zu Jahwe, und er befreite sie aus all ihren Ängsten (107,6.13.19.28) ... Danken sollen sie Jahwe für all seine Huld ... Sie sollen ihn in der Gemeinde des Volkes rühmen, ihn loben im Kreis der Alten (107,8.15.21.31f).
Die aufgezeigten Parallelen beziehen sich zunächst formal auf die Struktur von Wundergeschichten und Psalmen. Dabei ist zu beachten, daß die Wundererzählungen dem Formschema strenger folgen als die Klage- und Danklieder des Psalters. Die Abfolge von Hilferuf aus einer Notsituation, Erzählen von wunderbarer Rettung und abschließender Bekundung von öffentlichem Dank und Lob bestimmt

[6] Vgl. H.-J. Kraus, Psalmen I, 387.

in den neutestamentlichen Perikopen jeweils einen weitgehend einheitlichen Handlungsverlauf, der mit gewisser, sachlogischer Konsequenz dargestellt wird. Demgegenüber erscheint die Komposition der Psalmen offener und variabler. Als im Grundvollzug betende Texte können sie etwa mit dem Dank beginnen und dann nachträglich erläutern, wieso solcher Dank angebracht ist. Oder sie machen im einleitenden Klage- und Bittruf eine Notsituation deutlich, sprechen dann von der Hilfe, die Gott gewährt hat, und münden ein in das Gotteslob. Auch wiederholen sich zuweilen die verschiedenen Redeelemente von Bitte und Klage, Lob und Dank und erzählenden Rückblicken innerhalb einzelner Psalmen in wechselnder Reihenfolge (vgl. Ps. 31;86). Die neutestamentlichen Wundergeschichten sind nicht als literarische Nachbildungen zu einzelnen Psalmen zu verstehen. Wohl erzählen sie von Jesu Wundertaten unter Verwendung gleicher, strukturbestimmender Redeelemente und im Rahmen der gleichen theologischen Grundkonzeption, die das wunderbare Geschehen in der dialogischen Entsprechung von Bitte, Bitterhörung und dankbar-lobender Glaubensantwort deuten.

3. Typisierende Interpretationen der Wunder Jesu im Zusammenhang mit den Glaubens- und Gebetserfahrungen der Psalmen

Die Beziehungen zwischen den Wundergeschichten des Neuen Testamentes und den Psalmen können nicht im Sinne streng literarischer Abhängigkeit gefaßt werden. Sie beschränken sich aber auch nicht nur auf rein formale Ähnlichkeiten im Aufbau und in der Struktur. Verschiedene Wundertexte und Psalmen überschneiden sich in einzelnen sprachlichen Formulierungen und in theologischen Bildern und Motiven. Die Notleidenden, die bei Jesus Hilfe suchen, sind teilweise nach dem Typus der alttestamentlichen Beter gezeichnet, die Gott um rettendes Erbarmen anrufen. Jesus erscheint in seinem wundermächtigen Wirken in Parallele zu Jahwe, dessen Wundertaten die Psalmen rühmen. Man vergleiche etwa Mk 1,40–45 mit Ps 18 und 138; Mk 7,31–37 und Mk 10,46–52 mit Ps 107,10–16.

Beispiel I

Psalm 18

7 In meiner Not rief ich (ἐπεκαλεσάμην) zum Herrn und schrie (ἐκέκραξα) zu meinem Gott.
7 Aus seinem Heiligtum hörte er mein Rufen …
17 Er griff aus der Höhe herab und faßte mich (ἔλαβέν με) …
20 denn er hatte Gefallen an mir (ἠθέλησέν με).
50 Darum will ich dir danken, Herr, vor den Völkern; ich will deinem Namen singen und spielen.

Mk 1,40–45

40 Es kommt ein Aussätziger zu ihm, bittet ihn inständig (παρακαλῶν), und fällt vor ihm nieder (γονυπετῶν) und sagt: Wenn du willst (Ἐὰν θέλῃς), kannst du mich rein machen.
41 Jesus hatte Mitleid mit ihm (σπλαγχνισθείς), streckte seine Hand aus (ἐκτείνας τὴν χεῖρα), berührte ihn und sagte: Ich will (θέλω), sei rein! Sofort wich der Aussatz von ihm, und er war rein.
45 Der aber ging weg und begann viel zu verkünden und die Kunde zu verbreiten.

Psalm 138

2 Ich will mich niederwerfen (προσκυνήσω) zu deinem heiligen Tempel hin …
3 An dem Tag, da ich zu dir rufe (ἐπικαλέσωμαι), erhöre mich schnell.
8 Herr, deine Huld (τὸ ἔλεός σου) währt ewig …
7 Du strecktest deine Hand aus (ἐξέτεινας χεῖρά σου) gegen meine wütenden Feinde, und deine Rechte rettete mich (καί ἔσωσέν με ἡ δεξιά σου).
1 Ich will dir danken aus ganzem Herzen, dir vor den Engeln singen und spielen …
4 Dich sollen preisen, Herr, alle Könige der Welt …
5 Sie sollen singen von den Wegen des Herrn …

Beispiel II

Mk 7,31-37

32 Sie brachten einen Taubstummen zu ihm und baten ihn inständig (παρακαλοῦσιν αὐτόν), er möge ihm die Hand auflegen …
33 Er nahm ihn beiseite …
34 und sagte zu ihm: Effata!, das heißt: Öffne dich!
35 Sogleich öffneten sich seine Ohren, seine Zunge wurde von ihrer Fessel befreit (ἐλύθη ὁ δεσμὸς τῆς γλώσσης αὐτοῦ) …
37 Außer sich vor Staunen, sagten sie: Er hat alles gut gemacht; er macht, daß die Tauben hören und die Stummen sprechen.

Psalm 107,10–16

[10] Sie, die saßen in Dunkel und Todesfinsternis (καθημένους ἐν σκότει καὶ σκιᾷ θανάτου), gefangen in Armut und Eisen ...
[13] Die dann in ihrer Bedrängnis schrien zum Herrn (καὶ ἐκέκραξαν πρὸς κύριον) ... die er aus ihren Ängsten rettete,
[14] die er aus Dunkel und Todesfinsternis herausführte und deren Fesseln er zerbrach (τοὺς δεσμοὺς αὐτῶν διέρρηξεν).
[15] Sie alle sollen dem Herrn danken für seine Huld, für sein wunderbares Tun an den Menschen, weil er die ehernen Tore zerbrach ...

Mk 10,46–32

[46] ... da saß ein blinder Bettler am Weg (τυφλὸς ἐκάθητο παρὰ τὴν ὁδὸν προσαιτῶν) ...
[47] Er begann zu schreien und rief (ἤρξατο κράζειν): Sohn Davids, Jesus, erbarme dich meiner! ...
[48] Er aber schrie noch lauter: Sohn Davids, erbarme dich meiner!
[49] Jesus blieb stehen ...
[52] und sagte zu ihm: Dein Glaube hat dir geholfen. Im gleichen Augenblick konnte er wieder sehen und folgte ihm nach auf dem Weg.

Einige Wundergeschichten bei Markus und Lukas lassen besonders intensive Nähe zu theologischen Motiven und Vorstellungen des Psalmengebetes erkennen. An erster Stelle dürfte hier die Seesturmgeschichte Mk 4,35–41 zu nennen sein. Sie steht in einer durchlaufenden gedanklichen und sprachlichen Parallele zu Ps 107,23–32, der vierten Strophe des schon genannten Dankliedes verschiedener Gruppen von Menschen, die wunderbar von Gott gerettet wurden. Seefahrer sind in einen schweren Sturm geraten; sie haben zu Jahwe um Hilfe geschrien; er hat ihr Rufen erhört und die Wogen des Meeres zum Schweigen gebracht. Ganz ähnlich schreien die Jünger in ihrer Seenot zu Jesus und er bewirkt, daß auf dem See eine plötzliche Stille eintritt. Darüber hinaus lassen verschiedene wichtige Einzelaussagen und Gedankenschritte der Markusperikope auch andere Einflüsse des Psalmengebetes erkennen. Als die Gefahr sich zusammenballt, schläft Jesus und wird so als abwesend und machtlos erlebt. Es scheint, als überließe er die Jünger gleichgültig ihrem Schicksal. Er muß geweckt werden, um sich dann zu erheben und dem Sturm machtvoll zu gebieten. Die Erfahrungen, die die Jünger hier mit ihm machen, sind in verschiedenen Psalmen vorgebildet. Dort leiden die Betenden darunter, daß Gott abwesend zu sein, zu schlafen scheint. Sie wollen ihn daher aus seinem Schlaf wecken. Rettung wird darin gesehen, daß Gott erwacht, sich erhebt und machtvoll eingreift. So schließt Ps 44 mit dem Klage- und Bittruf: »Wach auf, warum schläfst du, Herr? Erwache, verstoß uns nicht für immer! ... Steh auf und hilf uns! In deiner Huld erlöse uns!« (44,24–27) Ps 78,65f deutet Gottes Hilfe für Israel in dem Bild: »Da erwachte der Herr wie ein Schlafender ... Er schlug seine Feinde zurück ...« Ähnliche Vorstellungen, die menschliche Not auf ein Schlafen Gottes und wunderbare Rettung auf sein machtvolles Erwachen zurückführen, finden sich in Ps 7,7; 35,2.23; 59,5f; 121,3f.

Die Jünger wenden sich in Mk 4,38 nicht mit einer direkten Bitte an Jesus, sondern halten ihm die ungeduldig vorwurfsvolle Frage entgegen: »Meister, kümmert es dich nicht, daß wir zugrunde gehen?« Diese ungewöhnliche Form, auf die Notsituation zu reagieren und Jesu Hilfe zu provozieren, hat wiederum Vorbilder im Psalter. Bedrängnis und Leiden führen dort keineswegs immer zu einer klar geäußerten Bitte um Hilfe. Vielmehr will man Gott dadurch zum Eingreifen bewegen, daß man ihm klagend-anklagende Fragen vorhält.[7] Ps 44,24–27 verbindet mit dem Weckruf: »Wach auf ...!« die Frage: »Warum verbirgst du dein Gesicht, vergißt unsere Not und Bedrängnis?« An anderen Stellen kann es ähnlich heißen: »Wie lange noch, Herr, vergißt du mich ganz? Wie lange verbirgst du dein Gesicht vor mir? ... Wie lange noch darf der Feind über mich triumphieren? ... Willst du uns nicht wieder beleben? ... Verbirgst du dich ewig?« (13,1f; 85,7; 89,47) Formal entspricht die Jüngerfrage solchen Klagerufen. Sie ist Ausdruck äußerster Todesnot und steht in der Glaubens- und Gebetstradition der Psalmen, der die zwiespältige Erfahrung von Menschen geläufig ist, die einerseits an Gottes Schweigen fast verzweifeln und dennoch die Gefahr und die Anfechtung ihres Glaubens in einer klagend-anklagenden, versteckten Bitte vor Gott aussprechen.

Wenn Jesus nachfolgend dem Sturm wie einem dämonischen Wesen »droht« und Schweigen gebietet (Mk 4,39) und den See zur Ruhe bringt, dann trägt sein Tun Züge göttlicher Allmacht, wie sie z. B. die Psalmverse 9,6; 68,31 und 106,9 dem Handeln Jahwes beimessen: »Du hast Völker bedroht und der Frevler ging zugrunde ... Drohe dem Untier im Schilf (= Ägypten) ... Er bedrohte das Schilfmeer, da

[7] Zur Form und Bedeutung der Klagerufe in den Psalmen vgl. H. Gunkel, Einleitung in die Psalmen, 217.229f.350; C. Westermann, Struktur und Geschichte der Klage im Alten Testament, in: Lob und Klage in den Psalmen, 125–164.

wurde es trocken ...« (vgl. auch Ps 18,16; 76,7; 80,17; 104,6f; 119,2). Die Jünger reagieren auf das geschehene Wunder mit Furcht und mit einer Frage nach Jesus, die seine unvergleichliche Größe hervorhebt: »Da ergriff sie große Furcht, und sie sagten zueinander: Wer ist dieser, daß ihm sogar der Wind und der See gehorchen?« (4,39) Diese Verbindung von Wunderzeichen, Furchtmotiv und christologisch-werbender Jüngerfrage erinnert an hymnische Gebetstexte, die in ähnlicher Kombination Jahwe als den Herrn über das Meer bzw. die Chaoswasser preisen, diese seine Offenbarung als furchterregend bezeichnen und in einer herausfordernden Frage seine Unvergleichlichkeit mit anderen Göttern und Mächten betonen. So bekennt der Beter in Ps 77,14–21: »Jahwe, in Heiligkeit führt dein Weg; wer ist ein Gott wie unser Gott? Du bist der Gott, der Wunder vollbringt ... Du hast mit starkem Arm dein Volk erlöst ... Die Wasser sahen dich, Gott, die Wasser sahen dich und gerieten in Furcht ...« Auch der Hymnus in Ps 89,6ff verherrlicht die Herrschaft des furchterregenden Gottes über die Gewalt des Meeres und verknüpft das Bekenntnis mit der Frage, wer unter den Göttern Jahwe gleich sei: »Die Himmel rühmen deine Wunder, Herr, und die Gemeinde der Heiligen deine Treue. Denn wer in den Wolken ist wie der Herr, wer kommt ihm unter den Göttersöhnen gleich? Verherrlicht ist Gott im Rat der Heiligen, groß und furchtbar für alle rings um ihn her. Herr, Gott der Heerscharen, wer ist wie du ... Du beherrscht die Empörung des Meeres, das Toben seiner Wogen besänftigst du.« In dem psalmartigen Hymnus Ex 15,1–19 heißt es in entsprechender Kombination theologischer Bilder und Motive: »Beim Schnauben deines Zornes türmte sich Wasser, erstarrten die Fluten mitten im Meer ... Wer ist dir gleich unter den Göttern, Herr; wer ist dir gleich, verherrlicht unter den Heiligen ... Wunder vollbringend? ... Die Völker hörten es und bebten ... Furcht und Schrecken überfielen sie ...« (15,8. 11.14.16)

Formal unterscheidet sich die Jüngerfrage in Mk 4,41 zwar von den rhetorischen Fragen in den Psalmen. Dennoch steht sie durch den erläuternden Hinweis: »daß ihm der Wind und der See gehorchen« einer rhetorischen Frage sehr nahe. Die Antwort ist im Sinne eines christologischen Hoheitsbekenntnisses praktisch schon mitgegeben. So wie die Psalmen mit der Vorstellung von Jahwes Herrschaft über das Meer den Glauben an seine unvergleichliche Größe verbinden, so proklamiert die Frage der Jünger mit dem Hinweis auf Jesu Vollmacht über Wind und See seine Jahwe-gleiche Hoheit.

Nimmt man die genannten Beobachtungen zusammen, so wird zwar nirgends direkte literarische Abhängigkeit der Markus-Perikope von einzelnen Psalmtexten greifbar. Dennoch zeigt sich, daß die Seesturmgeschichte durchgehend und in zentralen Aussagen von theologischen Motiven und Interpretamenten des Psalmengebetes beeinflußt ist. Jesu Schlafen im Sturm, sein Gewecktwerden durch den angstvoll anklagenden Hilferuf der Jünger, sein machtvolles Bedrohen des Sturmes und die abschließende, ehrfürchtig bekennende Frage nach seiner Hoheit deuten das Geschehen fortlaufend im Hinblick auf Glaubenserfahrungen und -interpretationen, die von den Verfassern der Psalmen vorgegeben und vorformuliert sind. Jesu Verhalten gleicht den Offenbarungen Jahwes; die Jünger wenden sich in der Not an ihn und sprechen abschließend von ihm wie die Betenden des Psalters, die zu Jahwe rufen und seine unvergleichliche Größe preisen.

Ähnlich intensive Beziehungen zu den Psalmen lassen sich auch für Mk 5,1–20; Lk 13,10–17 und 17,11–19 aufzeigen. Nur wenige Vergleichspunkte seien konkret herausgegriffen: In der Einleitung der Geschichte des Besessenen von Gerasa (Mk 5,2–5) fällt die umständlich breite, dreimalige Erwähnung der Gräber als Aufenthaltsort des Kranken auf. Er ist ein Mann, der in Grabhöhlen haust und »bei Tag und Nacht in den Grabhöhlen und auf den Bergen schreit ...« Eine interessante Parallele dazu findet sich in Ps 88,2–7, wo ein Todkranker sein Leiden in mehrfachen Wiederholungen als »unter Tote ausgeliefert sein«, »hinabsinken ins Grab«, »im Grabe ruhen« deutet und ebenfalls davon spricht, daß er »bei Tag und Nacht vor Gott geschrien« hat. Auch die Psalmen 22,2f; 107,10.13f.18f; 116,1–5 umschreiben Kranksein in gleicher Weise als »in Dunkel und Todesschatten sitzen« oder »den Pforten des Todes« nahe sein und nennen das inständige Schreien der Leidenden zu Gott. So ist der Besessene in Mk 5,1–20 nach dem Typos dessen gezeichnet, der in den Machtbereich des Todes geriet und schließlich durch Jesus »von den Pforten der Unterwelt« gerettet wird.
Unter Verwendung anderer Bilder und Motive aus den Psalmen deuten Lk 13,11–13 und 17,12–14 Krankheit und Heilung von Menschen. Jesus sieht (Lk 13,11ff) eine verkrüppelte, vom Satan gefesselte Frau, die von ihrer Krankheit zu Boden niedergebeugt wird. Er ruft sie zu sich und heilt sie, indem er sie aufrichtet. Damit handelt er

ähnlich wie Jahwe, von dem die Psalmen häufig sagen, daß er auf die Niedrigen schaut, sie der Gewalt ihrer Feinde entreißt, befreit und aufrichtet (vgl. Ps 25,16–20; 102,18–22; 113,5–7; 146,7–9; 1 Sam 1,11; 2,7f). Die zehn Aussätzigen, die (Lk 17,12) »von ferne« stehen bleiben und Jesus um Erbarmen anflehen, erinnern an manche Beter der Psalmen, die ihre Not damit in Verbindung bringen, daß Gott ihnen fern bleibt, und die ihn deshalb anflehen, sich ihnen wieder erbarmungsvoll zuzuwenden (vgl. Ps 10,1; 22,2.12.20; 71,12). Der Wortlaut ihrer Bitte: »Erbarme dich unser!« stimmt mit einem oft vorkommenden Gebetsruf der Psalmen überein (vgl. Ps 6,3; 9,14; 86,3; 123,3 und öfter).

Auf den charakteristischen Zusammenhang zwischen wunderbarer Rettung und Gotteslob in den Wundergeschichten und Psalmen wurde oben schon hingewiesen. Offenkundig sind für beide Gattungen biblischer Texte öffentliches Erzählen und rühmendes Verkündigen die angemessene und auch geforderte Antwort des Menschen auf Gottes bzw. Jesu machtvolles Eingreifen. Vergleicht man etwa Mk 5,14–20 mit Ps 66,6.16f.20, so wird bis in die sprachlichen Formulierungen hinein das gleiche Anliegen deutlich. Nachdem Jesus den Mann, der in seiner Besessenheit »Tag und Nacht schrie« (vgl. Mk 5,5), befreit hat und die Dämonen mit den Schweinen zugrunde gegangen sind, »flohen die Hirten und berichteten es in der Stadt. Darauf kamen die Leute herbei, um zu sehen, was geschehen war. Sie kamen zu Jesus und sahen den Mann, der ... besessen gewesen war ... Da fürchteten sie sich. Die Augenzeugen berichteten ihnen ...« Schließlich endet die Geschichte mit dem Auftrag Jesu zur Verkündigung und dessen Ausführung: »Geh ... und berichte, was der Herr dir Großes getan hat und wie er sich deiner erbarmte. Da ging der Mann weg und begann in der ganzen Dekapolis zu verkünden, was Jesus ihm Großes getan hatte. Und alle staunten.« Diese Darstellung erinnert an Ps 66, wo jemand, der zu Gott »geschrien« (66,17) hat, bekennt: »Kommt und seht die Taten des Herrn, furchterregend ist er in seinen Ratschlüssen ... kommt und hört, die ihr Gott fürchtet, ich will euch erzählen, was er mir Großes getan hat ... Gepriesen sei Gott, ... der mir sein Erbarmen nicht entzogen hat.« In beiden Texten liegt die Reaktion auf eine wunderbare Rettung darin, zu kommen und zu sehen, sich zu fürchten bzw. zu staunen und von Gottes Großtat und Erbarmen rühmend zu erzählen.

Theologische und sprachliche Parallelen hat die Verkündigung des Mannes, den Jesus von den Dämonen und damit aus den Gräbern befreit hat, auch im schon genannten Ps 88 und in Ps 22. Der von Jesus Geheilte vollzieht das, was der Klagende in Ps 88 wegen seiner aussichtslos erscheinenden Verbannung in die Machtsphäre des Todes nur als irreale Möglichkeit und doch auch als eigentlich angemessene Antwort auf eine erhoffte Rettung ausspricht: »Wirst du an den Toten Wunder tun? Werden Schatten aufstehen, dich zu preisen? Erzählt man im Grab von deiner Huld ..?« (Ps 88,11f) Was er als fernen Wunschtraum andeutet, führt der Beter von Ps 22 nach seiner Rettung aus dem »Staub des Todes« (22,16) ähnlich wie der aus den Gräbern von Gerasa Befreite willig aus: »Ich will deinen Namen meinen Brüdern verkünden, inmitten der Gemeinde dich preisen ... Vom Herrn wird man dem künftigen Geschlecht erzählen, seine Heilstat verkündet man dem kommenden Volk, denn er hat das Werk getan« (22,23.32). Ähnlich intensiv sind die Verwandtschaften zwischen der Verehrung Jesu durch den geheilten Samariter (Lk 17,15) und dem Lobpreis der Wundertaten Gottes in Ps 22,24–30; 86,9–13; 66,1–5.

Auch im Zusammenhang mit einzelnen, mehr individuellen Aussagen einiger Wundergeschichten lassen sich Vorbilder in den Psalmen aufzeigen. Die Heilung der verkrüppelten Frau endet in Lk 13,17 entsprechend der Situation des Sabbatkonflikts und des Streitgesprächs Jesu mit dem Synagogenvorsteher: »Durch diese Worte wurden alle seine Gegner beschämt; das ganze Volk aber freute sich über all die großen Taten, die er vollbrachte« (13,17). Eine derartige Entgegensetzung von Menschen, die voll Freude Gottes Wundertaten loben, und Frevlern, die zuschanden werden sollen, kennzeichnet etwa die Thematik von Ps 31,18–24; 35,26; 40,15–17; 70,3–5. Näherhin kann es etwa heißen: »In Schmach und Schande sollen alle fallen, die mir nach dem Leben trachten, zurückweichen sollen sie und vor Scham erröten ... Freuen sollen sich alle und frohlocken, die dich suchen, Herr, und die dein Heil suchen, sollen immer sagen: Gepriesen sei der Herr!« (Ps 40,15.17; 70,3–5) In einem Heilsorakel[8] an den

[8] Zur Bedeutung des Heilsorakels als einer kultbezogenen Redeform vgl. J. Begrich, Das priesterliche Heilsorakel, in: »ZAW 52 (1934) 81–92; J. Becker, Wege der Psalmenexegese (SBS 78), Stuttgart 1975, 59–65.

Gottesknecht in Jes 41,11.16f wird gesagt: »Schmach und Schande soll über deine Widersacher kommen ... Du aber wirst dich freuen mit den Heiligen Israels. Frohlocken sollen die Armen und Bedürftigen ...« Gottes und Jesu Heilstaten stellen in gleicher Weise in die Entscheidung zwischen Heil und Unheil, Freude und »Schmach«. Wenn Lk 17,15–18 nur von dem einen Samariter gesagt wird, daß er wirklich »sieht«, was geschehen ist, und dankbar zu Jesus zurückkehrt, die übrigen neun Geheilten aber getadelt werden, so greift die Geschichte auch damit ein dem Alten Testament geläufiges Motiv auf. Im Alten Testament verstummt nicht der Vorwurf, Israel habe in seiner Mehrheit die Wundertaten Jahwes gesehen, sei aber dennoch nicht zum Glauben gekommen. Trotz seines Sehens ist es abtrünnig geworden bzw. hat es die Taten Gottes vergessen. Unter den Psalmen finden sich die wichtigsten Belege in Ps 78; 95 und 106[9]. Die Absicht des »Lehrgedichtes« Ps 78 ist, von den Wundertaten Gottes in der Geschichte Israels zu erzählen (78,4), damit die kommenden Generationen »die Taten Gottes nicht vergessen ... und nicht werden, wie ihre Väter, jenes wankelmütige Geschlecht, dessen Geist nicht treu zu Gott hielt« (78,7f). Den Vätern wird u. a. im Vers 11 vorgeworfen: »Sie vergaßen die Taten des Herrn, die Wunder, die er sie sehen ließ.« Ps 95 beginnt mit einem hymnischen Lobpreis Gottes (95,1–7), der in einzelnen Formulierungen an das Gotteslob des Samariters erinnert: »Kommt, laßt uns jubeln vor dem Herrn, dem Gott unseres Heils zujauchzen. Laßt uns mit Lob seinem Angesicht nahen ... Kommt laßt uns fußfällig verehren und vor ihm niederfallen.« Von Vers 95,8 an geht der Psalm dann in eine prophetische Mahnrede über, in der anklagend davon gesprochen wird, daß die »Väter« Gott auf die Probe gestellt haben, »und hatten doch meine Werke gesehen«. Ähnlich verbindet Ps 106 Elemente eines hymnischen Dankliedes mit dem Rückblick auf die Geschichte des Unglaubens Israels, der sich im Vergessen der Großtaten Gottes manifestiert. Am Anfang und Ende des Psalms (106,1f.47f) wird der eigentlich geforderte Lobpreis und Dank Gott gegenüber laut. Der Hauptteil des Gebetes beinhaltet aber ein Schuldbekenntnis (106,6), in dem immer wieder Gottes Heilshandeln und menschlicher Unglaube miteinander konfrontiert werden. »Unsere Väter in Ägypten begriffen deine Wunder nicht, dachten nicht an die Fülle deines Erbarmens ...

[9] Vgl. auch Jes 5,12; 6,9f; Jer 5,21; Ez 12,2; Dt 29,1–3.

Schnell vergaßen sie seine (Gottes) Werke ... Sie vergaßen Gott, ihren Retter, der Großes in Ägypten vollbracht hatte« (106,7.13.21). Im Verhalten der neun undankbaren Geheilten spiegelt und setzt sich fort, was für Israels Geschichte schon immer bezeichnend war: Schnell vergaßen sie Gottes Wundertaten bzw. sie gingen achtlos an ihnen vorüber.

4. Zur Verkündigungsabsicht und zum »Sitz im Leben« der neutestamentlichen Wundergeschichten

Die bisherigen Beobachtungen lassen sich unter zwei Gesichtspunkten zusammenfassen:

1) Der Gedanke der Bitt- bzw. Gebetserhörung spielt in zahlreichen Erzählungen von Wundern Jesu eine bedeutsame Rolle. Dabei ist wichtig, daß nicht Jesus etwa wie die alttestamentlichen Propheten Elia und Elischa Gott um Hilfe angeht und daraufhin wundermächtig handelt. Jesus selber ist der um Erbarmen Angerufene. Er erhört in souveräner (gottgleicher) Vollmacht die Bitten der Notleidenden.
2) Die Deutung der Wunder Jesu im Rahmen des dialogischen Vorgangs von Bitte, Bitterhörung und öffentlicher Bezeugung von Dank und Lob findet charakteristische Ausprägungen und Vertiefungen darin, daß das wunderbare Geschehen häufig im Hinblick auf die Psalmen interpretiert und typisiert wird. Das gilt zwar nicht für alle Wunderperikopen und auch nicht für alle in gleicher Intensität. Auch sind die aufgezeigten Beziehungen nicht im Sinne strenger literarischer Abhängigkeit bestimmter Texte voneinander zu verstehen. Wohl gilt, daß die an Jesus herangetretenen Notleidenden des öfteren nach dem Vorbild der Betenden des Psalters gezeichnet sind und Jesu wundermächtiges Handeln Züge göttlicher Vollmacht und göttlichen Erbarmens trägt, wie die Psalmen sie dem Wirken Jahwes beimessen.

Damit werden die ursprünglichen Erzählabsichten und das Umfeld der Entstehung neutestamentlicher Wundergeschichten partiell deutlicher faßbar.

Jesus ist nicht als geheimnisvoll zaubermächtige Gestalt dargestellt, die nach Art antiker Heroen und Halbgötter Machttaten demonstriert und so zu fassungslosem Staunen führt. In den Wunderge-

schichten geht es um christliche Glaubens- und Gebetsparänese, die in der Tradition des Alten Testaments und dort besonders der Psalmen steht. Einzelne Begebenheiten veranschaulichen, daß es sinnvoll ist, vertrauensvoll zu Gott bzw. zu Jesus zu beten, weil solche Bitten schon erhört wurden und folglich auch weiterhin Erhörung finden können. Dadurch, daß konkrete Leiden wie Besessenheit, Aussatz, Blindheit oder körperliche Gebrechen verallgemeinernd als »erniedrigt und gefesselt sein«, »von Gott fern sein«, »in Dunkel und Todesschatten sitzen« typisiert werden, können und sollen die Leser bzw. Hörer der Wundergeschichten ihre eigene Lebensnot mit ausgesprochen finden. In den Bittrufen eröffnet sich ihnen die Möglichkeit, die jeweils eigene Bedrängnis mit zu artikulieren. Die Psalmen halten frühere Lebens- und Glaubenserfahrungen in Gebetsformularen fest, mit deren Hilfe man über die Zeiten hinweg zu Gott beten kann. Ähnlich erzählen die Wundergeschichten in modellhaften Einzelbeispielen von einer bleibend gültigen christlichen Ermahnung des Glaubens: »Bittet, dann wird euch gegeben ... Denn wer bittet, der empfängt, wer sucht, der findet; wer anklopft, dem wird aufgetan« (Lk 11,9). Im Handeln Jesu offenbaren sich das gleiche Erbarmen und die gleiche Vollmacht, die schon das Vertrauen der alttestamentlichen Beter gegenüber Jahwe geweckt und bestärkt haben. Durch ihn erhalten die alttestamentlichen Glaubens- und Gebetserfahrungen einzigartige Bestätigungen. Gott erhört in ihm die Bitten der Menschen und sendet Rettung und Heil.
Erweisen sich somit Glaubens- und Gebetsparänese, d. h. Ermutigung zum Gebet und allgemeiner zu vertrauensvollem Glauben als wichtige Erzählabsichten für die Wundergeschichten, so fällt von daher auch neues Licht auf die Frage nach dem »Sitz im Leben« dieser Gattung neutestamentlicher Verkündigung. Immer wieder vermutet man, der unmittelbare Nährboden für die Erzählungen von Jesu Wundern sei die frühchristliche Missionspropaganda gewesen, die sich angeblich genötigt fühlte, Jesus in Konkurrenz zu heidnischen Göttern mit »einem Kranz überwältigender Wunder«[10] zu umgeben. Die aufgezeigten Übereinstimmungen zwischen Psalmen und Wundergeschichten im Motiv des Gotteslobes zw. des öffentlichen Erzählens von Gottes oder Jesu Wundertaten weisen aber auf einen an-

[10] Vgl. M. Dibelius, Die Formgeschichte des Evangeliums, Tübingen ^{5}1966, 97f; W. Köster, Einführung in das Neue Testament, Berlin 1980, 601f.

deren Ursprung hin. Der primäre Impuls für das Erzählen dürfte in der Freude und im Dank der Geretteten liegen. Wie besonders die Danklieder und Hymnen des Psalters zeigen, werden derartige Freude, Lob und Dank in »doppelter Sprechrichtung«[11] artikuliert: in Hinwendung zu dem, der die Rettung geschenkt hat (Gott), und in der öffentlichen Bezeugung vor anderen Menschen. Die Betenden der Psalmen können nicht davon schweigen, daß und wie Gott wunderbar an ihnen gehandelt hat. Sie lobpreisen ihn, fordern zum Gotteslob auf und machen ihn als den Gott bekannt, der (allein) Wunder tut. Was die Psalmen oft in einem stark erlebnisgeprägten »Ich-Stil«[12] vollziehen, das berichten die Wundergeschichten an ihrem Ende in mehr erzählendem Tonfall (in einer Art »Er-Stil«). Von den Geheilten heißt es, daß sie auf das geschehene Wunder mit der Verherrlichung Gottes und gläubiger Hinwendung zu Jesus antworten (vgl. Mk 1,31; 2,12; 4,41; 5,18; 10,52; Lk 7,16; 13,13; 17,15f). Zudem gehen sie und verbreiten die Kunde davon, was Jesus ihnen Großes getan hat (vgl. Mk 1,45; 5,19f; 7,36f; Lk 7,17; 17,15). Beide Reaktionen dürften die maßgeblichen Impulse angeben, die für die Verkündigung der Wunder Jesu ausschlaggebend waren: Dankbare Verherrlichung dessen, der Rettung geschenkt hatte, und lobpreisendes Anteilgeben an der eigenen Erfahrung, das dann auch darauf abzielt, andere Menschen zum Glauben und zu vertrauendem Gebet anzuspornen.

Den ursprünglichen »Sitz im Leben« der Wundergeschichten kann man von daher im weiteren Sinne des Wortes als den einer »gottesdienstlichen Verkündigung« bezeichnen. Am Ursprung stehen der Wunsch und Wille, öffentliches Bekenntnis von den Großtaten Gottes bzw. Jesu abzulegen, was zugleich Bekenntnis zu Gott und Jesus einschließt. Der Ort für derartige »gottesdienstliche Verkündigung« müssen keineswegs nur kultische Gemeindeversammlungen gewesen sein. Dafür bieten die Wundergeschichten keine Anhaltspunkte. Man kann das bekennende und rühmende Lob Gottes und Jesu Christi durchaus »bei jeder Gelegenheit« (vgl. Mk 1,45) und »in der ganzen Gegend« (vgl. Mk 5,20; 7,17) verbreiten. Entscheidend ist nur,

11 Vgl. F. Crüsemann, Studien zur Formgeschichte von Hymnus und Danklied in Israel (WMANT 32), Neukirchen 1969, 225ff.

12 Vgl. D. Zeller, Wunder und Bekenntnis. Zum Sitz im Leben urchristlicher Wundergeschichten, in: BZ 25 (1981), 211ff.

daß es in der Spannung von gläubiger Hinwendung zu Gott und öffentlicher Proklamation vor den Menschen bleibt. Solche gottesdienstliche Verkündigung steht in keinem Gegensatz zu missionarischer Predigt. Wahrer Gottesdienst strahlt immer nach außen hin aus, sei es auf eine schon konstituierte Gemeinde oder auch auf Andersdenkende und -gläubige hin. So konnten und können die Wundergeschichten auch in der Mission verwendet werden. Nur sind sie nicht ausschließlich oder vorwiegend zu diesem Zweck verfaßt worden. Die in ihnen angesprochenen, fundamentalen Nöte und Anfechtungen betreffen in gleicher Weise diejenigen, die schon zu Christus gehören und im Glauben neu bestärkt werden müssen, wie auch diejenigen, die noch für den Glauben an Jesus Christus gewonnen werden sollen. Vor allem sollte man die Erzählungen nicht als oberflächliche Produkte halbheidnischer Religionspropaganda einstufen. Nicht konkurrierende Abqualifikation anderer Religionen und Bekenntnisse wird von ihnen angestrebt, sondern die Glaubensbindung an Jesus Christus, die ihren Wert in sich hat. Jesu Machttaten werden nicht als extravagante, nur Verblüffung hervorrufende Mirakel dargestellt. Für die Erzähler der Wundergeschichten gehören sie zu den Heilsgeheimnissen des Lebens Jesu. Über die Zeiten hinweg bleiben sie konkrete Zeichen dafür, daß Gott in Jesus Christus den Menschen sucht und rettet. Zugleich sprechen sie in beispielhafter Weise davon, wie der Mensch sich bittend an seinen Erlöser wenden und in welcher Weise er auf widerfahrenes Heil antworten soll.

Die Machttaten Jesu in historischer Sicht

von Wilfried Paschen, Köln/Rolduc

I. Vorbemerkungen*

»Dominum in Evangelio loquentem venite adoremus!« Im Invitatorium zum Stundengebet an Festen der Evangelisten wird das Thema für unsere Überlegungen angegeben. Denn der im Evangelium redende Herr kommt nicht nur zu Wort, wenn es heißt: »Und Jesus sprach ...«, vielmehr spricht er in der ganzen Frohbotschaft. Damit ist schon eine Grundentscheidung über das Thema gefällt, das hier ansteht. Selbstverständlich enthält es viel mehr, als der hier gesteckte Rahmen zu sagen erlaubt.

Gestatten Sie eine Vorbemerkung, die den methodischen Charakter der exegetischen Arbeit erhellen mag. In dieser Hinsicht haben Exeget und Chirurg manches gemeinsam. Beide wissen mehr als andere über einen Gegenstand, der im Entscheidenden auch für sie Geheimnis ist. Weil sie durch ihre Beschäftigung mehr wissen, sind ihnen die Grenzen dessen, was der Mensch in Bezug auf ihren Gegenstand vermag, deutlicher bewußt. Ihre Rede darüber ist also sehr zurückhaltend und manchem, der Klarheit sucht, vielleicht zu sehr mit Fragezeichen belastet. Dennoch müssen sie handeln und nach bestem Wissen und Gewissen ihre Kunst üben – immer sich dessen bewußt, daß ihr Irrtum für andere schlimme Folgen haben kann. Schließlich ist der Gegenstand ihnen selber auf eigentümliche Weise entzogen. Der Chirurg kann als solcher sich selbst kaum helfen. Der Exeget ist, soviel er auch wissen und seinen gelehrten Apparat gebrauchen mag, dem Wort Gottes gegenüber ein mehr oder weniger gläubiger Mensch und Christ wie jeder andere: Auch er ist im Entscheidenden nicht Verfügender, sondern Verfügter.

II. Die Wunder Jesu als Machttaten und Werke

Unter den »Werken Jesu« im Sinne der vier Evangelien stellen wir uns bestimmte Dinge vor. Wenn man die Evangelien auf Werke oder Taten Jesu hin untersucht, dann bleibt nicht viel mehr übrig als das,

* Dieser Beitrag wollte die exegetische Denkbemühung als solche hervortreten lassen und wurde deshalb in seiner ursprünglichen gesprochenen Form belassen.

was unter einer Bezeichnung läuft, die in den Evangelien so kaum vorkommt, nämlich der Begriff »Wunder«. Es gibt nur ganz wenige Taten Jesu, die man anders sehen muß, etwa wenn in Joh 8,6.8 gesagt wird, daß er sich bückt und auf den Boden schreibt. Eine solche Zeichenhandlung, wie wir sie aus der Prophetenüberlieferung des Alten Bundes kennen, kommt bei Jesus eben fast nicht vor. Andererseits ist das, was die Evangelien über seine Werke berichten, im gesamten biblischen Bereich eine Ausnahme.

»Das Wunder ist des Glaubens liebstes Kind«; diese – nebenbei bemerkt, ja auch ironisch gemeinte – Bemerkung wird in ihrer Geltung relativiert, wenn man sie auf die Heilige Schrift bezieht. Es gibt wohl ganz bestimmte Komplexe innerhalb des Alten Testamentes, literarisch genommen, wo das vorkommt, was man Wunder nennen kann. Dabei müssen wir die Visionen und Auditionen ausklammern; gemeint ist hier ein Werk nach außen hin, wie wenn Mose beim Kampf mit den Amalekitern die Hände erhebt (Ex 17,8–16) und dergleichen. Dies ist primär gemeint, wenn wir von den Werken Jesu reden. Der Begriff »Wunder« stellt hier eigentlich die spätere Reflexion auf das gesamte Gebiet dar, das nun zur Sprache kommt.

Das vorherrschende Wort für diese Werke ist bei den Synoptikern, insbesondere bei Matthäus, der Ausdruck »δυνάμεις«, Machttaten (Mt 11,20.21.23 par Lk 10,13; Mt 13,54.58 par Mk 6,2.5; Mt 14,2 par Mk 6,14 u. a.).[1] Im Johannesevangelium wird das, was man Wunder nennt, vor allem mit dem Wort »σημεῖα« bezeichnet, »Zeichen« im Plural. Auch »ἔργα« ist eine primär johanneische Bezeichnung für die Werke des Christus, so etwa: »Die Werke, die ich im Namen meines Vaters tue, die legen Zeugnis über mich ab« (Joh 10,25; weiterhin Joh 5,20.36; 7,21; 10,25 u. a.) Zu »σημεῖα«: Joh 2,11.18; 3,2; 6,2.14; 11,47; 20,30 u. a. Bei dem Wort »ἔργα« in Johannes handelt es sich jedoch um einen weitergreifenden Ausdruck als das, was wir unter »Wunder« verstehen.

Soweit also ein allgemeiner Überblick über das Sprachfeld des Begriffes »Wunder«. Die Doppelung »σημεῖα καὶ τέρατα«, »Zeichen und Wunder«, bezeichnet im synoptischen Sprachgebrauch speziell die Zeichen und Wunder der Pseudochristoi (Mt 24,24 par Mk 13,22). Und damit wird etwas deutlich von dem, was die ganze Diskussion

[1] Für die Wunder Jesu wird im NT weder der gängige griechische Begriff θαῦμα noch die Doppelung σημεῖα καὶ τέρατα verwendet.

beherrscht und was auch am Anfang und am Ende dieser Überlegungen stehen wird, nämlich daß die Wunder, diese besonderen Taten, die das gewöhnliche menschliche Vermögen übersteigen, ambivalent sind. Jetzt sage ich dies, am Ende der Ausführungen wird es der Herr selber mit einem Logion sagen.

III. Das Schweigen der Briefe

Ein Zweites: Wir haben innerhalb des NT einen ganzen Bereich von Schriften, die von dem, was wir jetzt unter den Werken Jesu verstehen, keine Silbe sagen. Trotz der einen oder anderen scheinbaren Anspielung herrscht insgesamt ein großes Schweigen; gemeint ist die Gattung der Briefe. Und das betrifft eben nicht nur Paulus, sondern auch die Schriften, die man als deutero- und vielleicht sogar tritopaulinisch bezeichnen kann, und es betrifft auch das ganze Corpus der Katholischen Briefe. Die sonst so christologisch denkenden Schriften[2] nehmen weder auf die Worttradition noch auf die Zeichen- oder Tatüberlieferung Jesu Rücksicht. Das Argument: »Der Herr hat gesagt ...«, oder: »Der Herr hat getan ...«, kommt nicht vor, wenn man von der freilich auch nicht wörtlichen Berufung auf den Kyrios 1 Kor 7,10 absieht.

Sie werden natürlich gleich einwenden: »Oh doch, es kommt wohl vor, nämlich in 1 Kor 11,26, dieses Zitat der Worte aus dem Abendmahlsaal!« Aber gerade da wird deutlich, wie die Worte gelaufen sind, nämlich als Paradosis der Gemeinde. Diese Stelle ist neben 1 Kor 15,3ff eines der schönen Beispiele dafür, wie Paulus schon etwa in der Mitte des sechsten Jahrzehnts ausdrücklich auf Überlieferungen zurückgreift. Das Wort aus Gal 1,12, er habe unmittelbar vom Herrn Offenbarung empfangen, ist cum grano salis zu nehmen; er beruft sich selber auf Tradition. Dies stützt gleichzeitig die dogmatischen Äußerungen über die frühen Überlieferungen innerhalb des NT. Gerade bei 1 Kor 11 muß man die Tradition als bereits liturgisch geprägt qualifizieren. Die Briefe berufen sich also weder auf Herrenworte noch auf -taten, und das ist um so interessanter.

Bei Paulus kann man behaupten: »Der wußte das nicht.« Aber wie ist es beim Verhältnis zwischen 1 Joh und dem Johannesevangelium? Soviel das Johannesevangelium auch an großen Herrenreden enthalten mag, ganze Passagen, die als Worte auf die Zeichen folgen, wie

[2] Ausgeklammert aus der Überlegung bleibt hier Jak.

viele dieser Zeichen selbst es auch berichtet, 1 Joh beruft sich niemals darauf. Es gehört offensichtlich zum Genus dieser frühen Briefe des Paulus wie der späten des Johannes, daß die Berufung auf Werke und Worte Jesu kein Argument ist; sonst würde es gebraucht. Das hat natürlich Konsequenzen, gerade von den Beobachtungen an Johannes her. Es ist kaum vorstellbar, daß der Autor des ersten Briefes, selbst wenn er mit dem Evangelisten nicht identisch ist, nichts vom Inhalt des Evangeliums gewußt hätte. Das ist jedenfalls für die historische Beurteilung das weitaus Unwahrscheinlichere. Dieses Beispiel des ersten Johannesbriefes warnt uns davor, zu denken: »Der Paulus wußte nichts.« Der Umfang seines Wissens über die Evangelienüberlieferung, die natürlich zu seiner Zeit noch in Entwicklung war, ist uns nicht bekannt; sie ist jedenfalls für ihn kein Thema. Das ist historisch gesehen auch für die Sicherung des Erzählstoffes der Evangelien von Belang: Wir haben also hier keine Seitenreferenzen. Immer wieder müssen wir uns einengen auf das, was die synoptische Tradition enthält, und gleichzeitig die johanneische betrachten. Nur nebenbei sei hier erwähnt, daß wir uns vor dem Vorurteil hüten müssen: Johannes – also spät. Das ist längst überholt. Johannes hat seine eigene, früh anfangende Tradition, und es gibt gute Gründe, in manchen Dingen zu sagen: Da ist in spezifisch johanneischer Gestalt das Urtümlichere gegenüber den Synoptikern bewahrt; das muß hier genügen.

IV. Die Wahrscheinlichkeit als methodische Größe

Ich will hier die Gedanken über den Begriff der Wahrscheinlichkeit einfügen. In meinem Kolleg in Holland pflege ich zu sagen: »Auf meinen Grabstein kommt noch vielleicht das Wort Wahrscheinlichkeit«, weil das so sehr zum Denken des Historikers gehört. Wie hier schon deutlich wird, haben wir es bei jeder Behandlung eines historischen Stoffes mit einem mehr oder minder großen Markt der Wahrscheinlichkeiten zu tun für das, was da so und an einer zweiten Stelle anders ausgedrückt ist. Wo nur eine Quelle fließt, ist der Boden für den Historiker am unsichersten, weil kein Vergleichsmaterial zur Verfügung steht. In methodischer Hinsicht ist das Eindeutige für den Historiker nicht das Sicherste, sondern das Fraglichste. Stimmen kann es, aber woher weiß ich das? Das hat der Alt-Kirchengeschichtler Eduard Stommel einmal so gesagt, als die Geschichte mit dem Petrusgrab in Rom akut war: »Wenn sie da Knochen finden, auf denen

steht: Wir gehören dem heiligen Petrus, dann ist das bestimmt falsch.« Genau das haben wir bei der Betrachtung der biblischen Überlieferung zu sehen.
Das beginnt mit dem Wortschatz. Ich rede jetzt vielleicht in ganz offene Ohren, weil jeder, der historisch und liguistisch arbeitet, es weiß; aber man muß auch für die Bibel bedenken, daß wir auf dem Feld einer toten Sprache sind. Sie kennen alle das Beispiel: Wenn wir im Vaterunser beten: »Unser tägliches Brot gib uns heute«, dann gebrauchen wir ein Wort, das wir aus dem Urtext nicht genau wiedergeben können (ἐπιούσιος). Seine genaue Bedeutung bleibt verschlossen. Man kann darüber nachdenken, was es heißen könnte – das Spiel ist lange gespielt –, aber was es präzise für den Autor geheißen hat, ist uns nicht mehr erschließbar. Der Begriff taucht Jahrhunderte später nochmals auf, ist aber auch da nicht zu erklären. Wir stehen also vor einem non liquet, und das ist in der historischen Arbeit immer wieder der Fall. In der Frage der Sicherung von Texten wird historisch immer nur mit Wahrscheinlichkeiten operiert.
Dazu möchte ich auch ein biblisches Beispiel aus dem Lukasevangelium erwähnen. Der barmherzige Samariter lebt unter uns wie ein lieber Freund, und keinem von uns wird deutlich, daß der barmherzige Samariter eine fiktive Figur ist, die der Herr geschaffen hat. Gelebt hat er jedenfalls, historisch gesehen, nie. Auch wenn er wirklich gelebt hat, wurde er zu dem, was er ist, nämlich zum barmherzigen Samariter, durch die Erzählung Lk 10,30–37. Der dankbare Samariter aus Lk 17,11–19 ist in der Erzählung eine historische Figur; das ist der eine Mann, der zurückkommt und dankt, während die neun Nichtsamariter, das heißt die neun Juden, ohne Dank verschwinden. Wem wird deutlich, daß dies ein großer Unterschied ist in der Beurteilung des Historischen an der Erzählung? Jetzt nehmen Sie noch hinzu, was der gleiche Lukas in 9,52ff erzählt. Die Jünger gehen in ein Dorf der Samariter, um dort für den Herrn Quartier zu machen – ἑτοιμάζειν, also bereiten heißt das Wort an der Stelle, und sie werden dort hinausgeworfen, weil sie auf dem Weg nach Jerusalem sind. In Mt 10,5 steht: »In eine Stadt (πόλις) der Samariter gehet nicht!« als Auftrag des Herrn bei der Aussendung der Jünger. Markus schweigt von diesem ganzen Komplex durchweg. Was heißt das für mich als Historiker, der im von Wahrscheinlichkeiten bestimmten Spannungsfeld geschichtlicher Forschung verbleibt? Ich kann natürlich sagen: »Matthäus ist antisamaritisch, weil er projüdisch ist, und er

hat eine Überlieferung nach seiner Konzeption ausgelegt.« Dann habe ich Lukas gerettet: Er hätte folglich den »alten« Jesus erhalten und positiv von den Samaritern erzählt, ohne unter den Tisch fallen zu lassen, daß Jesus und die Jünger eben in einem Fall nicht angenommen wurden, weil sie nach Jerusalem unterwegs waren. In der Apg werden sie sehr wohl angenommen (Apg 8,5.14; 9,31; 15,3), wobei deutlich wird, daß es zu dieser Zeit schon Jüngerkreise in Samaria gab. Aber ich stehe als historisch Denkender vor einer Alternative, die ich nicht in eine große Harmonie überführen kann.

Ich lasse es Ihnen einmal anheimgegeben, die Harmonisierungsversuche zu vermehren oder auch zu sagen: »Hier hat doch offenbar auch bei Lukas ein Interesse mitgespielt, das so zu sehen und zu sagen.« Damit taucht die Frage auf: Was ist nun hier Lukas und was ist wirklich Jesus, und zwar der Jesus der »ipsissima vox«? In diese historische Frage ist keine Antwort insinuiert. Wer hier die Frage zur rhetorischen degradiert und damit die Antwort schon gibt, tut der Historie als Methode Gewalt an. Um dieser Praxis zu begegnen, braucht man nur Bücher für den katechetischen Gebrauch zu lesen. Das ist die eine Seite.

Die zweite Seite des Problems ist, daß in dieser Tat- und Werküberlieferung durchweg Dinge von Jesus berichtet werden, die in unserem Erfahrungskreis nicht vorkommen und somit äußerst unwahrscheinlich sind. Dieses Wort habe ich natürlich nicht ohne Bedacht gewählt; was in der alltäglichen Praxis als unwahrscheilich gilt, darf es auch nicht geben, das ist ja klar. »Was der Bauer nicht kennt, das ißt er nicht«, das Sprichwort ist ja nicht nur auf die Ernährung bezogen. Im Zeitraum der letzten 200 Jahre wird unseren Mitmenschen unter der Überschrift »Aufklärung« suggeriert: »Ja, das braucht man nicht anzunehmen, das ist nicht wörtlich gemeint, das hat sinnbildlichen Charakter usw.«. Hören Sie sich nur an, was im Bereich der Katechese an die Jugend herangebracht wird. Ich erinnere mich eines Liedchens vom kleinen Jonathan, das in unserer Gemeinde beim Gottesdienst mit Begeisterung gesungen wurde. Der kleine Jonathan war der Junge, der die Brote bei der Brotvermehrung mitbrachte, und die Quintessenz vom Ganzen war: Das Teilen ist eine gute Tat, und wenn man teilt, dann haben alle etwas. All das läuft auf dem Niveau: Er ist ein Mensch wie wir – Schluß.

Das ist sicher in den Erzählungen der Taten Jesu mit zu bedenken. Die Erzählung vom dankbaren Samariter enthält einen Stich, der

auch stechen soll. Aussage der Perikope ist nicht nur: »Abseits von all euren Erwartungen gibt es diejenigen, die das tun, was sie sollen«. Ein solcher Akzent ist durchaus herauszuhören, aber damit ist die Sache nicht zu Ende.
Ich muß also diese Taterzählungen hinterfragen: »Was ist das für eine Tat gewesen?« Das ist keine Frage an den Exegeten, das ist eine Frage an den Christen und an denjenigen, der sich für oder eben nicht für *Ihn* entscheidet. Wenn ich mir das nicht mehr denken kann, wenn ich also im Grunde von einer Gottesvorstellung ausgehe, in die das nicht paßt, dann muß ich die erwähnten Auswege suchen und ende bei dem Symbol, dem Beispiel, oder wie ich es auch nenne. Wenn ich zu dem Gott ja sage, der nicht nur im Anfang, sondern auch in der Geschichte wirkt, muß ich damit rechnen, daß er auch hier gewirkt hat. Das bleibt bestehen, schafft aber dem historischen Betrachter die Probleme nicht aus dem Weg.

V. Die Wunder des Apollonius von Tyana
Nun kommt eine neue Beobachtung hinzu, die sich gerade für unseren Bereich an einen Namen knüpft, der sicherlich in vielen Köpfen Erinnerungen auslöst, nämlich an Apollonius von Tyana und seine Historien. Er lebte als pythagoreischer Weiser im 1. Jahrhundert. Zu Beginn des 3. Jahrhunderts, etwa 217 n. Chr., schrieb Philostratos dessen Vita. Diese Vita des Apollonius ist mit den Evangelien im Ganzen nicht zu vergleichen, weil sie wirklich versucht, historisch darzustellen. Dennoch gibt es rund ein Dutzend Einzeltexte, die man mit den Werkberichten der Evangelien sehr gut vergleichen kann.
Dabei handelt es sich um Erzählungen von wunderbaren Heilungen. Ein Lahmer, ein Blinder, ein Mann mit einem gelähmten Arm – τὴν χεῖρα ἀδρανής, der die Hand nicht bewegen kann, heißt es[3] – und dann gibt es sogar eine Totenerweckung, bei der es interessant ist, einen Augenblick zu verweilen.
Eine Erzählung weiß: Apollonius sieht eine Braut, die bei der Hochzeitsfeier »stirbt«, und sagt: »Ich will eure Trauer beenden.« Dann sieht er sie sich an und nimmt sie, und sie steht auf; die Auferweckung des Jünglings von Naim ist sofort in der Nähe. Aber der Schlußsatz heißt folgendermaßen: »Ob in ihr noch ein ›σπινὴρ τῆζ ψυχῆς‹ war, ein Lebensfunke, der den ϑε απεύοντες, den Ärzten, entgan-

[3] Accusativus graecus.

gen ist, oder ob er die ψυχή neu in sie hereingegeben hat und sie ἀνεβίωσα, also neu belebt hat, das ist ein unaussprechliches, undurchdringliches (ἄρρητος) Problem für diejenigen, die dabei waren und auch für mich, den Erzähler«. Stellen Sie sich das einmal am Ende einer Evangelienerzählung über eine Heilung Jesu vor!
Man sieht bei aller Nähe die Entfernung. Zum anderen ein Beispiel dafür, wie diese Geschichten beschaffen sind: So hat Apollonius eine Frau in Gebärschwierigkeiten mit einem Hasen geheilt, der davonspringen mußte, so daß die Frau gebar. Eine etwas kuriose Methode! Sie können natürlich sagen, daß es ähnliches auch in den Evangelien gibt, wie die Speichelzeremonie bei Jesus (Joh 9,6). Es existiert noch eine solche Geschichte, wo man in die Nähe volkstümlicher Behandlungsweisen kommt, zum Beispiel mit Euleneiern. Ich will das nur andeuten; zwischen Jesus und Apollonius sieht man jedenfalls Gemeinsamkeiten und Unterschiede. Die Gemeinsamkeit besteht weniger in dem, was Philostratos dem Apollonius zuschreibt, als in der Sorgfalt mit der er es überliefert – so auch bei der Deutung der Totenerweckung –, und in der sachlichen Übereinstimmung mancher Dinge mit den Evangelien. Heilungen, auch auffällige Heilungen, wurden erwartet, und wir dürfen hinzufügen: Auch heute noch. Es ist den Ärzten entgangen; das ist eine der Erklärungen des Philostratos in dieser Hinsicht. Und es gibt Dinge zwischen Himmel und Erde, von denen eure Schulweisheit sich nichts träumen läßt (Shakespeare). – Das ist ein Faktum, aber auch eine Grenze in bezug auf die historische Sicherung der Werke Jesu in den Evangelien. Wir können nicht unbesehen sagen: »Die Evangelien berichten von so überwältigenden Taten, einmalig in der Weltgeschichte«, und dann die Schlußfolgerungen ziehen, die nur der Glaube ziehen kann; die Alternative ist immer gegenwärtig. Wir dürfen nicht annehmen, daß alles andere vom Teufel ist. Wir müssen damit rechnen, daß die Schöpfung in ihren von besonders befähigten Menschen erfaßten Bereichen größer ist als das, was der Alltagsmensch weiß, erfährt und tun kann. Im Evangelium erwächst aus dieser Einsicht die Frage: »Was haltet Ihr vom Menschensohn?«

VI. Christus, der in den Charismen der Gemeinde wirkende Herr

Diese Frage wird uns auch hier gestellt. Die Werküberlieferung der Evangelien ist kein moralischer Druck, der uns auf den Weg zwingt, welcher dort angezeigt ist, weder da, wo sie entstanden sind, noch hier, wo wir nach zwei Jahrtausenden diese Texte lesen. Wenn da nichts anderes hinzukommt, dann bleiben, biblisch gesprochen, die Werke tot.

Das wiederum führt uns einen Schritt weiter. Wir haben jetzt erkannt: Einmal gibt es innerhalb der neutestamentlichen Überlieferung ganze Bereiche, die über diesen Komplex schweigen, es gibt aber vergleichbare, wenn auch nicht gleichartige Berichte außerhalb des biblischen Raumes, die allerdings ebenfalls nicht in direkter Weise mit den einschlägigen Evangelientexten zusammenhängen. Im NT findet sich aber durchaus etwas außerhalb der Evangelien, außerhalb des direkten Bezugs auf Werke Jesu, was in Rechnung zu stellen ist. Gemeint sind die πνευματικά oder χαρίσματα, von denen Paulus zu reden weiß. Auch in Kombination tauchen die Begriffe auf: τὰ χαρίσματα τὰ πνευματικά, die Geistesgaben, die sich in der frühen Kirche manifestieren.

Unter diesen Geistesgaben gibt es eine ganze Anzahl, die man schwer einordnen kann. Stichwort dazu ist die Glossolalie, aber es gibt unter ihnen auch die ἰάσεις, die Gabe der Heilung; genaugenommen heißt das Wort »Heilungen«. Paulus konnte in den Gemeinden, besonders in Korinth, aber auch in Rom, voraussetzen, daß die Leute wußten, wovon geredet wurde, wenn solche besonderen Kräfte bestimmter Gemeindemitglieder angesprochen wurden. Davon zeugt der große Passus 1 Kor 12–14, wie auch Röm 12,3ff. Eben unter diesen Kräften war auch die Fähigkeit, zu heilen. Das war ein Donum, ein Charisma, eine Gabe des Geistes. Das muß man aber mit den Ohren des Neuen Testaments, insbesondere der Paulus-Hörer, aufnehmen. Dann wird einen nämlich die sofortige Assoziation des Heiligen Geistes befremden. Der Maßstab »Heiliger Geist« ist, zumal in seiner trinitarischen Dimension, sehr vorsichtig an diese Texte anzulegen. Zum Vergleich muß 2 Kor 3,17 herangezogen werden, wo es heißt: »ο κύριος τὸ πνεῦμά ἐστιν«, der Herr ist der Geist. Das bedeutet: Nachdem Christus sein Erdenleben beendet hat, in seiner Herrlichkeit ist, wirkt er als τὸ πνεῦμα, als der Geist in der Kirche. Die Kirche wird nicht von uns erbaut, obwohl das Wort οἰκοδομεῖν in diesem Zusammenhang von Paulus gebraucht wird. Sie ist eine οἰκοδομή, ein Bau, aber ein Bau, den der Geist wirkt. Was auch in der Kirche geschieht, geschieht durch ihn, wenn auch die Menschen dabei Werkzeuge sind.

In diesem Zusammenhang sind die Gaben, unter denen ἰάσεις vorkommen, Wirksamkeiten des Herrn in seiner Kirche. Das ist historisch so unverdächtig, weil Paulus hier zu Zeitgenossen spricht, über die historisch kein Zweifel bestehen kann. Diese mußten also wissen, wovon er sprach. Da sie diese Dinge in ihren Gemeinden erlebten, brauchte er ihnen nichts von früher zu erzählen und auch nichts für später zu versprechen. Die Erfahrungen der Gemeinde waren von solcher Intensität, daß der heilige Paulus selbst sie an die Kette gelegt hat. Wir wüßten, nebenbei gesagt, über die Charismata ja herzlich wenig, wenn Paulus sich nicht veranlaßt gesehen hätte, in Korinth nach dem Rechten zu sehen. Das vergessen viele, die sich heute gerne auf die Charismen der Kirche berufen. Der Apostel hat dort kraft seines Amtes den charismatischen Wildwuchs recht gründlich beschnitten.

VII. Die Ambivalenz der Wundererfahrung

Nun ein letzter Schritt auf diesem Weg: Nach Paulus wenden wir uns wieder Lukas zu. Nach allgemeiner Annahme der Exegeten ist Lukas eine Generation später anzusetzen, eben zur Abfassungszeit der Evangelien und der Apostelgeschichte. Er hat sich aber bemüht, alte Überlieferungen von Augenzeugen heranzuziehen, wie er in seinem Prolog sagt (Lk 1,2.3).

Das tut er wohl, was Jesus selbst betrifft, in einem summarischen Text in Apg 10,38: »Er ging εὐεργετῶν, Wohltaten spendend, umher und heilte alle (πάντας!), die unterdrückt waren vom Teufel: καταδυναμένους ὑπὸ τοῦ διαβόλου«. Hier sind zwei Dinge verbunden, die in den Evangelien bekanntlich durchweg gesondert gehalten sind: Heilungen und Dämonenaustreibungen. Die vorliegende Formulierung ist meines Erachtens in der Überlieferungsgeschichte schwer zu lokalisieren. Es ist durchaus möglich, daß Lukas selber ein Resümee gezogen hat, aber ich neige eher zur Annahme einer alten Tradition. In den Evangelien wird nämlich von den δαιμόνια geredet, aber nicht vom διάβολος, der die Menschen bindet oder überwältigt und unterdrückt, bis auf einen Platz, den ich noch als Schlußpunkt erwähnen muß. Hier werden die Dämonen in ihrer Vielgestalt, wie sie den Menschen Leid zufügen, unter den Oberdämon διάβολος gestellt.

Dies verweist uns auf eine Stelle in den Evangelien selbst, wo etwas ähnliches geschieht, und das ist Lk 11,14–23 par. Mt 12,22–30. Bei Markus taucht diese Passage nicht auf und ist nach der üblichen Einteilung der Quelle Q zuzuschreiben. Da heißt es bei Lukas: »Wenn ich aber mit dem Finger Gottes die Dämonen austreibe, dann ist das Reich Gottes zu Euch gekommen.« Vorausgeht der Einwand der Gegner, der an den Teufel von Apg 10,38 erinnert: »Durch Beelzebul, den Obersten der Dämonen, treibt er die Dämonen aus.« Hier wird eine Teufelshierarchie vorgestellt, die auch anderweitig belegt ist, und es heißt so: Der hat den Chef hinter sich, deshalb kann der die Kleineren unter die Fuchtel bringen! Nun antwortet aber Jesus und sagt: Wie werden dann eure Söhne sie austreiben, wenn das so wäre? Wenn ich aber mit dem Finger Gottes – da sagt Mt: durch den Geist Gottes – die Dämonen austreibe, dann ist die Herrschaft Gottes zu Euch gekommen.

Ich habe am Anfang von der Ambivalenz gesprochen, die in allen solchen besonderen Erscheinungen herrscht. Am Ende kann man nur sagen: Seit Jesus hat sich nichts geändert. Ob es seine Zeitgenossen waren, die vor den Taten Jesu zur Entscheidung gerufen waren, oder ob wir es sind, die zu den Wunderberichten Stellung zu nehmen haben und uns entscheiden müssen, ist im Grunde dieselbe Sache. Es ist immer die Frage: »Für wen halten die Menschen den Menschensohn, und für wen haltet ihr mich?«

Das Mysterium der Kindheit Jesu

von Ferdinand Holböck, Salzburg

Wo von den Mysterien des Lebens Christi die Rede ist, darf das Mysterium der Kindheit des Gottmenschen nicht unbeachtet bleiben, das vielen Heiligen im Lauf der Kirchengeschichte, angefangen etwa beim hl. Hieronymus († 420) über Bernhard von Clairvaux († 1153), Franz von Assisi († 1226) und Bonaventura († 1274), bis hin zur hl. Theresia vom Kinde Jesu und Charles von Foucauld († 1916) sehr viel bedeutet hat.

Die biblische Bezeugung des Mysteriums der Kindheit Jesu liegt wohl am klarsten im Lukas-Evangelium (Lk 2,8–18) vor, nämlich dort, wo von der Engelsbotschaft an die Hirten von Bethlehem und ihrem »Transeamus ...« die Rede ist[1]. Hier wird nämlich ausdrücklich auf die mystische Zeichenhaftigkeit des Kindseins des Messias hingewiesen.

Zuerst wird durch den Engel das messianische *Kind* angekündigt: die Hirten werden ein *Kind* finden, das in Windeln gewickelt in einer Krippe liegt. Gerade dies soll ihnen *Zeichen* dafür sein, daß der Heiland der Welt angekommen ist und sie darum keinen Grund mehr zur Furcht, sondern nur noch zur Freude haben.

Dann suchen und finden die Hirten dieses *Kind*. Schließlich verkünden sie überall, was ihnen über dieses *Kind* gesagt worden war.

Unwillkürlich möchte man hier fragen, ob die Frohbotschaft von der Ankunft des Erlösers wirklich an die Zeichenhaftigkeit des *Kindseins* dessen geknüpft ist, auf den die Jahrtausende sehnsuchtsvoll gewartet haben. Ließ sich der Messias von den bescheidenen, ungebildeten Hirten wirklich nur in seinem *Kindsein* finden? Und gilt das etwa immer noch für das Volk der kleinen Leute? Und muß die Verkündigung der frohen Botschaft vom Erlöser, soll sie – wie bei den Hirten von Bethlehem – die Furcht bannen und Freude für alles Volk wekken, bei seinem *Kindsein* beginnen? Wenn dem so ist – und die Hl. Schrift (Lk 2,8–18) bezeugt es –, dann muß auf jeden Fall der *Kind-*

[1] Vgl. H. Schürmann, Das Lukasevangelium (Herders theol. Kommentar zum NT, III), Freiburg 1969, 106–117.

heit des Erlösers ganz grundlegende Bedeutung für das ganze Mysterium Christi und sein Erlösungswerk zukommen.
Beim Versuch, in das Mysterium Christi einzudringen und zu seiner Herzmitte vorzustoßen, stellt sich dann – über die Frage: »Cur Deus homo?«, wie sie einst der hl. Anselm von Canterbury († 1109) zu beantworten versucht hat, hinaus – die spezielle Frage: *»Cur Deus infans?«* »Warum ist Gott ein *Kind* geworden?« Etwa nur, damit so den schlichten Hirten ein ihrer Fassungskraft und ihrer geistigen Situation angepaßtes Zeichen für die wahre Ankunft des Erlösers und für den wahren Beginn der Erlösungstat, die nicht nur im Leiden und Sterben Christi am Kreuz, also nur »staurologisch« gesehen werden dürfe, zuteil werden konnte? Oder gibt es noch andere, tiefere Gründe, die auf diese Frage: »Warum ist Gott ein Kind geworden?« Antwort geben? Auf jeden Fall spürt man, daß schon im *Kindsein* Jesu Christi ein Mysterium seines Lebens vorliegen muß, das hineinführt in das Persongeheimnis dessen, der »propter nos homines et propter nostram salutem« einer aus uns geworden ist, »uns in allem gleich, die Sünde allein ausgenommen«.
Im Folgenden wird der Versuch gewagt, den Gründen für das *Kindsein* des Erlösers nachzuspüren. Wir gehen dabei von der Tatsache aus, daß dieses *Kind*, das die Hirten gemäß der Weisung des Engels in Windeln gewickelt und in einer Krippe liegend fanden, wahrhaft der menschgewordene Sohn Gottes ist, der vom Apostel und Evangelisten Johannes (1,1ff) Logos-Wort genannt wird, das – Fleisch geworden – unter uns gewohnt hat und uns als »der Einzige, der Gott ist und am Herzen des Vaters ruht, Kunde gebracht hat«.
Wo vom *Kindsein* Jesu die Rede ist, lohnt es sich, zuerst den griechischen und lateinischen Ausdrücken nachzugehen, die für das Jesuskind in der Hl. Schrift gebraucht werden:
Man könnte bei den Wörtern, die der Grieche für *Kind* kennt, vier Altersstufen unterscheiden:

1 βρέφος in der Bedeutung (a) für das *noch ungeborene* Kind im Mutterschoß; so verwendet es Lukas (1,41.44) für das Kind Johannes im Mutterschoß der Elisabeth; (b) für das *Neugeborene*, eben erst geborene Kind; so verwendet es Lukas (2,12.16) im Bericht über die Hirten, denen das neugeborene Erlöserkind in Windeln gewickelt und in einer Krippe liegend angekündigt wird. Übrigens gebraucht als einziger Evangelist nur Lukas diesen Ausdruck

βρέφος. Hängt dies etwa mit seinem dem Arzt eigenen Wissen um das Werden des Menschen und seiner Entwicklung zusammen?

2 παιδίον (= ein Diminutiv zu παῖς) bezeichnet das *Kleinkind im Säuglingsalter*, wobei die Unerfahrenheit und Hilflosigkeit im Vergleich zu den weiteren Altersstufen des Kindes und erst recht des Erwachsenen mitschwingt. Diesen Ausdruck gebraucht Matthäus in seiner Kindheitsgeschichte Jesu (Mt 2,8.9.11.14.20). Lukas (2,27) verwendet vom 40 Tage alten Jesuskind nicht mehr den Ausdruck βρέφος, sondern auch παιδίον.

3 παιδάριον (= ein weiteres Diminutiv zu παῖς) in der Bedeutung eines *Kleinkindes, das schon zu gehen und zu sprechen anfängt;* dieser Ausdruck kommt im ganzen Neuen Testament nur bei Joh 6,9 vor, wo vom Knaben berichtet wird, der für die wunderbare Brotvermehrung durch Jesus fünf Brote und zwei Fische bereitstellt.

4 παῖς; darunter versteht der Grieche ein *Kind* vor allem männlichen Geschlechts *zwischen dem siebten und dem vierzehnten Lebensjahr* im Unterschied zum Kleinkind unter sieben und zum Jüngling über vierzehn. Wenn nun in den Kindheitsgeschichten des Matthäus und Lukas durchwegs entweder der erste, bzw. der zweite Ausdruck für Jesus gebraucht wird, und dabei von einem hilflosen, unerfahrenen, noch ganz unter der Obhut der Mutter und des Pflegevaters stehenden Kind die Rede ist, so ist das sicher vielsagend für das Mysterium der Kindheit Jesu und kann uns schon irgendwie eine Antwort auf die Frage: »Cur Deus infans?« geben.

Dabei wollen wir auch noch den lateinischen Ausdruck *»infans«* beachten: »infans« ist die Negation von »fans« (vom Zeitwort »fari« = reden) und bedeutet demnach zunächst *»nicht-sprechend«*, darum: *»stumm«*, höchstens stammelnd oder lallend; darum dann die Bedeutung von *Kleinkind, das noch nicht spricht.* Auch dabei könnte wieder manches über das Mysterium des Kindseins Jesu angedeutet sein: Das Kind in der Krippe, das die Hirten in der Krippe liegend fanden, war tatsächlich stumm. Und doch ist die Behauptung berechtigt: Wenn Gott zu uns sprach durch seinen Sohn (vgl. Hebr 1,1) und dieser Sohn nun als *»infans«* in der Krippe lag, so muß dieses stumme, nicht-sprechende Kind doch in sehr intensiver Weise etwas oder sogar sehr viel zu sagen haben. Die 1975 verstorbene deutsche Dichterin Ruth Schaumann sprach in einem Weihnachtsgedicht die Gottesmutter Maria so an: »O Jungfrau Magd, o Jungfrau Magd/Dein Kind

noch nichts mit Worten sagt,/Ist selbst ja WORT der Worte ...«
Das, was dieses scheinbar stumme Kind uns zu sagen hat, ist genau die Antwort auf die Frage: »Cur Deus infans?« Wenn der Sohn Gottes Mensch werden wollte und sollte »propter nos homines et propter nostram salutem«, dann hätte er an sich von Anfang an auch wie einst Adam in der Vollkraft des reifen Mannesalters auftreten können. Warum tat er das nicht? Warum lag er als hilfloses, stummes Kind in der Krippe? Das muß doch im Heilsplan Gottes einen oder gar mehrere Gründe haben.

Warum also ist der Sohn Gottes ein Kind geworden?

1. Es war das wichtig für unsere *Erlösung*. Es kam dabei ja alles darauf an, daß der Sohn Gottes einen wahren Menschenleib annahm. Denn wenn er gemäß der irrigen Ansicht des Doketismus nur einen Scheinleib gehabt hätte, hätte er auch nur scheinbar gelitten, wäre er nur scheinbar gestorben, unsere Erlösung zerflösse dann aber in bloßem Schein. Die Realität seines Menschenleibes wie überhaupt seiner Menschennatur konnte der Sohn Gottes nicht besser unter Beweis stellen als gerade dadurch, daß er alle Entwicklungsstufen des menschlichen Lebens durchlief und mit dem Kindsein *in* und *auf* dem Mutterschoß (als βρέφος und παιδίον) sein menschliches Leben begann.

2. Es war das wichtig für die *stellvertretende Sühne* des Gottmenschen. Denn um stellvertretend für uns Sünder dem himmlischen Vater vollwertige Sühne zu leisten, kam alles darauf an, daß der Sohn Gottes wirklich einer aus unserem Adamsgeschlecht wurde. Das ganze Adamsgeschlecht hatte ja gesündigt und war Gott gegenüber sühnepflichtig geworden. Einer aus diesem sühnepflichtigen Geschlecht sollte die Sühne leisten, freilich einer, der »heilig, sündelos, schuldlos und unbefleckt« (vgl. Hebr 7,26), aber doch aus dem Adamsgeschlecht genommen war. Um den Zusammenhang des Erlösers mit dem Adamsgeschlecht ganz klar herauszustellen, brauchte es wiederum sein Kindsein vom Mutterschoß an. Darum haben die beiden Evangelisten, die uns über die Kindheit Jesu berichten, den Stammbaum Christi bis auf Abraham (Mt 1), beziehungsweise bis auf Adam (Lk 3) zurückgeführt.

3. Das Kindsein Jesu war wichtig für die *Bruderschaft* des Gottessohnes uns Menschen gegenüber. Von manchen Königen und Fürsten wird berichtet, daß sie »incognito« in dem von ihnen regierten Volk untertauchten, um dessen Lage an sich selbst zu erfahren und so

besser zu verstehen, was diesem nottat. So wollte der Sohn Gottes alle unsere Lebenslagen und Altersstufen, von der Kindheit angefangen, alle unsere Schwächen und unsere Hilfsbedürftigkeit, auch die der Kindheit, an sich erfahren, um so auch menschliches Mitgefühl mit uns zu haben und in allem unser Bruder zu sein in barmherziger, mitfühlender Brüderlichkeit. »Darum mußte Er in allem seinen Brüdern gleich werden, um als barmherziger, treuer Pontifex vor Gott zu walten und für die Sünden des Volkes zu sühnen. Denn weil Er selbst gelitten hat und dabei versucht wurde, kann Er auch denen Helfer sein, die in der Versuchung stehen« (vgl. Hebr. 2,17–18 u. Hebr. 4,15).

4. Das Kindsein Jesu war auch wichtig für das *Opfer und Priestertum* des ewigen Hohenpriesters. Opfergabe und Opferpriester wollte der Sohn Gottes nicht erst am Kreuze, sondern vom Anfang bis zum Ende seines Erdenlebens sein. Darum wollte Er schon in der Hilflosigkeit und Ausgeliefertheit des Kindes seine Opferbereitschaft unter Beweis stellen. »Da Er in die Welt eintrat, sprach Er: Schlacht- und Speiseopfer (Vater) hast Du nicht gewollt, aber einen Leib hast Du mir bereitet. An Brand- und Sühnopfern (wie der Alte Bund sie kannte), hast Du kein Gefallen. Da sprach ich: Siehe, ich komme, Deinen Willen zu erfüllen ...« (Hebr. 10,5–7). So liegt der Sohn Gottes als *Kind* in der Krippe unter den Tieren des Stalles, um »Lamm Gottes zu sein, das hinwegnimmt die Sünde der Welt« (Joh 1,29). Ja, sogar dies wollte Er schon als Kind zeigen, daß Er sich den Menschen als *Opferspeise* schenken wolle. Darum ließ Er sich als Kind in einen Futtertrog – das war die Krippe (griechisch: φάτνη = ausgehöhlter hölzerner Trog, in welchem dem Vieh das Futter vorgesetzt wird) – legen, aus dem sich die Tiere ihre Nahrung holten.

5. Das Kindsein Jesu weist auch noch hin auf die äußerste *Selbstentäußerung* des Sohnes Gottes. Es genügte Ihm nicht, Knechtsgestalt anzunehmen und den Menschen gleich zu werden und im Äußeren wie ein Mensch erfunden zu werden. Er wollte zuerst *Kind* werden, um sich zu erniedrigen und so die Kenose zu beginnen. Kann Gott sich denn noch tiefer erniedrigen als in der Kleinheit und Ohnmacht eines neugeborenen Kindes? Er wollte gehorsam sein, nicht erst *im* Tod am Kreuze, sondern *»usque* ad mortem«, *bis* zum Tod am Kreuze (vgl. Phil 2,7), also vom Anfang seiner irdischen Existenz an, eben in der Ausgeliefertheit des Kindes an den Willen anderer und in der damit zeichenhaft von Anfang an manifestierten Liebeshingabe an den Vater.

6. Das Kindsein erwies sich auch als bedeutungsvoll für die *Weckung unserer Liebe* zu Gott. Als Kind konnte der Sohn Gottes leichter unser Herz, unser Vertrauen, unsere Liebe gewinnen. Vor einem Kind braucht ja niemand Angst zu haben. Das Kind weiß nichts von Haß und Groll, es kennt nur die Liebe, nach der es sich sehnt. Christus hätte gewiß auch als erwachsener, reifer Mann voll Kraft und Majestät erscheinen können, wie es am Ende der Zeiten bei seiner Wiederkunft der Fall sein wird. Wir hätten Ihn dann vielleicht mehr gefürchtet, aber wohl weniger geliebt. Ihm kam es aber bei seiner ersten Ankunft darauf an, uns die Furcht zu nehmen. So sprach der Engel zu den Hirten: »Fürchtet euch nicht! ... Ihr werdet ein *Kind* finden ...« (Lk 2,10.12)
Um uns alle Furcht zu nehmen und *Seine* Liebe uns zu erzeigen und *unsere* Liebe zu gewinnen, ist der Herr ein liebenswürdiges, liebebedürftiges Kind geworden. Darum sagt der hl. Bernhard von Clairvaux so schön: »Magnus Dominus et laudabilis nimis, parvus Dominus et amabilis nimis!« Ist es nicht auffallend in der Geschichte der Frömmigkeit, daß Christus gerade in der Gestalt des *Kindes* ganz innige Liebe entgegenschlug und wie gerade auch viele Heilige eine kindliche Liebe zum Jesuskind hatten?[2]
7. Im Kindsein des Erlösers offenbart sich auch ein *Grundprinzip der göttlichen Heilsökonomie.* Ihr Grundgesetz ist doch dies, daß Gottes rettende *Kraft* »in der *Schwachheit* wirksam wird«. Denn »das Törichte in der Welt hat Gott erwählt, um die Weisen zu beschämen, und das Schwache in der Welt hat Gott erwählt, um das Starke zu beschämen. Und das Niedrige in der Welt und das Verachtete hat Gott erwählt: das, was nichts ist, um das, was etwas ist, zu vernichten« (1 Kor 1,27–28). Was aber ist *törichter* als ein neugeborenes Kind, ein »infans«, das noch nicht reden, nur lallen kann? Was aber ist *schwächer* als ein ohnmächtiges Kind? Und was ist *niedriger* und *verachteter* wegen seiner Kleinheit und Hilflosigkeit als ein Kind? Gott aber hat das, was der Welt als töricht, schwach, niedrig und verachtet dünkt – das Kindsein und das Kreuz – erwählt, um die Weisen und Stolzen zu beschämen.
8. Hinter dem Kindsein Jesu steckt auch ein Hinweis auf die *göttliche Pädagogik* uns Menschen gegenüber. Der Sohn Gottes wollte uns

[2] Vgl. den Artikel Dévotion á l' Enfance de Jesus, in: Dictionnaire de Spiritualité ascetique et mystique, Paris 1958, IV, 652–682.

zum *geistig-geistlichen Kindsein*, das vor allem in der »humilitas« und »docilitas«, in der Demut und Gelehrigkeit besteht, erziehen und machte dieses geistig-geistliche Kindsein sogar zur Bedingung für die Aufnahme in das Himmelreich: »Wenn ihr nicht umkehrt und wie die *Kinder* werdet, könnt ihr nicht in das Himmelreich kommen« (Mt 18,2ff; Lk 18,16). Um uns aber nicht bloß in Worten, sondern durch sein Beispiel – das Wort des Herrn: »Ich habe euch ein Beispiel gegeben ...« (Joh 13,15) gilt ja nicht bloß für die Fußwaschung! – die Wichtigkeit des geistig-geistlichen Kindseins beizubringen, wollte der Herr selber *Kind* werden, um so in Wort und Tat den Weg der Kindheit und die rechte Hochschätzung der Gnade der Gotteskindheit zu lehren. Gibt es denn Besseres als dies, sich in aller Demut und Gelehrigkeit, aber auch mit kindlichem Vertrauen dem gütigen Vatergott und seiner Vorsehung auszuliefern und Gott gegenüber ganz Kind und nichts als Kind und »filii in filio« zu sein?
9. Durch sein eigenes Kindsein wollte der menschgewordene Sohn Gottes sicher auch *Ehrfurcht vor dem Kind* und Liebe zu den Kindern wecken. Das antike Heidentum kannte wohl den schönen Grundsatz: »Reverentia puero!« (»Ehrfurcht vor dem Kind!«), aber man lebte und handelte wenig danach. So ist es auch im Neuheidentum unserer Zeit. Man denke nur an manche traurige Zeiterscheinungen bis hin zur Tatsache einer verfrühten und oft total verfehlten Sexualaufklärung für die Kinder, und bis hin zur traurigen Tatsache des hunderttausendfachen Mordes am ungeborenen Leben in der staatlicherseits in fast allen europäischen Staaten legalisierten sogenannten Fristenlösung. Das II. Vatikanische Konzil hat in der Pastoralkonstitution »Gaudium et spes« erklärt: »Das Menschenleben ist von der Empfängnis an mit höchster Sorgfalt zu schützen. Abtreibung und Tötung des Kindes sind verabscheuungswürdige Verbrechen«[3]. Dieses leidvolle Schicksal hunderttausender von Kindern hat der Sohn Gottes im Ansatz ebenfalls auf sich genommen, wenn es von Ihm heißt: »Herodes wird das Kind suchen, um es zu töten« (Mt 2,13). Der Sohn Gottes hat sich dann mit jedem Kind, das man vor der Ermordung bewahrt und in Liebe aufnimmt, identifiziert: »Wer ein solches Kind in Meinem Namen aufnimmt, nimmt Mich (selber) auf!« (Mt 18,5; Mk 9,37; Lk 9,48). Jesus warnte auch die Verführer der Kinder und erinnerte an die Strafe, die sie verdienen: »Für einen

[3] Gaudium et spes, 51.

solchen wäre es besser, wenn er mit einem Mühlstein um den Hals im tiefen Meer versenkt würde!« (Lk 18,6). Auch hier gab sich Christus nicht mit den bittenden und warnenden Worten zufrieden, sondern wollte gerade auch deshalb selber *Kind* werden, damit man Ihn aufnehme, wie man die Kinder aufnehmen soll in Ehrfurcht und Liebe. Johannes aber bekennt im Prolog zu seinem Evangelium (Joh 1,11): »Er (der Sohn Gottes) kam in sein Eigentum, aber die Seinen nahmen Ihn nicht auf. Allen aber, die Ihn aufnahmen, gab Er Macht, Kinder Gottes zu werden, allen, die an seinen Namen glauben.«

10. Ob der Sohn Gottes durch sein Kindsein nicht auch auf die *Liebe* hinweisen wollte, *die wir seiner Mutter* entgegenbringen sollten? Ein Kind ist auf die Mutter angewiesen. Der Sohn Gottes ist *Kind* geworden und machte sich so abhängig von seiner Mutter, um auch uns an diese Mutter und ihre mütterliche Liebe verweisen zu können, und um uns zu zeigen, wie sich die Mütterlichkeit Mariens in seiner Kirche spiegeln soll, weil die Menschen so sehr auf diese Mütterlichkeit angewiesen sind, wie er es als Kind seiner Mutter gegenüber war.

»Nimm das Kind *und* seine Mutter!« So lautet der Auftrag des Engels an den hl. Joseph (vgl. Mt 2,13). Vorher hatte es von den Weisen aus dem Morgenland geheißen: »Sie fanden das Kind *und* seine Mutter« (Mt 2,11). Hier hat Kardinal-Erzbischof Michael v. Faulhaber in seiner Predigt am 1. Mai 1924 bei der Einweihung des Immaculatadoms in Linz an der Donau ein treffendes Wort gesagt: »Was das Evangelium verbunden hat, ›das Kind und seine Mutter‹ (Mt 2,11.13f), dürfen die Jünger des Evangeliums nicht trennen. Was mit Christus so verbunden ist wie seine Mutter, in Blutsverwandtschaft und Geistesverwandtschaft, darf die Christusreligion nicht auseinanderreißen«[4].

»Welch Geheimnis ist ein Kind ...«, so sang der bekehrte deutsche Dichter Clemens Brentano in seinem »Lied vom Kind«. Welch Geheimnis ist erst recht das Jesuskind! Man sollte am Mysterium der Kindheit Jesu nicht gedankenlos vorbeigehen, das da am Anfang aller Mysterien im Leben Jesu steht. Sicher ließen sich noch mehr als die angeführten 10 Gründe für das Kindsein des Gottmenschen Jesus Christus anführen. Auf jeden Fall stimmt, was der religiöse Schriftsteller aus dem Jesuitenorden Peter Lippert († 1936) einmal geschrieben hat: »Da Gott einmal Mensch werden wollte, um unter uns zu wohnen, da wollte Er auch die ganze Entwicklung eines Menschen-

[4] M. Faulhaber, Rufende Stimmen in der Wüste der Gegenwart, Freiburg 1932, 106.

wesens durchmachen und mit dem *Kindsein* beginnen. Und Er hat diese lange Entwicklung gar nicht als zeitraubenden Umweg betrachtet und die Zeit der Kindheit nicht als Wartezeit, deren Ablauf man mit Ungeduld erwartet. Seine Kindheit war Ihm ebenso wichtig wie sein Mannestum, seine Unmündigkeit so bedeutungsvoll wie die Reife, das erste unsichere Tasten seiner Kinderhändchen war Ihm so wertvoll und leistungsfähig wie die Hilflosigkeit dieser selben Hände, da sie an das Holz des Kreuzes genagelt wurden«[5].

[5] P. Lippert, Ein Kind ist uns geboren, München[2]1956, 5.

Der Heilssinn des verborgenen Lebens Jesu

von German Rovira, Essen

Nur zwei Verse widmet Lukas in seinem Evangelium der Darstellung des Lebens Jesu in Nazaret (Lk 2, 51–52) für die Zeitspanne von ca. 18 Jahren zwischen dem Besuch in Jerusalem als 12-jähriger und seinem öffentlichen Wirken, das er etwa im 30.[1] Lebensjahr begann. Das Matthäusevangelium bestätigt nur diesen Aufenthalt der Heiligen Familie an dem Ort, von dem die Verkündigung des Herrn ausging (Mt. 2, 23); dasselbe gilt auch von der Aussage des Philippus in seinem Gespräch mit Natanael (Joh 1, 45–46)[2].

Aber trotz dieser Knappheit an Berichten über das ›Wirken‹ des Messias[3] in diesen Jahren, die der Sohn Gottes in Nazaret verbrachte, lassen sich begründete Aussagen über das verborgene Leben Jesu machen. Läßt sich nun aber aus den wenigen Worten über diese längste Periode im Leben unseres Herrn neben allgemeinen Folgerungen auch Konkreteres erschließen? Nimmt man zum Beispiel die ›Catena aurea‹ des heiligen Thomas von Aquin, um zu erfahren, was er und

[1] Selbst wenn diese Angabe über das Alter Jesu beim Beginn seines öffentlichen Lebens deswegen gemacht worden wäre, weil es »der gesetzlich festgelegte Termin für die Einführung in das priesterliche Amt« war (Num 4, 3; vgl. J. Ernst, Das Evangelium nach Lukas, in: Regensburger NT III., Regensburg [4]1976, 155), bedeutet dies freilich nicht, daß man an der Geschichtlichkeit dieser Tatsache zweifeln könnte; das würde nur heißen, daß Gott es bestimmt habe, um die Typologie des Priestertums des AT und das priesterliche Amt des Messias herauszustellen (Hebr 4, 14–5, 10).

[2] Für die hier auffallenden Überlegungen scheint es mir müßig, auf die Diskussion über die Ortung dieses Städtchens einzugehen (vgl. M. J. Lagrange, Évangile selon Saint Matthieu, Paris 1941, 37ff), sowie auf die Deutung des Beinamen Jesu nach Matthäus, der wahrscheinlich neben Jes 11, 1 und Mi 5, 13, auch in Ri 13, 5–7 eine Prophetie sah (vgl. z. B. J. Schmid, Das Evangelium nach Matthäus, in: Regensburger NT I., Regensburg 1956, 51f).

[3] Es wäre wiederum wenig ergiebig, hier auf die Frage des Verständnisses der Messianität Jesu selbst, sowie auf die grundlose und nur irritierende Diskussion über die irdische Herkunft des Sohnes Gottes einzugehen (vgl. dazu M. J. Lagrange, Evangile selon Saint Jean, Paris 1936, 49f, sowie L. Bouyer, Das Wort ist der Sohn, Einsiedeln 1976, 111ff; L. Elders, Das Innenleben Jesu in der Theologie ..., in: L. Scheffczyk, Christusglaube und Christusfrömmigkeit, Aschaffenburg 1982, 80–99; L. Scheffczyk, Katholische Glaubenswelt, Aschaffenburg 1977, 209ff, und A. Graham, La persona y la enseñanza de Nuestro Señor Jesucristo, in: B. Orchard, u. a. (hrsg.), Verbum Dei III., Barcelona 1960, 129ff).

die Kirchenväter daraus ableiten konnten, so ist man etwas enttäuscht, weil darin expressis verbis zunächst nur wenig gesagt wird.[4] Der Schein trügt jedoch, denn nicht die vielen Worte, sondern was gesagt wird, ist maßgebend für die Überlegungen, die er anstellt; außerdem hat er das Wichtigste auch schon in anderen Schriften[5] gesagt. Hier aber geht es nicht um die exegetische und dogmatische Frage nach dem möglichen Wachsen Christi an Weisheit und Gnade[6], oder darum, wie weit Lukas, um diesen Lebensabschnitt unseres Herrn zu beschreiben[7], sich hier eines Textes aus dem Buch der Sprüche oder Samuels bediente, sondern um den Heilssinn dieser vom Heiligen Geist inspirierten Aussagen über das verborgene Leben Jesu im Lukasevangelium.

Für den Versuch, diesen Sinn zu erschließen, bieten sich viele Möglichkeiten an. Wie bei der Betrachtung eines Kunstwerkes, zum Beispiel eines, das ein Geheimnis der Offenbarung darstellen soll, muß man zuerst die Intention des Künstlers beachten. Kennt man sie jedoch nicht genau, dann ist man auf Vermutungen angewiesen. Überdies aber – beim Bild bleibend – hängt die Interpretation des Kunstwerkes davon ab, ob bei der Betrachtung die Komposition, die Farben, die Figuren oder einzelne Details eine besondere Beachtung hervorrufen. Murillo hat beispielweise verschiedene Bilder der Heiligen Familie gemalt. Eins jedoch ist von besonderer theologischer Aussa-

[4] S. Thomae Aquinatis, Expositio continua super quator Evangelistas simul ac Catena Aurea V., Avenione 1851, 140–144.

[5] Vgl. z. B. In Sententiarum libros quatuor III, 3, 3; Compendium Theologiae, c. 226; Summa Theologica 3, 7, 12; 9, 4; 12, 2; Sermones diversis I et II infra octavam Epiphaniae, u. a.

[6] In den oben erwähnten Stellen des heiligen Thomas von Aquin geht es hauptsächlich um diese Frage. Auch bei den Kirchenvätern, die er in der Catena Aurea erwähnt. Neben dieser Frage ist diese Stelle bei den Kirchenvätern sehr häufig ein Beweis für die wahre Menschheit Jesu Christi in der Auseinandersetzung mit dem Apollinarismus (vgl. Cyrill von Alexandrien, Quod unus Christus? PG 75, 1332; Augustinus, In Joannis Evangelium 82, 64 PL 35, 1844 oder Hieronymus, In Isaiam commentarii 3, 7, 15, PL 24, 110, wie auch, um die falsche Deutung des Nestorius zu korrigieren, wie bei dem oben erwähnten Werk des Cyrill oder bei Joannes Damascenus, De fide orthodoxa 3, 22, PG 94, 1088.

[7] Vgl. z. B. H. Schürmann, Das Lukasevangelium, in: Herders Theologischer Kommentar zum NT III., Freiburg 1969, 138f; K. Staab, Das Evangelium nach Lukas, in Echter-Bibel NT II., Würzburg 1963, 34, oder H. Strack-P. Billerbeck, Kommentar zum NT aus Talmud und Midrasch II., München 1956, 152ff.

gekraft: Las dos Trinidades[8]. Aber nicht nur die Komposition, die die Dreifaltigkeit mit Maria und Joseph durch das Jesuskind in der Mitte vereinigt, fesseln einen bei der Betrachtung des Bildes; sondern auch die sanften Farben, das Licht, das vom Himmel herab die Gesichter Marias und Josefs gewissermaßen verklärt, sowie die Schönheit dieser Gesichter und sogar die Haltung der Hände scheinen zu Detailaufnahmen aufzufordern.

Mit dem Lukasbild des verborgenen Lebens Jesu in seinem Evangelium geschieht ähnliches trotz der skizzenhaften Darstellung dieses Geheimnisses. Man kann diesen Text paränetisch, meditativ oder exegetisch-dogmatisch auslegen.[9] Ohne den Wert dieser Betrachtungs-

[8] National-Gallery, London. Hier wäre zu bemerken, wie der Maler dem Gesichte Jesu und dem seiner Mutter immer wieder eine gewisse Ähnlichkeit vermittelt, sowie die Vorliebe Murillos, den hl. Joseph als einen jungen reifen Mann darzustellen, welcher in anderen Bildern des Malers beinahe die gleichen Züge ausweist (vgl. z. B. ›Sagrada Familia del Pajarito‹ Museo del Prado, Madrid).

[9] Wie bekannt, bezieht sich Justin auf diese Perikope, um das Handwerk des Herrn und Joseph zu preisen, indem er ›feststellt‹, daß ›einige noch die Werkzeuge gekannt haben‹, die in der Werkstätte Nazarets gezimmert wurden (vgl. Dialog mit Tryphon c. 88, PG 6, 688); während Irenäus das Wirken des hl. Josef bei der ›Erziehung‹ Jesu hervorhebt (Adversus Haereses, 4, 22, 1 PG 7, 1048). Ansonsten behandeln die Kirchenväter bei der Betrachtung dieser Perikope entweder das ›Wachstum‹ an ›Weisheit und Gnade‹ (vgl. z. B. Origenes, In Lucam homiliae, PG 13, 184ff bzw. Hieronymus, In Lucam Origenis Homiliae XVIII–XIX, PL 26, 260ff) oder den Gehorsam gegen die Eltern (vgl. z. B. Ambrosius, Expositio Evangelii secundum Lucam II, 65–66, PL 15, 1576). Erasmus kehrt zurück zu dieser Tradition, ohne die erbaulichen Glossen des Mittelalters zu berücksichtigen und kommentiert nur den Gehorsam des Herrn und das Problem des Wachstums (vgl. Opera Omnia VI, Hildesheim 1962, Sp. 239f). Das Thema des Gehorsams ist freilich in der Erbauungsliteratur des Mittelalters immer wieder aufgegriffen worden (vgl. z. B. Bernhard von Clairvaux, IV Homiliae Super Missus est, u. a. 1, 8 PL 183, 60), wie auch das Wachsen, das die Menschen ›bereicherte‹ (proficiebat) (vgl. z. B. Bonaventura, Expositio in Evangelium Sancti Lucae II, Opera Omnia X, Parisi 1867, 282). Diese Gedanken beherrschen überdies die Kommentare des Lebens Jesu (vgl. z. B. Pseudo-Bonaventura, Meditationes Vitae Christi c. 14; darüber vgl. J. Pourrat, La Spiritualité chrétienne II, [5]1924, 94. Der Verfasser sammelt jedoch in seinem Werk die rührendsten Traditionen der Apokryphen) bis in unserer Zeit (vgl. z. B. M. Meschler, Das Leben unseres Herrn ..., Freiburg 1902, 169 ff., und F. M. Willam, Leben Jesu, Freiburg 1960, 59f), auch wenn sie gelegentlich die Armut des Herrn hervorheben, wobei sie sich auch auf Ansichten der Kirchenväter stützen können (vgl. F. Suarez, Disputatio 2, Sectio 1 et 3, Opera Omnia IX, Parisiis 1877). Nur später wird auch der Wert der Arbeit hervorgehoben, was Paradigma der Spiritualität der Arbeit wird (vgl. z. B. Leo XIII, Laetitiae Sanctae, ASS XXVI [1893–1894] 195, oder Johannes Paul II., Laborem Exercens § 26, um nur wie vorhin wenige Beispiele zu erwähnen).

weise schmälern zu wollen, stellt sich die Frage, ob die Intention des inspirierten Autors die gleiche war, welche die Ausleger ihm in den Mund legen.[10] Es kann nicht gesagt werden, wie dieses Bild interpretiert werden muß. Gewiß, man kann es unter dem Zeichen des Kreuzes betrachten und den Gehorsam des Kindes in Nazaret mit dem Gehorsam zum himmlischen Vater, ja mit dem Gehorsam bis zum Tode am Kreuze (Phil 2, 8) in Verbindung bringen; auch seine Armut kann hervorgehoben werden, indem man annimmt, daß das Leben der Heiligen Familie voller Entbehrungen war. Oder man könnte sogar, wie es Tendenzapokryphen tun[11], jene Merkmale des Bildes Jesu

[10] In der Disputatio XVII, Sectio III.: »Quid egerit Christus, quamque vivendi rationem cum parentibus tenuerit usque ad trigesimum aetatis annum«, lehnt F. Suarez (a. a. O. 277–280) was ›vagus et otiosus videretur‹ ab. Die Frage der Armut behandelt er sehr behutsam und wehrt sich sogar gegen die Annahme, daß in der Heiligen Familie ›Bettler‹ wären, im Gegenteil, ohne der Meinung von Hieronymus (Ep. 22 ad Eustochium) zu widersprechen, neigt er eher zu den Zeugnissen von Nicephorus und Euseibius von Emesa, wonach (ut conjicere licet) ›proventum aliquem haberent‹. So sind für ihn in dieser Perikope vor allem die Frage des Gehorsams und des Wachstums an Gnade und Weisheit wichtig, wovon, ›satis constat‹, der Evangelist Konkretes lehren wollte. Wie Bonaventura (a. a. O. Expositio ...) lehrt Suarez auch, daß dieses Wachsen des Herrn – wie ich auch später in meinen Überlegungen erwähne –: »Apud Deum enim erat excellentis meriti, et coram hominibus etiam summa prudentia et honestas in eis elucebant«. Auch Thomas von Aquin meint hinsichtlich der Armut Jesu, welche er mit der der ›Prediger‹ vergleicht, daß diese in Bethlehem und während des öffentlichen Lebens sichtbar wird; in der Zeit von Nazaret stellt er sich diese Frage nicht (vgl. Summa Theologica III, 35, 7 ad 3, und 40, 3 c). H. Schell, Christus, München 1906, stellt sich am Anfang seiner Überlegungen über ›das Verständnis Jesu‹ bzw. Christusbild Fragen über Fragen, die zum Teil sehr rhetorisch sind, die Forderung jedoch, dieses Bild ›unvoreingenommen‹ aus dem Evangelium selbst zu gewinnen, und zwar entsprechend der Lehre der Kirche über die Person Christi, scheint mir sehr sinnvoll; in diesem Sinne ist sein Buch ein ausgezeichnetes Beispiel für die verschiedensten Betrachtungen, von denen in der vorausgegangenen Anmerkung die Rede war, die man über die Aussagen der Evangelien anstellen kann (vgl. 16ff). Interessant ist hier auch seine Auffassung, daß über die Armut Jesu aus dem Evangelium keine endgültige Aussage gemacht werden kann; er selbst meint, daß Jesus arm war, und zwar im Sinne des von Ihm verkündeten Armutsideals, aber seine Armut war weder Elend noch düstere Not (vgl. 76). Über das Recht, das Wort Gottes, und das heißt, »das Wort Christi als Wort der Apostel im Menschenmund«, zu deuten, und zwar in Treue gegen das im Evangelium uns Überlieferte, vgl. H. Schlier, Wort Gottes – eine neutestamentliche Besinnung –, in: Rothenfelser Reihe 4, Würzburg 1958.

[11] Vgl. z. B. die Kindheitserzählungen des Thomasevangeliums in: E. Hennecke, Neutestamentliche Apokryphen, Tübingen 1924, 96ff, sowie »Die apokryphen Evangelien des NT« von H. Daniel-Rops, Zürich [2]1958.

unterstreichen, die man für die zu verkündende Lehre gebrauchen will.[12] Bei meinen Überlegungen möchte ich vermeiden, Lukas die Intention aufzuzwingen, die meinen Gesichtspunkt begründen könnte. Da die Menschwerdung aber die Wiederherstellung des Schöpfungsplans auf Christus hin zum Ziel hat, darf man aus dieser Erkenntnis heraus diese Worte im Kontext der Schöpfungsoffenbarungen betrachten, ja wir müssen es sogar. Gewiß, man könnte dafür auch mit der Feststellung argumentieren, daß das Bild des neuen Adam für Christus eine Typologie ist, die dem Evangelium des Lukas eigen ist und vieles darin verständlich macht.[13]

Der Grund jedoch, warum hier der Versuch unternommen wird, den Heilssinn dieser Perikope im Schöpfungsplan Gottes zu suchen, soll nicht die Typologie sein, sondern die Glaubenserkenntnis des obenerwähnten ›anakephalaióō‹ (Eph 1, 10), das die Liturgie auch mitbestimmt[14]. Die Ehrfurcht vor dem Wort Gottes verbietet uns, in das Evangelium eigene Anschauungen hineinzutragen; aber sie selbst fordert von uns, alles vom Standpunkt der Grundwahrheiten unseres Glaubens aus zu verstehen. Auch das Werk der Erlösung muß vom

12 So auch in den in Mode geratenen ›Genitiv-Theologien‹ unserer Zeit (vgl. z. B. das Vorwort zu P. Beyerhaus (Hrsg.), Frauen im theologischen Aufstand, Stuttgart 1983, bzw. den Aufsatz von F. Hohmeier in diesem Werk, Der theologische Feminismus im Spiegel seines Bibelgebrauchs, 92–114). Ein anderes Beispiel, welches ich im Gegensatz zu den einseitigen Bibelinterpretationen ›kontextualer‹ Modetheologien als legitimen Versuch anerkennen muß, bietet die ›Josefologie‹; hier stützen sich die Interpretationen des Evangeliums auf die Aussagen der Kirchenväter und des Lehramtes (vgl. z. B. Acta Sanctorum Martii, De Sancto Joseph sponso Deiparae Virginis commentarius historicus, Antwerpen 1668; U. Holzmeister, De Sancto Joseph quaestiones biblicae, Romae 1935; A. Royo Marin, La Virgen Maria, Madrid 1968, das ›Apendice‹: La devoción a San José, 426–439, oder das Kapitel XIII: San José, in: J. Ibañez–F. Mendoza, La Madre del Redentor, Madrid 1980, 235–253, sowie H. Rondet, Saint Joseph, Paris 1954).

13 Vgl. z. B. M. J. Lagrange, Das Evangelium von Jesus Christus, Heidelberg 1949, 34 und 82; F. Prat, Jesus Christ, Milwaukee 1950, 74; R. Ginns, Evangelio según San Lucas, in: B. Orchard, u. a. (Hrsg.), Verbum Dei III., Barcelona 1960, 586; Ambrosius, Lukas-Kommentar, a. a. O. III, 49; (Ps) Joannes Damascenus, Göttliche Botschaft, in: G. Podhradsky, Das Wort vom Neuen Leben, Wien 1959, 25f. (PG 96, 643f).

14 Vgl. II. Vatikanisches Konzil, Konstituzion ›Sacrosanctum Concilium §§ 8 u. 9 (5–12). Darüber vgl. auch L. Scheffczyk, Die Heilszeichen von Brot und Wein, München 1973, 107–126, und ders., Jesus Christus – Ursakrament der Erlösung, sowie Die Kirche – das Ganzsakrament Jesu Christi, beide in: H. Luthe (Hrsg.) Christusbegegnung in den Sakramenten, Kevelaer ^{2}1982, 9–61 bzw. 63–120.

Schöpfungsplan her verstanden werden, wie die Heilige Schrift selbst es bestimmt. Der Gott der Erlösung ist ja der gleiche Gott der Schöpfung (Joh 1, 1–3 bzw. Hebr 1, 2–3). Und wenn die Erkenntnis der Schöpfung, aus der wir ›die Allmacht und Gottheit‹ des Schöpfers erfahren (Röm 1, 20 bzw. Weis 13, 4–5)[15], das Werk der Erlösung begreiflicher macht, dann helfen uns die Werke des Erlösers zu einem vollkommeneren Verständnis des Willen Gottes (vgl. Joh 1, 14). Der Erlöser wurde Haupt der neuen Schöpfung, um den Willen des Schöpfers zu erfüllen und seine Werke zu Ende zu führen (vgl. Joh 4, 34 bzw. 5, 30). Bei der Wiederherstellung des Schöpfungsplanes ist der Tod am Kreuze nicht die einzige Wirkursache: »der Hauptzweck der Menschwerdung war schon das Wiederherstellen der menschlichen Natur«[16], wie es im Glaubensbekenntnis auch uneingeschränkt bejaht wird. Der Heilssinn dieser Perikope, wie der aller Mysterien des Lebens Jesu, muß dem Schöpfungsplan Gottes entsprechen. Dies anhand der lukanischen Aussage zu erleuchten und in diesem Sinne aus der Mitteilung des Evangeliums Konsequenzen für die christliche Existenz zu ziehen, ist der Zweck der folgenden Überlegungen.

Beachtenswert ist daneben: die Synoptiker haben uns auch die Frage überliefert, welche die Zuhörer in Nazaret sich später stellten, als Jesus zu ihnen wiederkam und ihnen die Frohbotschaft verkündete: »Woher hat er diese Weisheit und Kraft? Ist das nicht der Sohn des Zimmermanns? Heißt nicht seine Mutter Maria? Woher also hat er das alles?« (Mt 13, 54–56, Mk 6, 2–3 u. Lk 4, 22). Offensichtlich ging die ›natürliche‹ Entwicklung des heranwachsenden jungen Mannes in Nazaret nicht so vor sich, wie es uns einige Apokryphen beschreiben. Er lernte in jenen Jahren ein Handwerk, das Anerkennung brachte, nämlich das eines Zimmermanns (Mk 6, 3)[17], wie Joseph

[15] Vgl. Thomas von Aquin, Summa contra Gentiles I, 13 et ss.

[16] Vgl. Thomas von Aquin, Summa Theologica, III, 1, 5c, sowie 43, 3 ad 2; 1, 3 ad 1, und 1, 4c et ad 3.

[17] Aus diesem Handwerk Jesu zu schließen, Jesus wäre als Wanderhandwerker häufig nach Ägypten gefahren, wie polemische Tradition meint, und hätte dort die Magie gelernt (vgl. E. Stauffer, Jesus – Gestalt und Geschichte –, Bern 1957, 43 bzw. L. Kösters, Unser Christusglaube, Freiburg 1939, 41), ist wiederum ein Beispiel dessen, was man böswilligerweise in das Evangelium hineintragen kann. Sagen allerdings, daß »die Bewohner seiner Heimat Jesus verunglimpfen: er sei ein Zimmermann, ein gewöhnlicher Handwerker« (vgl. R. E. Brown, u. a. (Hrsg.), Maria im NT, Stuttgart 1981, 61), ist wiederum eine willkürliche Auslegung dessen, was der Evangelist sagt. Gerade die Tatsache, wie bekannt, daß die Mehrheit der berühmten Rabbiner auch ein Hand-

(téktōn). Der Kenosis-Hymnus des Philipperbriefes (Phil 2, 6–11)[18], wonach Jesus ›in seiner ihm eigentümlichen Haltung (schēmati) als Mensch erkannt wurde (heuretheìs)‹, rechtfertigt die Auffassung, daß Jesus während der Jahre in Nazaret ein ›normales‹ Leben führte. Will man erklären, wie dieses Leben aussah, so muß man an der Aussage des Thomas von Aquin festhalten, wonach Jesus »alles, was zu unserer Natur gehört, wahrhaftig für uns angenommen hat, um alles zum Besseren umzugestalten«[19]. E. Schweizer führt dazu aus: »Die Fremdheit des von Jesus Gesagten wird dadurch verschärft, daß er Seinen Anspruch nicht durch Wunder (in Nazaret) bekräftigt, sondern durch Einordnung in das Alltagsleben der Familie, wo er dreißig Jahre lang in den heute fast unvorstellbar engen und primitiven Verhältnissen eines orientalischen Kleinstädtchens lebt, in dem es außer dem Sabbat-Gottesdienst, dem Unterricht in der Synagoge und einem jährlichen Pilgerzug keine Abwechslung gibt. Das ist Wachsen an ›Weisheit und Gnade (oder Gunst)‹. Offenbar ist das auch ohne Betriebsamkeit und höhere Schule möglich, wo Gott für sein Wirken Zeit gegeben wird«[20], oder – wie Thomas es genauer ausdrückt – weil auf diese Weise uns offenbar wird, daß »das Wort auch auf verschiedene Weise in denen zunimmt, welche es aufnehmen; denn nach seinem Maße erscheint es entweder als Kind oder erwachsen oder vollkommen«[21].

Gemäß der Synkatabasis der göttlichen Offenbarung und der Lehre der ›Communicatio idiomatum‹[22] ist jede Handlung Jesu Christi als eine von Gott bestimmte Tat der zweiten Person der Dreifaltigkeit zu betrachten. Gewiß, man muß die beiden Naturen des menschgewor-

werk übten (vgl. F. Prat, a. a. O. 126f) – und unwillkürlich denkt man auch an Paulus – spricht dagegen, daß die Nazaretaner dies als einen Vorwurf gebrauchten.

[18] Hierzu vgl. F. Prat, La théologie de Saint Paul, Paris 1930, 373f, und G. Aranda, La historia de Cristo en la tierra, según Fil 2, 6–11, in: Scripta Theologica XIV–1, Pamplona 1982, 219–236.

[19] Vgl. Catena Aurea, a. a. O., 143: »nam quidquid spectat ad nos, ipse vere pro nobis Christus suscepit, ut cuncta reformet in melius«.

[20] E. Schweizer, Das Evangelium nach Lukas, in: Das NT Deutsch III., Göttingen 1982, 42.

[21] Catena Aurea, a. a. O., 144: »Differenter etiam proficit verbum in his qui ipsum suscipiunt: secundum enim mensuram illius apparet aut infans, aut adultus, aut perfectus«.

[22] Vgl. Denz-Schönm. 250–251/271, u. a.

denen Sohnes Gottes so unterscheiden, daß man bei allen Taten Jesu Christi den Ursprung der jeweiligen Handlung dem Vermögen der entsprechenden Natur zuschreibt. Das 2. Vatikanische Konzil übernimmt indirekt diese Lehre und verkündet, daß Jesus durch alle seine Werke und Worte die Offenbarung erfüllt[23]. Auch wenn uns die Worte und Werke Jesu Christi in den Jahren, die er im Verborgenen in Nazaret verbrachte, unbekannt bleiben: Was Er damals tat und redete, gehört dennoch zur Offenbarung. Sie erläutert uns den Schöpfungsplan Gottes und was der Sohn Gottes getan hat, um »die Fülle der Zeiten heraufzuführen und das All in Ihm unter ein Haupt zu fassen, das Himmlische und das Irdische« (Eph 1, 10). Gewiß, uns ist kaum Konkretes über die Worte und Werke des Herrn in dieser Zeit überliefert worden; nur daß er Joseph und Maria ›untertan war‹ (hypotassómenos) und daß er beim körperlichen Wachsen (helikía) an Weisheit und Gnade vor Gott und vor den Menschen zunahm. Daran müssen wir uns zuerst bei allen unseren Spekulationen halten, auch wenn es legitim wäre, einfach aus dem ›normalen‹ Leben der jungen heranwachsenden Menschen jener Zeit in Galiläa Schlüsse über das Handeln Jesu zu ziehen. Meine folgenden Überlegungen wollen jedoch nur den Heilssinn des uns im Evangelium über das verborgene Leben Gesagten untersuchen, oder, besser gesagt, versuchen, den Heilssinn dieser Worte aufzuklären.

1. Die göttliche Bestimmung des menschlichen Handelns

Zentrale Aussage des 1. Kapitels der Genesis ist die immer wieder betonte Feststellung: Alles, was Gott erschaffen hat, ist gut! Der Mensch, nach Gottes Bild erschaffen, soll auch seiner Würde entsprechend handeln. Man könnte diese Lehre auch mit Worten des Kohelet darlegen: »Alles, was Gott tut, geschieht in Ewigkeit; man kann nichts hinzufügen und nichts abschneiden, und Gott hat bewirkt, daß die Menschen Ihn achten« (Koh 3, 14).
In der Sprache der Philosophie könnte man sagen, daß das erste Kapitel der Genesis den ›finis creaturarum‹, den ›finis operis‹ vom Standpunkt der Gottesabhängigkeit bestimmen will: Der Schöpfungsplan zeigt den Menschen den Sinn ihres Lebens auf Erden. Als Abbild Gottes nimmt der Mensch die höchste Stellung in der sichtbaren

[23] Vgl. Konstitution ›Verbum Dei‹ § 4.

Schöpfung ein; aber er soll sie ehrfurchtsvoll innehaben. Das richtige Verhältnis des Menschen zu Gott und zur Natur ist das Kennzeichen der Weisheit: »Befiehl dem Herrn dein Tun an, so werden deine Pläne gelingen« (Spr 16, 3)[24]. Der Psalm 104[25], gewissermaßen eine dichterische Ergänzung des Schöpfungsberichtes, faßt wunderbar die sittliche Lehre des Genesisberichtes zusammen: »Wie groß sind Deine Werke Herr; mit Weisheit hast Du alles gemacht ... Der Mensch soll seine Arbeit von der Früh bis zum Abend verrichten« und ›Freude soll er an den Werken des Herrn finden‹ (Ps 104, 24/23 ff.). Aber schon hier erscheint, was das Werk Gottes und des Menschen verunstalten kann: die Sünde: »Doch die Sünder sollen von der Erde verschwinden« (Ps 104, 35). Das Handeln des Menschen als Dienst am Herrn wird dann mühsam (Hiob 7, 1 f), so daß der Mensch nur kurze vergängliche Freude an seinen Werken finden kann, wie es Kohelet immer wieder beklagt (z. B. Koh 2, 3–11 u. v. a.). Ist im Genesisbericht das Handeln des Menschen als Herrschaft und Beherrschung der Natur dargestellt, weil er dazu erschaffen wurde, so ist bei Hiob der Mensch »zum mühsamen Tun geboren, wie die Funken zum Fliegen« (Hiob 5, 7). Dies muß man auch vor Augen halten, um gerade den Heilssinn des verborgenen Lebens Jesu im Erlösungswerk zu begreifen.

Zuerst muß man beachten, daß mit dem Begriff des menschlichen Tuns als Widerspiegelung des göttlichen Schaffens der Begriff der Ruhe zusammenfällt. Dieser Begriff gehört wiederum zum gemeinsamen Gut dieses ersten Berichtes der Genesis und der Weisheitsbücher im AT. Die Ruhe wird nur erlangt, wenn der Mensch im Sinne Gottes, d. h. nach dem Plan Gottes handelt: »Jede Arbeit und sogar jedes erfolgreiche Tun bedeutet Konkurrenzkampf zwischen den Menschen, wenn sie nur ihren eigenen Vorteil suchen. Deshalb ist es

[24] Vgl. auch z. B. Sir 1, 1–20 und Weish 13.

[25] Die davidische Tradition dieses Psalms und die Struktur desselben, die ohne Zweifel »auf ein Lied des königlichen Sängers« hinweisen (vgl. M. Wolter, Psallite sapienter IV., Freiburg 1908, Ps. 103, 48), könnten an der Verwandtschaft desselben mit dem besprochenen Genesisbericht zweifeln lassen. Es gibt jedoch viele Anzeichen dafür, welche für eine spätere neue Fassung des Psalmes sprechen, und zwar nach der elohistischen Tradition (vgl. F. Wutz, Erklärung der Psalmen, Regensburg 1923, Ps. 103, 595, sowie H. Herkenne, Das Buch der Psalmen, in: Die Heilige Schrift des AT, Bonn 1936, Ps. 103, 331).

besser, das richtige Tun in Ruhe anzustreben als nach dem Wind zu trachten.« (vgl. Spr 4, 6 ff.)[26]
Bei dieser Ruhe geht es freilich nicht allein, und auch nicht hauptsächlich um die körperliche Ruhe, sondern um die Ruhe des Gemütes, um die Ruhe in Gott. Die Worte Jesus' Sirach muten wie eine Prophezeihung an: »Erwerbt euch Weisheit ... Beugt eure Nacken unter ihr Joch und nehmt ihre Last auf euch ... so findet ihr Ruhe« (vgl. Sir 51, 25–26). Diese Anschauung verkündet – im noch nicht ganz erfüllten Sinn – was die Nachfolge Christi bewirkt: »Nehmt mein Joch auf euch, lernt von mir, so werdet ihr Ruhe finden für eure Seelen« (Mt 11, 29).
Nach dem Hebräerbrief soll das Streben des Menschen »ein sich-Bemühen sein, um in das Land der Ruhe einzugehen, wo der Mensch, dahin gelangt, von seinen Werken ruht, wie Gott von den Seinigen« (Hebr 4, 10–11). So wie im Genesisbericht der Sabbat die Vollendung des Sechstagewerkes des Herrn ist, so bewirkt das Handeln im Sinne Gottes Sabbatruhe. Man könnte nun die göttliche Bestimmung des menschlichen Handelns so umschreiben, wie Paulus »nachdrücklich und im Namen des Herrn« es tat, als er von den Thessalonichern forderte: »Jeder soll sich sein eigenes Brot mit ruhiger Arbeit verdienen ... (so daß) wer nicht arbeiten will auch nicht essen soll. Setzt (darum) eure Ehre darein, ein ruhiges Leben zu führen, eure Pflichten zu erfüllen und eurer Hände Arbeit zu tun, (damit ihr) niemanden in Anspruch zu nehmen braucht« (2 Thess 3, 6/12/10–11).[27]
Diese Mahnung des hl. Paulus spiegelt die Tradition der Weisheitsbücher wider. »Ein ruhiges Herz ist sicherlich auch was den Leib erquickt« (Spr 14, 30). Aber sie besagt noch mehr, es handelt sich um das Wesen der Ruhe. Ruhe ist nicht untätiges Dasein. Der Gegensatz zur Ruhe ist nicht Tätigsein, sondern Unruhe – so wie Unzufrieden-

[26] Vgl. auch Spr 14, 30 und Weis 4, 7.

[27] Vgl. auch 1 Thess 4, 11–12. Daß Paulus hier diese Haltung als eine göttliche Bestimmung betrachtete, zeigt sich auch in 1 Tim 2, 2–3. Er gebrauchte in seiner Verkündigung die Septuaginta (vgl. B. Orchard, Las Epístolas del Nuevo Testamento, in: Verbum Dei III., a. a. O. 271) und deutete die Schrift nach der talmudischen und Mischna-Tradition seiner Zeit; auch wenn er es im Sinne des christlichen Glaubens tat, paßte er jene Tradition den Offenbarungen Christi an (vgl. D. J. O'Herlihy, La vida de San Pablo, in: Verbum Dei III., a. a. O., 275, sowie F. Prat, La théologie de Saint Paul, a. a. O., 22f). Diese Tradition steht der ›mündlichen Lehre‹ der Lehre der Weisheitsbücher sehr nah (vgl. Sh. Safrai, Das jüdische Volk im Zeitalter des zweiten Tempels, Neukirchen 1978, 81f).

heit Mangel an Seligkeit ist. Unstetes Leben, keine Heimat zu haben, verödetes Land, unruhiges Herz sind die Merkmale der Untreue gegen Gott (vgl. Jes 1, 5 ff; 24, 4 ff, bzw. Jer 25, 11; 32, 22 ff., u. a.). Und damit sind wir schon bei der Betrachtung der Kernaussagen im 2. Kapitel der Genesis hinsichtlich des Sinnes menschlichen Handelns. Das Handeln des Menschen wird hierin vom Standpunkt der Glückseligkeit betrachtet. Will man es wiederum mit scholastischen Kategorien ausdrücken, so gilt, daß die Aussagen dieses Berichtes der Genesis den ›finis hominis operantis‹ beschreibt, das was ›primum in intentione et ultimum in executione‹ ist. Der Bericht läßt die Feststellung zu, daß der Schöpfer das Streben nach Glückseligkeit gutheißt. Die urtümliche philosophische Erfahrung, wonach »die Glückseligkeit das Beste, Schönste und Erfreulichste ist«[28], steht nicht im Widerspruch mit dem Schöpfungsplan. Für den Christen ist diese unleugbare Sehnsucht des menschlichen Herzens sogar ein Weg zu Gott.[29] Gott in seiner großzügigen und gnadenhaften Liebe – liberalis et gratiosus – will den Menschen seiner eigenen Seligkeit teilhaftig machen[30].

Der Genesisbericht scheint dies auch genauer zu zeigen, wenn er den von Gott gewollten Rahmen der menschlichen Existenz und des menschlichen Handelns darlegt. Gott selbst pflanzte den Garten Eden (Gen 2, 8), in den er dann den Menschen setzte. In diesem Ort des Friedens und der Wonne – voluptatis – sollte der Mensch ›tätig

[28] Aristoteles, Nikomachische Ethik I, 9; 1099 a 23 ff. Hier muß man aber festhalten, daß die Glückseligkeit für Aristoteles zuerst im ›Gut-Leben und Sich-Gut-Verhalten‹ ihre Erfüllung findet (vgl. I, 2; 1095 a 19); ja, man kann sie sogar als eine Tugend bezeichnen, welche die Gerechtigkeit, Ehre, Tüchtigkeit und Selbstgenügsamkeit erfordert und umschließt (vgl. 1095 b 14–1099 a 21). Wie bekannt, erhob Kant gewisse Einwände gegen eine solche Einstellung als Ziel des Handelns, und sah hierin hedonistische Tendenzen (vgl. z. B. Grundlegung der Metaphysik der Sitten, Riga 1786. 399f). Und dennoch, er selbst gab in der gleichen Schrift auch zu, daß Streben nach Glückseligkeit – »wenigstens indirekt« – eine Pflicht sein kann. Somit versuchte er, eine Brücke zwischen seiner Sittenlehre und der traditionellen zu schlagen.

[29] Vgl. z. B. M. J. Scheeben, Handbuch der Katholischen Dogmatik II., Freiburg 1927, 35f.

[30] Vgl. Dionysius Areopagita, De divinis nominibus 4, 1; PG 3, 692; vgl. auch die Paraphrasis Pachymerae, PG 3, 688f.

sein‹ und das Erschaffene ›pflegen‹ (Gen 2, 15)[31]. Nach Horberg besagt diese Aussage der Genesis, »daß der Mensch nach Gottes Einrichtung an dem Platz der Erde wohnte, der dazu am besten geeignet war, um dort durch Arbeit in Gehorsam gegen Gott sein übernatürliches Ziel zu erreichen«[32]. Der Sinn der Arbeit ist danach das ›Wachsen‹ des Menschen entsprechend dem Segen Gottes, so wie es im ersten Kapitel der Genesis dargestellt wird (Gen 1, 28). Dies soll nun in einen Zusammenhang mit dem Wachsen Jesu in Nazaret gebracht werden. Der geeignete Ort für eine wirklich glückliche Arbeit ist nämlich das wunderbare Land der messianischen Zeit (vgl. Jes 11). Im Paradies konnte der Mensch über das Erschaffene mitbestimmen, das Wesen und die Bestimmung der Tiere erkennen; der Mensch durfte alles benennen, wie es für ihn nach dem Schöpfungsplan dienlich war (Gen 2, 19–20). Im Frieden mit Gott zu leben, oder, besser noch, in der Ruhe Gottes, heißt auch im Frieden mit der Natur leben zu können.

Somit gelangen wir zu einem ähnlichen Schluß, wie bei der Betrachtung des Strebens nach Ruhe nach dem Bericht des ersten Kapitels der Genesis. Der ›finis hominis operantis‹ spiegelt den ›finis Dei creantis‹ wider, die Befolgung des Willen Gottes, des ›finis operis‹, führt zur Ruhe und Glückseligkeit.

Ich muß noch einmal anknüpfen an das, was ich schon vorhin andeutete: Bei der von Gott gewollten Glückseligkeit, wie bei der Ruhe, handelt es sich nicht um die ›vita otiosa‹. Gott ist ja ›immer am Werk, und gutes Tun bedeutet nicht die Sabbatsruhe zu brechen‹ (Joh 5, 17 f.). Das, was Vollendung der eigenen Werke bringt, ›die Freude an vollbrachten Werken‹ (Koh 2, 3–11), die Sabbatsruhe (Gen 2, 2)[33], die Beschauung des Erbrachten, beschreibt am besten ›der Liedpsalm für den Tag des Sabbats‹ (Ps 92). Er leitet die Reihe der Sabbatpsalmen ein, die das Loblied des im Sinne Gottes getanen Werkes besingen. Diese Psalmen enden mit der gleichen Feststellung, die schon bei

[31] Nach Cornelius Cornelii a Lapide, Commentaria in Pentateuchum Mosis, Antwerpiae 1618: »ut operaretur non ad victum comparandum, sed ad honestum exercitium, voluptatem et experientiam; ita ut nec fatigaretur nec otio laborescet«, in: G. Horberg, Die Genesis, Freiburg 1908, 38.

[32] Ebda. 38.

[33] Nach J. Bonfrerius, Pentateuchus Moysis commentario illustratus, Antwerpiae 1925: »quies illa non indicat defatigationem operantis, sed solam operis cessationem«, in: G. Horberg, a.a.O., 24.

der Betrachtung des Psalmes 104 erwähnt wurde: »Wer die Wege des Herrn nicht befolgt, der wird nicht in das Land der Ruhe Gottes eingehen« (Ps 95, 11). Positiv formuliert finden wir es bei den Propheten: »Derjenige gelangt zur Ruhe, welcher den Weg des Herrn geradeaus geht« (Jes 57, 2 bzw. Jer 31, 2, u. a.).[34] Auch wenn es wie eine Binsenwahrheit klingen mag, läßt sich die göttliche Bestimmung des menschlichen Handelns vielleicht so beschreiben: der Mensch soll in seinem Handeln freiwillig und bewußt nach der Ruhe streben, und zwar nach jener Erkenntnis, die ihn die materiellen, geistigen und geistlichen Güter richtig bewerten läßt, und das heißt, insoweit sie ihm ermöglichen, sich als Person, als Ebenbild Gottes vollkommen zu entfalten.[35] Man könnte auch anstatt Erkenntnis Gottesfurcht sagen, Anfang der Weisheit. Dann kann man diese Bestimmung so beschreiben: Gott will, daß der Mensch so handele, daß der Geist des Herrn sich auf ihn niederlassen kann (Jes 11, 2 ff.). Die Ankunft des Messias bewirkt, daß der Mensch, wie bei seiner Schöpfung, durch den neuen Odem des Lebens wiedergeboren werden kann (Joh 3, 1–7), damit er wieder in Freundschaft mit Gott, d. h. übernatürlich lebt. Sein Tun soll die tätige Bitte sein: »Sende Du Deinen Geist«, damit ich alles in Seinem wahren Antlitz sehe (Ps 104, 30). Besser als es im 4. Hochgebet des römischen Missales ausgedrückt wird, kann es auch nicht formuliert werden: »Du erfüllst Deine Geschöpfe mit Segen und erfreust sie alle mit dem Glanz Deines Lichtes … Den Menschen hast Du nach Deinem Bilde geschaffen und ihm die Sorge für die ganze Welt anvertraut. Über alle Geschöpfe sollte er herrschen und allein Dir, Seinem Schöpfer dienen … So bitten wir Dich, erfülle das Werk Deines Sohnes.«

[34] Zum Sinn ›Schalom‹ im rabbinischen Schrifttum vgl. G. Kittel, Theologisches Wörterbuch zum NT II., Stuttgart 1935, 407. Über die Bedeutung dieser Psalmen und ihre Beziehung zum ›göttlichen, ewigen Plan der Weltregierung‹ vgl. E. Kalt, Die Psalmen, in: Herders Bibelkommentar VI., Freiburg 1935, 338; H. Herkenne, a. a. O., 308, nennt deshalb den Psalm 92: »im Grunde eine Theodizee«.

[35] Darüber vgl. G. Rovira, Das Persönlichkeitsrecht auf Arbeit, Salzburg 1978, 109–113.

2. *Die Sünde als Wirken wider den Schöpfungsplan*

Der heilige Augustinus hebt mit Vorliebe die Umkehrung der natürlichen Ordnung als das Wesen der Sünde hervor. So ist die Sünde nach ihm das, »was die Welt uns anbietet was aber gegen den Geist ist, der mit Gott zusammenhängt«[36]. Damit vertritt er auch die Lehre Pauli, wonach »das Fleisch wider den Geist gelüstet« (Gal 5, 17), weil »das Gesetz der Sünde in unseren Gliedern gegen den Geist widerstreitet« (Röm 7, 23).[37] Dementsprechend meint Augustinus: »Was das schuldige Wesen schuldet, ist die rechtschaffene Tat«[38]. Man kann sogar sagen, daß auch das Konzil von Trient die Definition übernommen hat, die auf Augustinus zurückgeht und welche in der kürzeren Formel, die Thomas von Aquin auch übernahm, heißt: »Aversio a Deo et conversio (inordinata) ad creaturas«[39], oder, wenn man es so will, Abfall des Geschöpfes von Gott zu sich selbst. Dies steht auch im Einklang mit dem im NT für Sünde zumeist gebrauchten Wort: ›hamartia‹, von Aristoteles betrachtet als »Verfehlen der Tugend, so daß das zu erreichende Ziel aus Schwäche, Ungeschick, aus irrendem Wissen verfehlt wird«[40].

Trotz der Vielzahl von Bezeichnungen, die für Sünde in der Heiligen Schrift gebraucht werden[41], kann man sagen, daß den meisten der Begriff ›Abirren‹, ›Nicht-Treffen‹ gemeinsam ist, selbst denen, welche vor allem das Unrecht und die Schuld hervorheben. Der zugrundeliegende Begriff unterstreicht, daß bei der sündhaften Handlung des Menschen sein Tun nicht mit dem Schöpfungsplan, mit dem Willen Gottes übereinstimmt, sondern ein Handeln ohne Weisheit und Gottesfurcht ist, ein blindes Handeln, das die Herrlichkeit Gottes nicht versteht (Weish 2, 21–22).[42]

36 Augustinus, Erklärung der Psalmen, zu Ps. 63, 9, PL 36, 764.

37 Darüber vgl. Augustinus, Confessiones 8, 5, 10, PL 32, 753f.

38 Augustinus, De libero arbitrio 3, 15, 43, PL 32, 1292.

39 Vgl. DS 1525 bzw. Augustinus, De libero arbitrio 2, 19, 53, PL 32, 1269. Thomas von Aquin übernimmt auch die Formel von Augustinus nach der Fassung: »neglectis rebus aeternis temporalia sectari«, Summa Theologica I–II, 71, 6 bzw. 3 ad 3, und II–II, 104, 3.

40 Vgl. Aristoteles, Nikomachische Ethik II, 5; 1106 b 25ff.

41 Vgl. z. B. Quell, Stählin und Grundmann, Wort ›hamartáno‹, in: G. Kittel, Theologisches Wörterbuch zum NT I., Stuttgart 1933, 267–320, sowie ›hamartolós‹, 320–339.

42 Vgl. z. B. P. Heinisch, Theologie des AT, Bonn 1940, 217f.

Gott hat den Menschen den Verstand gegeben, »um ihnen die Größe Seiner Werke zu zeigen, damit sie die Herrlichkeiten Seiner Werke preisen und Seinen heiligen Namen loben« (Sir 17, 8–10). So ist die Sünde auch schuldbare Torheit (Weish 13, 1 ff bzw. Ps 14). ›Treuelosigkeit‹, ›Bundesbruch‹, ›Verachtung Jahwes‹, Ausdrücke, die mit Ehebruch und Hurerei gleichgestellt werden, um herauszustellen, daß die Sünde sich gegen die Allmacht und Weisheit Gottes auflehnt, was dem Sünder dann nur Leiden und Schande beschert (vgl. z. B. Dtn 32, 6; Jos 15, 7; Ps 38, 5, u. a.).
In diesem Sinne ist auch der Ungehorsam zu verstehen, den die Sünde darstellt, das bewußte Widerstreben gegen die Weisungen des Herrn, gegen den Weg, den er den Menschen für ihre Seligkeit gezeigt hat (Ps 40, 9). »Er will den Pfad des Guten nicht mehr gehen, auf Gott nicht mehr hören? Und findet deswegen keine Ruhe mehr« (Jer 6, 16). Dieser Ungehorsam durchzieht die ganze Geschichte des Volkes Gottes, ja der ganzen Menschheit, und kennzeichnet auch die Unordnung in der Natur und im gesellschaftlichen Leben. Einige Kirchenväter betrachten die ›Empörung‹ der Geschöpfe der Natur gegen den Willen des Menschen als eine Folge des Ungehorsams: Warum soll die Natur, deren Ordnung nach dem Schöpfungsplan durch die Naturgesetze geregelt ist, sich der Willkür des Menschen gegen das Gesetz ihres Schöpfers unterwerfen[43]? In der Umkehrung der Hinordnung zur beseligenden Anschauung Gottes, deren Voraussetzung die Reinheit des Herzens ist (Mt 5, 8) liegt auch der Grund der Unruhe, der Unbeständigkeit des Menschenherzens. Weil der Mensch seine Augen nicht zu Gott richtet, ›entwirft der Mensch in seinem Herzen Pläne, die ihm die Ruhe rauben und seine Leidenschaften werden wie Knochenfraß‹ (vgl. Spr 14, 30/33 bzw. 16, 1).
Zwei Dinge sollen hinsichtlich der Folgen der Sünde noch unterstrichen werden. Zuerst muß man bedenken, daß die menschliche Natur nach dem Sündenfall – im Gegensatz zur Meinung der aufklärerischen Schwärmerei – nicht mehr als eine vollkommene Natur betrachtet werden kann, auch wenn sie – und dies im Gegensatz zu den

[43] Vgl. z. B. Joannes Chrysostomus, Homilien zur Genesis 9, 5 bzw. 22, 5, PG 53, 79f/193; Athanasius, Gegen die Heiden 2–3, PG 25, 8f; Theodoret, Von der göttlichen Vorsehung 5, PG 83, 640f, u. a.

protestantischen und jansenistischen Anschauungen – auch nicht als eine total verdorbene Natur bezeichnet werden kann. »Immerhin verbleibt der Mensch im Einzugsbereich der Heiligkeit«[44], und das heißt, daß der Mensch trotz der Sünde weder sein eigener Herr wurde, noch die totale Herrschaft über das Erschaffene verlor. »Gott hat, weil er menschenfreundlich ist und mit seiner Güte die Menge unserer Fehler weitaus übertrifft, dem Menschen nicht die ganze Ehre genommen und ihn aus dem Gesamtbereich (seiner Herrschaft) verwiesen«[45]. Beides sind Zeichen der Barmherzigkeit Gottes: Er hat Seinen Schöpfungsplan nicht aufgegeben und dem Menschen seine Bestimmung zum Herrscher der Natur nicht entzogen (Weish 11, 23–26). Die Offenbarung des paradiesischen Lebens, aber auch die Vertreibung aus dem Paradies sind »ein Werk der Menschenfreundlichkeit und der Güte« Gottes. Der Anblick dessen, was der Mensch an Herrlichkeit durch die Sünde verloren hat, kann in ihm Reue erwecken[46], so daß er mit Dankbarkeit die Verheißung des Erlösers annehmen kann (Gen 3, 15).
Gerade diese Verheißung, oder besser noch die Verwirklichung des Schöpfungsplans durch die Kinder der Verheißung, deren Erstlingsgabe der Sohn Gottes ist, treibt die Kirche dazu, in der Liturgie der Osternacht zu singen: »O unfaßbare Liebe des Vaters: Um den Knecht zu erlösen, gabst Du den Sohn dahin! O wahrhaft heilbringende Sünde des Adams, du wurdest uns zum Segen, da Christi Tod dich vernichtet hat! O glückliche Schuld, welch großen Erlöser hast du gefunden«. Dies zwingt uns zur Unterstreichung der zweiten Tatsache, die als Folge der Sünde besondere Beachtung verdient: Nicht nur der Mensch ist durch den Schöpfungsplan Gottes, der auch die Erlösung vorsah, zu einer noch größeren Würde gelangt, sondern selbst »die Schöpfung wird unverwesliche Leiber erhalten und selbst in einen besseren Zustand verwandelt werden«[47]. Ich kann an dieser Stelle keine Auslegung der Offenbarung einer neuen Welt in der

[44] Vgl. K. Wojtyla, Gedanken zur Unbefleckten Empfängnis, in: G. Rovira (Hrsg.), Im Gewande des Heils, Essen 1980, 20.

[45] Vgl. Joannes Chrysostomus, Homilien zur Genesis 9, 5 und 6, PG 25, 79ff, sowie Augustinus, Gottesstaat 14, 15, PL 41, 422f, Joannes Damascenus, De fide orthodoxa 2, 30, PG 94, 969ff und Gregoh von Nyssa, Große Katechese 6, PG 45, 25ff.

[46] Vgl. Joannes Chrysostomus, Homilien zur Genesis 18, 3, PG 53, 152f.

[47] Vgl. Athanasius, Orat. de inc. Verbi, 56, PG 25, 195.

Apokalypse versuchen. Es genügt die Feststellung, daß »die Schöpfung nicht aus eigenem Willen der Vergänglichkeit unterworfen ist, sondern durch den, der sie unterworfen hat; aber zugleich gab er ihr die Hoffnung. Auch die Schöpfung soll von der Sklaverei und Verlorenheit befreit werden zur Freiheit und Herrlichkeit der Kinder Gottes« (Röm 8, 20–21)[48].

3. *Die Verwirklichung des Schöpfungsplans im verborgenen Leben Jesu*

Nach dem Gotteswort (Röm 5, 19) sind »durch den Gehorsam des Einen die Vielen zu Gerechten gemacht worden«. Schon allein deswegen ist die erste Mitteilung im Lukasevangelium über das Leben Jesu in Nazaret heilsbedeutsam. Diese erste Mitteilung besagt, daß Jesus Josef und Maria gehorsam war (Lk 2, 51).
Übersetzt man dieses ›hypotassómenos‹ mit Untertansein, was soviel heißt, wie auf das eigene Recht oder den Willen freiwillig zu verzichten, dann muß man zuerst bedenken, wer sich hier unterwarf. Die paulinische Lehre vom zweiten Adam (Röm 5, 14; 1 Kor 15, 47) ist dafür sehr aufschlußreich: Die Überwindung des Ungehorsams des irdischen Menschen erfolgt durch die Unterwerfung des himmlischen (1 Kor 15, 47 bzw. 23–28 und Röm 5, 15). Gewiß, in diesen Stellen handelt es sich hauptsächlich um die Unterwerfung unter das Gesetz im allgemeinen und das Gesetz des Todes in concreto; aber das Gesetz enthält auch das vierte Gebot. Es handelt sich bei dieser Offenbarung darum, daß derjenige sich Josef und Maria freiwillig unterwarf, welchem Gott ›alles zu Füßen gelegt hat‹, und der ›das Haupt seiner Kirche ist‹ (vgl. auch Eph 1, 22, sowie Hebr 8, 6; Kol 1, 18 und Ps 8, 7).
Für die Untersuchung über den Heilssinn des verborgenen Lebens Jesu darf man meines Erachtens zuerst hier ansetzen: a) Das Vorbild des christlichen Familienlebens, und b) das Haus Gottes – die Kirche im Sinne von Familie Gottes – als Ausgangsort des Wirkens in der Welt.

[48] Vgl. dazu Thomas von Aquin, Kommentar zum Römerbrief (In der Übertragung von H. Fahsel, Des hl. Thomas von Aquin Kommentar zum Römerbrief, Freiburg 1927, 262ff), sowie O. Bardenhewer, Der Römerbrief des hl. Paulus, Freiburg 1928, 123ff.

a) Heilssinn des Familienlebens nach dem Vorbild von Nazaret

Selbst wenn der sittliche Aspekt jener Begebenheit, wonach sich Jesus seinen Eltern unterwarf, augenfällig ist – das vierte Gebot wird damit noch einmal feierlich verkündet – darf man nicht leugnen, daß der Heilssinn dieses Satzes viel tiefgründiger ist[49].

Will man aber den Heilssinn des verborgenen Lebens Jesu im Sinne des Familienlebens näher erläutern, dann scheint mir eine andere Bedeutung des Begriffes ›hypotassómenos‹ wichtig, nämlich das Sich-Unterwerfen, um die Liebe anderer durch Bescheidenheit und Demut zu gewinnen oder zu fördern, oder mit anderen Worten und vielleicht noch besser: Sich aus Liebe dem Willen anderer unterwerfen, bzw. aus Liebe auf die eigenen Rechte freiwillig verzichten. Im Falle Jesu heißt dies, ›nicht daran festhalten, Gott gleich zu sein, sondern sich entäußern und wie ein Sklave werden‹ (Phil 2, 6–7; vgl. auch 1 Kor 16, 16; Eph 5, 21; 1 Petr 5, 5, u. a.).

Was unmittelbar mit diesem Sich-Unterwerfen Jesu in Nazaret bewirkt wird, ist die Glückseligkeit seiner Mutter und Josefs; dies entspricht nämlich genau dem ›finis Dei creantis‹, wovon vorher die Rede war: die Menschen seiner Seligkeit teilhaftig zu machen. Das ›demütige‹ Gehorchen Jesu steht auch im völligen Einklang mit seinem Wachsen an Gnade (oder Gunst) und Weisheit vor Gott und vor den Menschen (Lk 2, 52). Denn – wie es noch besprochen werden soll – dieses Wachsen an Gnade und Weisheit vor den Menschen muß auch heißen, sie glückselig zu machen[50].

Es ist sicherlich weder Phantasterei noch bloße Spekulation, wenn man annimmt, daß Maria und Josef in Nazaret die Freude der Liebe gespürt haben müssen, die Jesus ihnen entgegenbrachte. Treffend erklärt Hunolt, daß er es als einen Widerspruch empfinde, einerseits zu

[49] Diese Aussage ist auch deswegen wichtig, weil alle Versuche einer einseitigen Exegese daran scheitern müssen, wenn sie sich einzelne Stellen des Evangeliums aussuchen und dieselben isoliert ausdeuten, um von einer ›Geringschätzung‹ der Gottesmutter von seiten Jesu sprechen zu wollen. Vgl. diesbezüglich J. McHugh, La Madre de Jesús en el NT, Bilbao 1978, 117ff, sowie J. Galot, Das Herz Christi, Fribourg 1956, 34ff.

[50] Vgl. die schon in Anm. 9 erwähnten Autoren, die das Wachsen Jesu in diesem Sinne interpretieren. Unterstreichen möchte ich aber F. Suarez noch einmal, weil er bei seiner Ablehnung der dem Evangelium fremden Elemente der Meinung ist, daß diese natürliche Glückseligkeit des Familienlebens in Nazaret z. B. durch Wunder gestört worden wäre, und er lehnt aus diesem Grund solche märchenhafte Erzählungen der Apokryphen ab (279f).

bekennen, daß Jesus seine Mutter in den Himmel aufgenommen habe, und zwar weil er sie liebt, und andererseits nicht zu bedenken, welche Liebe Jesus Maria in Nazaret schenkte[51]. Thomas von Aquin vergleicht das Wort des Evangeliums: »und er kehrte mit ihnen nach Nazaret zurück«, mit jenem des Hohenliedes: »Mein Geliebter kommt in seinen Garten« (Hld 5, 1); was für ihn soviel heißt wie ›in hortum deliciarum‹[52]. Man kann es nicht als Übertreibung bezeichnen, wenn man die Jahre, die Maria und Josef in der Geborgenheit des Familienlebens mit Jesus verbrachten, als eine Kostprobe des Paradieses ansieht. Soll man nicht annehmen, daß jene Jahre ›Gnadenjahre waren, Tage der Vergeltung Gottes‹, in denen Gott die schmerzhafte Mutter im voraus tröstete? (vgl. Jes 61, 2 bzw. Mt 5, 4). Söll will diese Jahre als eine Zeit der ›marianischen Erziehung‹ ansehen.[53] Die Überlegung, daß Maria, Meisterin der Innerlichkeit, die ›alles in ihrem Herzen abwog‹ (Lk 2, 19/51), bei den Gesprächen mit ihrem Sohn Trost und Freude empfand und an Weisheit und Gnade reicher wurde, ist nicht abwegig. Escrivá de Balaguer hebt die Liebe hervor, die Josef für das Kind Mariens empfand – »er liebte Ihn wie ein Vater« –, und meint auch, daß Josef von Jesus nach der Art Gottes zu leben lernte, während der Sohn Gottes im Menschlichen durch die Unterweisung Josefs an Weisheit vor den Menschen wuchs. »Es muß wohl so gewesen sein, daß Jesus in seiner Arbeitsweise, in seinem Charakter und in seiner Redeweise Josef ähnlich war«[54]. Guitton – um ein letztes Zeugnis zu erwähnen – hat in seinem Buch über Maria[55] einen langen Abschnitt ›der menschlichen Liebe Mariens‹ gewidmet: La vierge et l'amour humain. Die reinste selbstlose Liebe zu ihrem Sohne erfüllte sie in jenen Jahren mit himmlischer Seligkeit. Man muß annehmen, daß uns hier Bedeutendes über das menschliche

[51] J. Hunolt, Sittenlehre I, 17, in: P. A. Scherer, Bibliothek für Prediger VI, Freiburg 1891, 529.

[52] Thomas von Aquin interpretiert hierin Nazaret als ›flos‹ (vgl. Sermo II, De profectu sapientiae et conversationis humanae, in Dominica infra octavam Epiphaniae), sowie Bonaventura (vgl. Sermo IV in Dominica infra octavam Nativitatis, Opera Omnia X., Paris 282, 63f).

[53] Vgl. G. Söll, Magd und Königin, München 1962, 53–56, sowie J. Galot, a. a. O. 52–63.

[54] J. Escrivá de Balaguer, Homilie: In Josefs Werkstatt, in: Christus Begegnen, Köln 1974, § 55, 132ff.

[55] Vgl. J. Guitton, La Vierge Marie, Paris 1949, 197–207.

Herz geoffenbart wird, ein Herz, das ›nach dem Herzen Gottes sein soll‹ (vgl. z. B. Ps 51, 12; 73, 1/26; 84, 3; 119, 23 usw.). Um unser Herz in diesem Sinne zu verwandeln, ist der Sohn Gottes in die Welt gekommen und ist uns in allem gleich geworden (Mt 13, 10-17; Joh 1, 12–13; Mt 22, 37; Mk 16, 14; Lk 2, 35; Joh 16, 22; Apg 8, 37 u.v.a.).
Die Antwort Jesu auf die Frage der Pharisäer über die Ehescheidung (Mt 19, 3ff) wirft wiederum ein Licht auf das Wesen der Familie: Was Gott am Anfang wollte, hat die ›Hartherzigkeit der Menschen‹ verfälscht[56]. Im verborgenen Leben Jesu erfahren wir, wie diese ›Hartherzigkeit‹ zu überwinden ist; die freiwillige Unterwerfung des Sohnes Gottes, um Maria und Josef teilhaftig seiner Liebe zu machen, ist auch die Quelle der Gnade[57], welcher wir bedürfen, damit ›die Liebe Gottes in unsere Herzen durch den Heiligen Geist ausgegossen wird‹ (Röm 5, 5), so daß wir uns ›von Herzen der Lehre des Gehorsams‹ unterwerfen, um gerecht zu sein (Röm 6, 17-18).
Die Mitteilungen über das verborgene Leben Jesu gehören aus diesem Grund zur göttlichen schriftlichen Offenbarung, die uns wesentliches hinsichtlich der Lehre Jesu Christi über die Ehe und das Familienleben verkündet. Diesbezüglich erklärt uns das Sich-Unterwerfen des Sohnes Gottes vor allem Wichtiges im Hinblick auf das Familienleben! Es ist aufschlußreich, daß die Kirche die christlichen Familien der Heiligen Familie geweiht hat, und bei dieser Weihe näherhin bei ihrer Begründung diese Tatsache hervorhebt.[58]
Das Apostolische Schreiben Papst Johannes Paul II. ›Familiaris Consortio‹ unterstreicht, daß die Befähigung zur Liebe nach dem Schöpfungsplan Gottes eine besondere Aufgabe der Familie ist: »Annahme, Liebe, Wertschätzung, vielfältige und gemeinsame – materielle, affektive, erzieherische, spirituelle – Hilfe für jedes Kind, das in diese Welt kommt, müssen immer ein unverzichtbares Kennzeichen der Christen sein, im besonderen der christlichen Familien. So können Kinder heranwachsen und zunehmen an Weisheit und Gefallen finden bei Gott und den Menschen und werden ihren wertvollen Beitrag zum Aufbau der Familiengemeinschaft und zur Heiligung der Eltern

[56] Vgl. Johannes Paul II., Mann und Frau schuf Er, a. a. O. 17f.
[57] Vgl. z. B. Thomas von Aquin, Summa Theologica III, 40, 1 bzw. III, 1, 2/5.
[58] Vgl. u. a. Leo XIII., Apostolisches Schreiben ›Novum Argumentum‹ vom 20.11.1890, ASS XXIII (1891) 318f, und Breve ›Neminem fugit‹ vom 14.6.1892, ASS XXV (1893).

beitragen«[59]. Es ist überflüssig zu betonen, daß die Heiligung Mariens und Josefs die Frucht der Erlösungstat Jesus ist, die sich auch schon während jener Jahre in Nazaret vollzog.

Das Segenswort bei der Schöpfung findet im Wachsen Jesu in Nazaret seine Erfüllung. Nach Luis de Ponte sollen wir in der Weisheit, Gnade und all jenen Tugenden wachsen, die uns vor Gott heilig und vor den Menschen liebenswürdig machen, entsprechend dem Vorbild Jesu, »der seine Mitmenschen durch seine Bescheidenheit und Demut, seine Geduld und Milde und ganz besonders durch seine Unterwürfigkeit gegen seine Eltern erbaute«[60].

Bezüglich dieses Wachsens bedarf es jedoch noch einer Erklärung: Die Septuaginta gebraucht dafür in der Genesis (Gen 1, 29) den Ausdruck ›Ayxánesthe‹; es ist das gleiche Zeitwort, das Lukas für das friedliche Wachsen des Johannes als Kind, als ›sein Geist stark‹ wurde gebrauchte (Lk 1, 80), sowie für das Wachsen des Kindes Jesu während der Jahre vor der Pilgerfahrt nach Jerusalem (Lk 2, 40). Man könnte meinen, es war ein ›Wachsen‹ ohne Mühen, wie Gott es in seinem Schöpfungsplan gewollt hatte. Das Wachsen Jesu in Weisheit und Gnade während der hier besprochenen Jahre des verborgenen Lebens in Nazaret wird jedoch mit dem Wort ›Proékopten‹ (Lk 2, 51) gekennzeichnet, ein Wachsen mit Mühen. Die Vulgata übersetzt mit ›proficiebat‹, was soviel heißt wie ›vorwärtskommen‹, aber auch ›etwas ausrichten‹ und ›nützlich sein‹.

Gewiß, man soll aus den Worten nur das herauslesen, was sie im Satzzusammenhang bedeuten, ihre ›Suppositio‹. In einem weiteren Sinn jedoch, im ganzen Kontext des Neuen Testamentes gesehen, gilt, daß die Übertragung der Vulgata den Kern der Offenbarung trifft: die Jahre des Herrn in Nazaret waren Jahre, in denen Jesu in der Vollendung seines Zieles ›vorwärtskam‹: vor Gott gewann er Verdienste für die Menschen; für die Menschen offenbarte sich seine Weisheit und Gnade heilbringend.

b) Die Kirche als Familie Gottes

Wollen wir uns jedoch an den griechischen Text halten, dann dürfen wir mit noch größerer Treue dem Text gegenüber sagen, daß dieses

[59] Vgl. § 26, sowie § 64.

[60] Vgl. L. de Ponte, Meditationes de praecipuis fidei ... II, 31, 1 und 2, Freiburg 1908, 257–261.

Wachsen des Herrn ›mit Mühen‹ – proékopten – eine Mitteilung an uns ist. Es gehört zur Frohbotschaft: Mühen und Leiden gehören zum Wachstum in Christus. Wer ihm nachfolgen will, muß sein Kreuz auf sich nehmen (Mt 16, 24–27). Der Heilssinn des verborgenen Lebens erhellt sich, wenn man die Überzeugung gewinnt, »daß die Leiden der gegenwärtigen Zeit nichts bedeuten im Vergleich zu der Herrlichkeit, die an uns offenbart werden soll« (Röm 8, 18). Diese Herrlichkeit wird gewonnen durch das mühsame Wachsen der Kinder Gottes an Weisheit und Gottesfurcht, an Heiligkeit und Gnade, und zwar mit Nutzen für den mystischen Leib Christi (Kol 1, 24 bzw. Phil 1, 29). Die Herrlichkeit, auf die die ganze Schöpfung mit Sehnsucht wartet (Röm 8, 19 ff), das heißt, auf die Wiederherstellung des Schöpfungsplans in Christus, nämlich ›alles, was im Himmel und auf Erden ist, in Christus zu vereinen‹, kann nur herbeigebracht werden durch das Mitwirken all jener, die »durch Ihn auch als Erben vorherbestimmt und eingesetzt sind nach dem Plan dessen, der alles so verwirklicht, wie er es in seinem Willen beschließt« (Eph 1, 10–11).
Wie am Anfang, als die Schöpfung im vollen Umfang abgeschlossen war, Gott ruhte, und zwar in der Freude, seine Güte und Seligkeit dem Menschen geschenkt zu haben, so ruht jetzt der Schöpfer nach der Wiederherstellung des Schöpfungsplanes durch das Werk seines Sohnes »in den Demütigen und Friedfertigen, in dem, der seine Worte ehrfürchtig empfängt« (Jes 66, 2).[61] So gelangt auch der Mensch bei seinem Handeln zur Ruhe, wenn er ›das Reich Gottes und seine Gerechtigkeit sucht‹ (Mt 6, 33) und ›seine Sorgen auf den Herrn wirft‹, wissend, daß ›Er ihn aufrechthält‹ (Ps 55, 23).[62]
Zum besonderen Merkmal der Verkündigung Jesu Christi gehört auch, daß er »alles tat, was er dann verkündete« (Apg 1, 1); denn Er wollte uns ein »Beispiel geben, damit wir auch so wie Er handeln« (Joh 13, 15). Christliches Leben ist Christus-Nachahmen; allein in ihm und mit seiner Gnade können seine Gebote befolgt werden, auch wenn gleichzeitig daran festgehalten werden soll, daß nur derjenige »Ihn erkennen kann, der seine Gebote hält« (1 Joh 2, 3 bzw. 2 Joh 4). Die Bedenken, daß die Frömmigkeit der Gläubigen sich zu sehr auf Christus ›konzentrieren‹ könnte, so daß sie sich im ›Jesuanismus‹

[61] Vgl. Ambrosius, Exameron VI, 10, 75; PL 14, 272.
[62] Vgl. Joannes Damascenus, De fide orthodoxa 2, 11, PG 94, 909ff.

verengen könnte[63], kann ich nicht mitvollziehen, ebenso die Behauptung, daß dadurch das ›trinitarische Bekenntnis‹ in ein Winkeldasein gewiesen wurde.
Es stellt sich nun die Frage – abgesehen von der subjektiven Deutung, die der Begriff Person in einzelnen theologischen Spekulationen erfahren kann[64] –, ob der Mensch überhaupt zum Begriff ›Person‹ im christlichen Sinne gelangen kann ohne Jesus[65]. Es gehört ja zu den grundsätzlichen Wahrheiten über die Dreifaltigkeit, daß sie ohne die Offenbarung Jesu Christi nicht erkannt werden kann[66]. Zur mystischen Erfahrung der Trinität ohne Jesus-Frömmigkeit gelangen zu wollen ist eine verhängnisvolle Illusion.
In dogmatischen Darlegungen sind sicherlich genaueste Differenzierungen nötig, um den Sinn der Vertauschbarkeit der Begriffe ›Jesus‹ und ›Gott‹ nicht monophysitisch zu verstehen, doch ist im Frömmigkeitsleben diese Vertauschbarkeit der einzig gangbare Weg zum Eindringen in das Geheimnis der Trinität – sowohl in die ›ökonomische‹ wie in die ›immanente‹ –. Ähnlich kann man vom Wesen (oder wenn man so will: von der ›Persönlichkeit‹) der Kirche sprechen, das nicht erfaßt werden kann, wenn die Einheit der Kirche mit Christus nicht

[63] Vgl. H.-J. Lauter, Walter Kaspers Gotteslehre, in: Pastoralblatt März 3/1983, 80 (bzw. 75–81).

[64] Als Beispiele können die Überlegungen von R. Guardini, Welt und Person, Würzburg 1940, und K. K. Wojtyla, Person und Tat, Freiburg 1981, gelten.

[65] Vgl. R. Guardini, a. a. O.: »Wenn aber die Person ebendiese ist: das Ich des Menschen, das im Du-Verhältnis zu Gott zu sich kommt; die Selbstheit, die geboren wird, sobald der pneumatische Christus in ihr ersteht und sie in die Relation des Sohnes und der Tochter zum Vater bringt, dann bedeutet das etwas von eigener, keinem innerweltlichen Phänomen vergleichbarer Ranghöhe ... Suchen wir es dort auf, wo es in urbildlicher Reinheit hervortritt, in Jesus selbst« (133); und K. Wojtyla, Person und Tat, a. a. O.: »Das Gebot ›Liebe deinen Nächsten‹ hat durch und durch Gemeinschaftscharakter, es spricht von dem, was die Gemeinschaft formt, hebt aber vor allem hervor, was die Gemeinschaft im Vollsinn menschlich macht ... Das Liebesgebot bestimmt gleichzeitig die eigentlichen Aufgaben und Forderungen, denen sich alle Menschen stellen müssen – als Person wie als Gemeinschaft –«. Gewiß, in seinen Bemühungen, das philosophische Terrain nicht zu verlassen, wagt Wojtyla in diesem Werk den letzten Sprung nicht, ja nach den Voraussetzungen seiner Überlegungen darf er es nicht tun. Eines muß aber gerade deswegen zu seinen Ausführungen gesagt werden: Wenn das neue Gebot der Liebe lautet: »Liebet euch einander, wie ich euch geliebt habe, so sollt auch ihr einander lieben« (Joh 13, 34), dann ist Jesus der, welcher zum Maßstab der Aufgaben und Forderungen der Person erhoben werden soll.

[66] Vgl. z. B. DS 3225ff.

in gewissem Sinne als Identität verstanden wird.[67] Man darf also die Herzen der Gläubigen nicht verwirren, denn »wer Jesus sieht, sieht den Vater« (Joh 14, 1/9 bzw. Mt 11, 25–27). Die Jesus-Frömmigkeit des Heiligen Paulus und die Ansätze der Herz-Jesu-Verehrung bei ihm[68], welche diese traditionelle Frömmigkeitsform biblisch begründen[69], lassen es nicht zu, daß man bei der Herz-Jesu-Verehrung gleich von einer ›Blickverengung‹[70] in der mittelalterlichen und neuzeitlichen Mystik spricht. Das Bild des auf sich weisenden Erlösers finden wir schon bei den Apostolischen Kirchenvätern[71]. Will man nun lernen, ›gütig und von Herzen demütig‹ zu sein (Mt 11, 29, 30), muß man bereit sein, wie Jesus in Nazaret zu handeln.

Vergleicht man nun das messianische Reich, wie vorhin angedeutet, mit dem Leben des ersten Adam im Paradies, darf man auch aus jenen Bildern im Vergleich mit dem Leben Jesu in Nazaret einiges für das Leben der Kinder der neuen Schöpfung in der Kirche, im Hause Gottes, ableiten. Denkt man nun beispielsweise an den Baum des Lebens im Garten Eden (Gen 2, 9) sowie an die biblische Aussage: »Die Frucht der Gerechtigkeit ist ein Baum des Lebens« (Spr 11, 30), dann

[67] Vgl. R. M. Schmitz, Christus als Träger der Kirche, in: Münchener Theologische Zeitschrift 3/1983, 169–185, sowie Y. Congar, Wege des lebendigen Gottes, Freiburg 1964, 65ff.

[68] Vgl. z. B. A. Wikenhauser, Die Christusmystik des Apostels Paulus, Freiburg 1956. Mir scheint das Beispiel Paulus auch deswegen relevant, weil er in gewissem Sinne und abgesehen von den persönlichen Gotteserfahrungen, ein Zwischenglied zwischen den Zeugen des irdischen Lebens Jesu und der Urgemeinde darstellt. Bei den anderen Aposteln ist die Jesus-Verehrung eine Selbstverständlichkeit (vgl. z. B. Y. Congar, Jesus Christus, Stuttgart 1967, 11ff). Daraus jedoch darf man nicht ohne weiteres annehmen, daß die Apostel und insbesondere Johannes in ihren Berichten allein seine Theologien vertreten (vgl. z. B. R. Schnackenburg, Neutestamentliche Theologie, München 1963, 44ff bzw. R. Wegner (Hrsg), Die Datierung der Evangelien, in: ibw = Symposion, Paderborn 1982). Hinsichtlich der paulinischen Jesusfrömmigkeit vgl. auch W. Hittmüller, Zum Problem Paulus und Jesus, in: K. H. Rengstorf, Das Paulusbild in der neueren deutschen Forschung, Darmstadt 1964, 124–143.

[69] Vgl. A. Dopkins, Base escriturística para la teología del Sagrado Corazón, sowie S. Talavero, Corazón en algunos contextos bíblicos, beide in: R. Vekemans, Cor Christi, Bogotá 1980, 229–273; auch H. Rahner, Gedanken zur biblischen Begründung der Herz-Jesu-Verehrung, in: J. Stierli, Cor Salvatoris, Freiburg 1954, 19ff.

[70] Vgl. H.-J. Lauter, a. a. O., 80.

[71] Vgl. z. B. H. Rahner, Die Anfänge der Herz-Jesu-Verehrung in der Väterzeit, in: J. Stierli, a. a. O., 46–72, sowie G. Dumeige, El tiempo de los Padres, in: R. Vekemans, a. a. O., 11–41.

gewinnen andere biblische Ausdrücke einen anagogischen Sinn, der uns erlaubt, daraus den Heilssinn des verborgenen Lebens Jesu zu ziehen, um das Wirken der Kirche zur Wiederherstellung des ewigen Schöpfungsplans darzulegen.
Nur wer Gerechtigkeit übt, selbst oder gerade wenn er deswegen Verfolgung erleidet, wird vom Baum des Lebens essen dürfen (Mt 5, 10/20 bzw. 1 Petr 3, 14). Ja, im Grunde, jeder Christ muß ein Baum des Lebens sein (Offb 22, 2), der gute Früchte bringt (Mt 7, 17), Früchte, die seine Umkehr zeigen (Mt 3, 8).
Gewiß, die Hoffnung des Christen richtet sich auf die Zeit, in der »die volle Zahl der Mitknechte erreicht sei« (Offb 6, 11) aber das Eschaton hat schon angefangen, »das Reich Gottes ist mitten unter uns«, ohne äußere Zeichen (Lk 20, 21). Das große Zeichen im Himmel (Offb 12, 1) stellt das Bild der Kirche in der Person Mariens dar, die vom Paradies aus die Kirche hier auf Erden begleitet, welche im Sinnbild der Frau in der Wüste (Offb 12, 14) auch dargestellt wird.
In der Ambivalenz des biblischen Bildes von der Wüste darf die Kirche hier auf Erden als die Gemeinde des Herrn betrachtet werden, die von Christus, dem wasserspendenden Fels (Ex 17, 3–7 bzw. 1 Kor 10, 4) und der heilbringenden erhöhten Schlange (Joh 3, 14), durch die Wüste geführt wird; ebenso auch als der Ort von dem das Reich des Messias ausgehen soll[72], der Ort, an dem die Jünger Christi bei Ihm die Ruhe finden (Mk 6, 31), ihr ›sabbatismós‹ (Hebr 4, 9).[73] In diesem Bild der Wüste, als Ort des Mannasegens (Joh 6, 31 ff) – bei den Synoptikern als ›einsamer Ort‹ – eremos, ermía – (Mt 14, 13; 15, 33; Mk 6, 35; 8, 4; Lk 9, 12) der Ort der Brotvermehrungen – ist die Kirche auch symbolisiert.[74] Dort begegnen die Kinder Gottes Jesus in der Eucharistie, und im Umgang mit Ihm können sie in der Gnade wachsen, wie Jesus in Nazaret, ja wie der unschuldige Mensch im Paradies. Das Meßopfer, das vergegenwärtigte Kreuzopfer, stellt also den Lebensbaum mit der Frucht der Unsterblichkeit dar (1 Kor 11, 26 ff; Gal 3, 13 f; Kol 1, 20; 1 Petr 2, 24).
Man könnte aber aus dem Bild der Ruhe in der Wüste ableiten, daß so

[72] Vgl. G. Kittel, éremos, in: G. Kittel, a. a. O., 654ff.
[73] Wie schon in Anm. 33 auch dieses ›sabbatismós‹ heißt nicht Müßigkeit, sondern die Ruhe bei der Beachtung des Willens Gottes (vgl. W. Leonard, Epistola a los Heberos, in: Verbum Dei IV., a. a. O., 378).
[74] Vgl. M. Hagen, Lexicon biblicum II, Parisiis 1907, Sp. 57–59.

wie Paulus in der Wüste (Gal 1, 12) die Offenbarung von Christus selbst empfing, der Christ das Wort Gottes in der Kirche hört. Dieses Wort ermöglicht ihm über die Regungen und Gedanken des Herzens zu richten (Hebr 4, 12). Dieses Wort befreit die Jünger ›von der Unmündigkeit, so daß sie nicht mehr dem Widerstreit der Meinungen, dem Betrug der Menschen ausgeliefert sind‹ (Eph 4, 14). Die böse, sündhafte Zunge, wird durch das Essen des Baumes des Lebens, durch die Speise des Lebens und des Wortes unseres Herrn, gereinigt und »vor Bösem bewahrt, so wie seine Lippen vor falscher Rede« (1 Petr 3, 10).

Das ruhige, verborgene, stille Leben der Heiligen Familie in Nazaret wird dadurch zur Paränese der Familie Gottes, des Lebens des Christen in der Kirche: In Nazaret wuchs Jesus an Weisheit und Gnade vor Gott und vor den Menschen; so soll auch der Christ in der Kirche wachsen. Das paulinische Gleichnis der Ehe als Sinnbild der Vereinigung Christi mit Seiner Kirche rechtfertigt diese Parallele (Eph 5, 29–32).

Die Liturgia Horarum leitet dem Psalm 44 mit den Worten Jesu aus dem Gleichnis von den zehn Jungfrauen ein: »Ecce sponsus venit; exite obviam ei« (Mt 25, 6). Dieses Liebeslied ist auch eine schöne Darstellung der Haltung der Kinder Gottes in der Kirche und des Reichtums der Frohbotschaft, die jenen im Vaterhaus geschenkt wird (Ps 44 oder 45, 1/11).

Bei den verschiedenen Antworten auf die Frage warum Gott ein Kind geworden ist, gibt Holböck auch als Grund an: »Für die Offenbarung der Heilsökonomie Gottes«[75]. Im Sinne der oben erwähnte Abstufung der Offenbarung könnte man sagen, daß in der Heilsökonomie die Heilige Familie die erste Zelle des mystischen Leibes Christi darstellt. Im verborgenen wuchs dort die Kirche ›an Weisheit und Gnade‹ – auch von seiten Mariens und Josefs – bis das öffentliche Leben Jesu nach der Taufe begann. In dieser Zeit der Vorbereitung erfährt der Christ, wie ein Kind in der Kirche zu leben, und was es heißt, ›das Reich Gottes wie ein Kind anzunehmen‹. Denn erst dann wird uns der Herr »in seine Arme nehmen und segnen« (Mk 10, 15–16), wie der Schöpfer die ersten Menschen segnete, damit sie wachsen und sich vermehren (Gen 1, 28), wie jene Urzelle der Kirche sich nach der Taufe Jesu ›vermehrte‹.

[75] F. Holböck, Warum ist Gott ein Kind geworden?, Stein 1982, 15.

Man könnte auch sagen, daß dies die Zeit der Vorbereitung Jesu war, in der Er ›wuchs‹ bis der Vater Ihn sandte und das Geheimnis der Dreifaltigkeit uns offenbar wurde: »Weil Gott an Ihm Gefallen fand« (Lk 3, 22). Nur wenn Gott Gefallen im Gehorsam seiner Kinder gegen Ihn und unsere Mutter, die Kirche, findet, wird der Christ »alle Menschen zu Jüngern Christi machen« und ihnen durch die Taufe das Geheimnis der Dreifaltigkeit offenbaren können (Mt 28, 18–20).

4. Das verborgene Leben Jesu und die Aufgabe des Christen in der Welt

Zum Verständnis der von mir entwickelten Deutung dieses möglichen Heilssinnes, den man in der Offenbarung des Verborgenen Lebens Jesu entdecken kann, muß noch einiges weiter erläutert werden, damit das Gesagte nicht einseitig mißverstanden wird. Johannes Paul II. bespricht in seiner Enzyklika ›Laborem exercens‹ die Probleme der Arbeit aus heutiger Sicht, bevor er die ›Elemente für eine Spiritualität der Arbeit‹ darlegt.[76] Angesichts der Diskrepanz zwischen idealen Vorstellungen über die Bedeutung der Arbeit für die ›kulturelle und moralische Hebung der Gesellschaft‹, sowie für den einzelnen Menschen[77] auf der einen Seite, und der menschlich-sozialen Wirklichkeit auf der anderen, scheint mir dieses Vorgehen im Rundschreiben nicht nur klug, sondern erforderlich.
Will man von vornherein der Kritik den Boden entziehen, wonach idealistische Menschen- und Weltvorstellungen dem durch erschöpfende oder sogar versklavende Arbeit ›entfremdeten‹ Menschen gar nichts helfen[78], dann muß man die Realität des Lebens auch bei allen Überlegungen des Glaubens mitbeziehen, wenn der Glauben dem Menschen Wege aufzeigt, auf denen er gehen soll, um sich vor den Folgen der Sünde zu befreien. Dies kann allerdings nicht heißen, daß dieser Versuch, gerechte und realitätsbezogene Lösungen für die Probleme der Menschen ausfindig zu machen, sich nur auf das irdische Heil bezieht; bei der Erfüllung des Auftrages des Herrn an Seine

[76] Vgl. Laborem Exercens V, § 24ff.
[77] Ebda. Vorwort.
[78] Vgl. F. J. Wehnes, Die Erziehung zur Arbeit ..., in: Wolfsburgreihe 12, Essen 1967, 11ff.

Jünger muß immer ›das ewige Heil des Menschen‹ verfolgt werden, welches ›nur in Gott zu finden‹ ist. »Die Zurückweisung Gottes durch den Menschen führt, wenn sie endgültig wird, notwendig zur Zurückweisung des Menschen durch Gott (vgl. Mt 7, 23; 10, 33), zur Verdammung ... Was sich dem Weg des Menschen zu Gott direkt entgegenstellt, ist die Sünde, das Verharren in der Sünde und schließlich die Leugnung Gottes: die geplante Streichung Gottes aus der Gedankenwelt des Menschen, die Abtrennung aller irdischen Tätigkeit von Ihm, die Zurückweisung Gottes von Seiten des Menschen.«[79]
Mit meinen Überlegungen will ich nicht die Sorgen und Leiden übersehen, die viele so sehr bedrängen; Ungerechtigkeit, Egoismus und hedonistische dominierende Anschauungen könnten viele an einer möglichen ›Kultur der Liebe‹ zweifeln lassen. Über den Wert der Arbeit beispielsweise zur Entfaltung der Persönlichkeit zu sprechen, oder sogar die Frage der Humanisierung der Arbeit zu erörtern, und die Probleme der Arbeitslosigkeit ignorieren, wäre ein Hohn oder wenigstens wirklichkeitsfremd. »Da unablässig neue Fragen und Probleme auftreten, entstehen immer neue Erwartungen, aber auch Ängste und Bedrohungen, welche mit dieser grundlegenden Dimension menschlicher Existenz verbunden sind.« Der Mensch muß sich sein Brot verdienen, »und zwar nicht nur jenes Brot, das seinen Leib am Leben hält, sondern auch (das) Brot der Wissenschaft und des Fortschritts, der Zivilisation und der Kultur«. Und dies tut er »nicht nur mit persönlicher Mühe und Angstrengung, sondern auch inmitten zahlreicher Spannungen, Konflikte und Krisen, die im Zusammenhang mit der Wirklichkeit der Arbeit das Leben der einzelnen Völker und auch der gesamten Menschheit erschüttern«[80].
Ein Idealbild von Kultur und Humanität zu malen, in dem keine Schatten und dunklen Stellen aufgezeichnet sind, stellt eine subjektive Sehweise dar, die nur Träume anregt oder konstruktivistische Utopien begünstigt. Man darf über die Rolle der menschlichen Arbeit für die ›Menschwerdung des Menschen‹ – nach Hegels Muster redend – nicht so spekulieren, als ob unter Arbeit imgrunde nur das geistige Tun als förderndes Element solcher Menschwerdung oder Selbstverwirklichung verstanden werden könnte. Dies würde eine

[79] Johannes Paul II., Predigt in Fatima am 13.5.1982, in: Verlautbarungen des apostolischen Stuhls 38, Bonn 1982, 43.
[80] Johannes Paul II., Laborem Exercens § 1.

Sublimierung der Idee von Bildung fordern, welche, wenn sie akzeptiert wird, die Menschen trennen muß, und zwar in Gebildete und Ungebildete nach willkürlichen Maßstäben. Der Prozeß dieser Entwicklung kann hier nicht beschrieben werden. Man denke nur an das, was Jaspers ›die Gewalt des Verstandes‹ nannte.[81] Von ›Vorrang der Arbeit‹ und ›Primat der Person‹[82] darf man nur reden, wenn man unmißverständlich die göttliche Bestimmung des Menschen bejaht. Nur unter dieser Voraussetzung ist es legitim, dem Menschen den totalen Wert seiner Arbeit und überhaupt seines ganzen Tuns zu erläutern. Wenn die Kirche dann von einer ›Kultur der Liebe‹ spricht und dabei keine Zweifel daran aufkommen läßt, daß der Aufbau einer solchen Kultur ohne die Familie und die Kirche unmöglich ist, ignoriert sie die viele Probleme dieser Welt nicht. Aber sie weist darauf hin, daß zur Lösung dieser Probleme die Familie – auch wenn sie nicht das Allheilmittel für alles ist – die Urzelle der Gesellschaft ist.[83] Weder Haß, noch Egoismus können zur Lösung der Probleme führen; weder der Klassenkampf noch die Unterdrückung der berechtigten Ansprüche einzelner Menschen oder ganzer Völker, können die Welt bessern. Nur die Wiederherstellung des Schöpfungsplans durch die Kirche wird der Welt Frieden und Ruhe bringen.

Aufgabe der Kirche ist, die Lehre zu verkünden, die entsprechend dem Schöpfungsplan Gottes und dem Werk der Erlösung den wahren Fortschritt und Wachstum der Menschheit wahrhaftig fördert. Im Bewußtsein, »daß alle Menschen eine Familie bilden und einander in brüderlicher Gesinnung begegnen« sollen, weil Gott alles für alle gut erschaffen hat[84], hilft die Kirche den Menschen, damit sie das Erschaffene entsprechend der »richtigen Autonomie der zeitlichen Dinge« so gebrauchen, daß sie nicht vergessen, daß »das Geschöpf ohne den Schöpfer ins Nichts sinkt«[85].

[81] Vgl. K. Jaspers, Antwort zur Kritik meiner Schrift ›Wohin treibt die Bundesrepublik‹, München 1967, 41.

[82] Vgl. Johannes Paul II., Laborem Exercens §§ 12, 6 und 9.

[83] Vgl. z. B. Pius XII, Rundfunkansprache ›Con sempre‹ an Weihnachten 1942, AAS XXXV (1943), in der Übersetzung von E. Marmy, Mensch und Gemeinschaft, Fribourg 1945, § 1036, sowie Leo XIII, Rundschreiben ›Sapientiae christianae‹, in: E. Marmy, § 966., ASS XXII (1889–1890), 385–404.

[84] Vgl. II. Vatikanisches Konzil, Konstitution ›Gaudium et spes‹, §§ 23 und 24.

[85] Vgl. ebda. § 36.

Die Kirche kennt »die Tiefe des menschlichen Bewußtseins und das innerste Geheimnis des Menschen, das, was in der biblischen (und auch außerbiblischen) Sprache mit dem Wort ›Herz‹ bezeichnet wird«[86]. Diese Kenntnisse und die Achtung des Menschen als Person, als Abbild des dreifaltigen Gottes, ist, was die Kirche zur Mutter und Lehrerin der Völker macht.
Durch die Verkündigung dieser Wahrheiten von seiten der Kirche können die Menschen guten Willens ihre individuelle, personale Erwählung und Berufung, ja ihre Sendung, erfahren und so ihr Los bestimmen. Im Vertrauen auf diese Lehre, und das heißt in der ›Annahme des Wortes Gottes‹, besitzen sie die Macht (Joh 1, 12), als Kinder Gottes mit Jesus durch ihre Leiden und ihr Tun für das Heil aller mitzuwirken (Kol 1,24). Ja, in der Überzeugung: »Weder Tod noch Leben, weder Engel noch Mächte, weder Gegenwärtiges noch Zukünftiges, weder Gewalten der Höhe oder der Tiefe noch irgendeiner Kreatur können uns von der Liebe Gottes scheiden, die in Christus Jesus ist, unserem Herrn« (Röm 8, 38–39), lebt der Christ in der sicheren Hoffnung, »daß Gott bei denen, die Ihn lieben, alles zum Guten führt, bei denen, die nach seinem ewigen Plan berufen sind« (Röm 8,28).
Auf diese Weise dringt der Gläubige in das Geheimnis der Liebe Gottes ein, eine Liebe, die den Menschen zum Bruder Christi macht, ja, noch mehr, Christus in ihm leben läßt (Gal 2, 20, bzw. 2 Kor 5,15; Röm 14,8 usw.); in Ihm wird der Gläubige zur Würde der Gotteskindschaft erhoben (Eph 1, 4 ff.). Aus Grund dieser Würde und Dank der Vereinigung mit Ihm, kann der Christ wie Jesus handeln.
Im Alltag handelnd wie Christus, und das heißt »in seinem Herzen wie Christus fühlen« (1 Petr 3,14–16), lebt der Christ wie Jesus in den Jahren Seines verborgenen Lebens in Nazaret. Glauben und Tat (Jak 2,14–26) befreien den Gläubigen von der Sünde und machen ihn ›gehorsam‹ in seinem Herzen (Röm 6, 17–18); von seinem Herzen verschwindet das Böse und empfängt ein neues Herz (Ez 11,19–20), ein Herz nach dem Herzen Jesu. Im Herzen Jesu finden alle Ängste und Sorgen, Freude und Trauer, Hoffnungen und Liebe jeder Person eine tröstende Antwort, wenn sie es nicht ablehnt, ihr Heil Gott zu verdanken, wenn sie in die Ruhe Gottes eingehen will. Für diese ist die Offenbarung des Heilssinnes des Verborgenen Lebens Jesu Teil-

[86] Vgl. Johannes Paul II., Redemptor hominis § 8.

habe an der hypostatischen Vereinigung der göttlichen und menschlichen Liebe im Herzen unseres Schöpfers und Erlösers.
Da diese ›Kultur der Liebe‹, wie überhaupt die Liebe, auch die menschliche, sich in kleinen Aufmerksamkeiten, im Zeichen der Zuneigung ausdrückt, in dem Versuch, den Nächsten das Leben angenehm zu machen, ist es notwendig die Überzeugung zu gewinnen, daß ein Mitwirken an der Lösung der materiellen, sozio-ökonomischen und kulturellen Probleme der gegenwärtigen Zeit die Liebe erfordert, von der Paulus spricht: die Liebe, die »alles erträgt, alles glaubt, alles hofft, allem standhält« (1 Kor 13,7); die Liebe, »die die Furcht vertreibt« (1 Joh 4, 18). Nur dann kann der Mensch begreifen, daß nicht Worte oder menschlicher Trost von ihm gefordert wird, sondern Liebe ›in Tat und Wahrheit‹ (1 Joh 3,18), die Liebe des Herzens Jesu, die Kraft, die den Sohn Gottes dazu brachte, die meiste Zeit seines Lebens Maria und Josef untertan zu sein. Das verborgene Leben Jesu befreit uns von der Hoffnung auf trügerische Zeichen und von der Erwartung des Heiles von falschen Propheten.
Der Heilssinn des verborgenen Lebens Jesu im Kontext des Evangeliums und der gesamten Offenbarung erweist sich als das Fundament des Wirkens des Christen in der Welt. Dann ergibt sich als Heilssinn dieses Teils der Frohbotschaft: ›Heiligmäßig den Alltag leben‹, ›das geistliche Leben materialisieren‹, das ›Erfüllen der kleinen Pflichten jeden Augenblick‹, ›im Kleinen treu sein‹ (Mt 25,21); denn ›auch die göttliche Liebe besteht in Kleinigkeiten‹[87], in allem jene kleine Pflichten der Liebe erfüllen, die auch Jesus in Nazaret erfüllte.

[87] Vgl. J. Escrivá de Balaguer, Die Welt leidenschaftlich lieben, in: Gespräch mit Msgr. Escrivá de Balaguer, Köln 1969 3, nn. 116/114, 171/169, bzw. Der Weg, Köln ^{4}1975, nn. 817/819/824, u. a. vgl. auch P. Berglar, Opus Dei, Salzburg 1983, 318f.

Der Heilssinn der Versuchung Jesu

von Franz Courth, S.A.C., Vallendar

Die biblische Szene von der Versuchung Jesu (Mk 1,12 f; Mt 4,1–11; Lk 4,1–13) findet in der zeitgenössischen Christologie kein besonderes Interesse; in ihrem soteriologischen Gehalt ist sie bisher kaum ausgewertet.[1] Dies fällt insofern auf, als etwa Thomas von Aquin im 3. Teil seiner Summa Theologiae der Versuchung Jesu eine ganze Quaestio widmet (III, q.43). Sie ist eingeordnet in die Fragen um das Leben Jesu, seine Geburt, die Beschneidung, die Taufe durch Johannes, seine Lehre und Lebensführung, seine Wunder, die Verklärung, Leiden und Tod. Thomas fragt nach dem theologischen Sinn und der inneren Bedeutung dieser einzelnen Geschehnisse und versucht, sie vom Gesamtzusammenhang des Heilsplanes Gottes her zu verstehen. Auf die Frage nach der Angemessenheit der Versuchung Jesu gibt er zwei Antworten. Die erste und bestimmende ist paränetischer Natur; Christus wurde zu unserer Warnung und als Beispiel für uns versucht; wir sollen erkennen, daß niemand, und wäre er noch so fromm, gegen Versuchungen gefeit ist; ferner wollte er uns zeigen, wie wir die Versuchungen Satans überwinden sollen. Die zweite, mehr beiläufige Antwort sieht mit Gregor dem Großen die Versuchung in der Konsequenz der Menschwerdung und Kreuzigung Jesu.[2] Eine formelle Entfaltung dieses Gedankens bietet Thomas nicht. Er zitiert in dieser Quaestio ausgesprochen viele altkirchliche Väter: Origenes, Chrysostomus, Ambrosius, Augustinus, Hilarius, Leo den Großen, Hieronymus, Gregor den Großen, Beda. Ihre Namen belegen, daß die Fragen um die Versuchung Jesu für die Patristik

[1] A. Grillmeier, Mit ihm und in ihm, Freiburg-Basel-Wien 1975, 688. W. Pannenberg, Grundzüge der Christologie, Gütersloh ³1969, 368ff; P. Schoonenberg, Ein Gott der Menschen, Zürich-Einsiedeln-Köln 1969, 151ff; Chr. Schütz, Die Mysterien des öffentlichen Wirkens Jesu: MySal III/2, 75–90 (Lit). Für W. Sołowjew (Una Sancta. Schriften zur Vereinigung der Kirchen und zur Grundlegung der Universalen Theokratie I = Deutsche Gesamtausgabe II, hrsg. v. W. Szyłkarski, Freiburg i. Br. 1957, 163) ist die Versuchung Jesu ein theologisches Deutemuster zum Verständnis der kath. Kirche; den drei Versuchungen, denen Jesus sieghaft widerstand, ist die kath. Kirche in drei aufeinanderfolgenden Entartungsstufen ihrer Geschichte erlegen.

[2] S. th. III, q.41, a.1.

wichtig waren[3], aber ihr christologisches Interesse an dieser Szene ist bei Thomas nur noch in etwa lebendig.
In diesem Zusammenhang ist am Übergang zur Neuzeit F. Suarez († 1619) zu nennen. Im Rahmen seines theologischen Hauptwerkes, den Commentaria et disputationes zur Summa theologiae des Aquinaten, widmet er einen weiten Raum den Mysteria vitae Christi. Breiter als Thomas stellt Suarez dabei auch die Versuchung Jesu dar[4], deutet sie aber noch stärker als dieser paränetisch[5].
Im Vergleich mit dem patristischen wie auch dem scholastischen Interesse an der Versuchung Jesu ist die zeitgenössische Theologie in der dogmatischen Auswertung dieser Szene sehr zurückhaltend. Wenn sie aufgegriffen wird, dann im Zusammenhang der Frage nach der Sündenlosigkeit und der Unsündlichkeit Christi[6], – einem bis heute schwer zu fassenden Thema[7]. Einige Christologen übergehen diesen Fragenkreis denn auch, so Walter Kasper[8], oder berühren ihn nur knapp wie Louis Bouyer[9].
Die Versuchung Jesu ist nicht grundlos als das hintergründigste Problem der Christologie bezeichnet worden.[10] Sie teilt diese ihre Eigentümlichkeit aber mit der chalcedonischen Dialektik, die Christus als Gott und Mensch, als Herrn und Bruder, als Gefährten und Heiland zu sehen lehrt.
Anliegen dieses Beitrages ist es, die Versuchungsszene als christologische Aussage darzustellen: Christus ist als geisterfüllter Gottessohn der Besieger des Bösen. Erst von diesem christologischen Bekenntnis her erhält die Versuchungsszene ihr Gewicht als christliche Weisung. Der erste Teil referiert darum Inhalt und Eigenart der bibli-

[3] Vgl. K. P. Köppen, Die Auslegung der Versuchungsgeschichte unter besonderer Berücksichtigung der Alten Kirchen, Tübingen 1961; M. Steiner, La Tentation de Jésus dans l'interpretation patristique de saint Justin à Origène, Paris 1962.
[4] Quaest. XLI, Sect. 1–4: Opera Omnia, ed. C. Berton, Bd. 19, Paris 1860, 430–449.
[5] Quaest. XLI, Sect. 4,3: a. a. O., 448.
[6] Vgl. P. Schoonenberg, Ein Gott der Menschen, 154ff.
[7] A. Grillmeier, Jesus der Christus im Glauben der Kirche I, Freiburg-Basel-Wien 1979, 532.
[8] Jesus der Christus, Mainz 1974, 245ff.
[9] Das Wort ist der Sohn. Der Weg der Christologie, Einsiedeln 1976, 221. Vgl. auch E. Schillebeeckx, Jesus. Die Geschichte von einem Lebenden, Freiburg-Basel-Wien ²1974, 531ff; H. Küng, Christsein, München-Zürich 1974, 440.
[10] H. Thielicke, Gotteslehre und Christologie (= Der evangelische Glaube. Grundzüge der Dogmatik II), Tübingen 1973, 462.

schen Aussage. Der zweite Teil bemüht sich dann um eine dogmatische Weiterführung. Das geschieht in zwei Schritten: der erste entfaltet die Versuchung Jesu als Zeichen seiner wahren Menschheit; der zweite versucht, unter dem Stichwort Christus als Vollender des Glaubens die paränetische Weisung der Versuchungserzählung soteriologisch zu untermauern.

I. Biblisches Zeugnis[11]

1. Textlicher Befund

Von der Versuchung Jesu berichten alle drei Synoptiker. Mk (1,12–13) hat dabei die kürzeste Fassung: »Und sogleich treibt ihn der Geist in die Wüste hinaus. Und er war vierzig Tage in der Wüste, und er wurde vom Satan in Versuchung geführt. Und er war mit den wilden Tieren; und die Engel dienten ihm.« Gegenüber dieser recht kurzen Perikope bieten Mt (4,1–11) und Lk (4,1–13) eine weitergefaßte, dreiteilige Erzählung. Sie konkretisieren die Versuchung Jesu in drei Szenen, eine in der Wüste, eine auf der Zinne des Tempels und eine auf einem hohen Berg. Dabei verändert Lk den Szenenablauf so, daß er die letzte Versuchung auf der Tempelzinne stattfinden läßt. Die Fachexegese[12] spricht bei Mk von einer Versuchungserzählung eigener Prägung; die beiden Fassungen bei Mt und Lk seien dagegen der Quelle Q zuzuweisen[13].

Trotz der traditionsgeschichtlichen Unterschiede, die noch durch die je spezifischen theologischen Akzente der einzelnen Evangelisten

[11] Zur exeget. Literatur: H. Mahnke, Die Versuchungsgeschichte im Rahmen der synoptischen Evangelien. Ein Beitrag zur frühen Christologie (= Beiträge zur biblischen Exegese und Theologie IX), Frankfurt/M. – Bern – Las Vegas 1978; R. Schnackenburg, Der Sinn der Versuchung Jesu bei den Synoptikern: ders., Schriften zum Neuen Testament, München 1971, 101–128; P. Hoffmann, Die Versuchungsgeschichte in der Logienquelle: BZ (1969) 207–223.

[12] H. Mahnke, Die Versuchungsgeschichte, 23; J. Gnilka, Das Evangelium nach Markus (= EKK II/1), Zürich 1978, 56; J. Ernst, Das Evangelium nach Markus (= RNT II), Regensburg 1981, 45.

[13] Vgl. dagegen W. Wilkens, Die Versuchung Jesu nach Matthäus: NTS 28 (1982) 479–489; er hält den Mt-Text für eine eigene Schöpfung des Evangelisten, die durch Mk angeregt ist.

weiteres Relief bekommen, zeigen sich eine Reihe von Gemeinsamkeiten, die beide Textgruppen miteinander verbinden.

1. Die Verknüpfung mit der Taufszene. Mk berichtet im Anschluß an die Taufe Jesu: »Und sogleich treibt ihn der Geist in die Wüste hinaus« (1,12). Ähnlich formuliert Mt (4,1): »Dann wurde Jesus vom Geist in die Wüste hinaufgeführt.« Lk führt zwischen der Taufe und Versuchung Jesu dessen Ahnentafel an und schreibt dann: »Jesus aber kehrte voll Heiligen Geistes vom Jordan zurück und wurde vom Geist vierzig Tage lang in der Wüste umhergetrieben« (4,1). Jesu Geistbesitz und die Erwähnung des Jordans knüpfen eindeutig an die Taufe durch Johannes an.
2. Die Versuchung durch den Teufel. Mk spricht aramäisch vom Satan (1,13); Mt (4,1) und Lk (4,2) nennen ihn in der griechischen Fassung Diabolos.
3. Die Einsamkeit der Wüste ohne jeden Zuschauer ist in der markinischen wie in der matthäisch-lukanischen Tradition Ort der Versuchung.
4. In beiden Überlieferungen findet sich die heilige Zahl vierzig. Bei Mt (4,2) fastet Jesus vierzig Tage und vierzig Nächte, bevor ihn der Teufel versucht. Nach Mk (1,12) und Lk 4,1 f) lebt Jesus vierzig Tage in der Wüste; während dieser Zeit wird er vom Teufel versucht.
5. Gemeinsam ist schließlich Jesu eindrucksvoller Sieg; nirgendwo ein Zögern, ein behutsames Tasten oder gar ein dramatisches Ringen.

Diese deutlichen Gemeinsamkeiten beider verschiedenen Traditionen sind so beachtlich, daß man auf »eine gemeinsame traditionelle Basis« schließen kann[14]; es wird auch ein »gemeinsames theologisches Grundverständnis« angenommen[15]: Jesus ist als geisterfüllter Gottessohn der Besieger des Bösen. Diese Aussage wird durch den Blick auf die spezifischen theologischen Akzente der einzelnen Perikopen noch deutlicher hervortreten.

2. Unterschiedliche Akzente

a. Jesus der neue Adam (Mk)
Jesus begegnet im Mk-Text als der neue Adam. Diese Sicht findet

[14] J. Ernst, a. a. O., 45.
[15] R. Schnackenburg, Der Sinn, 108.

eine verhältnismäßig weitgehende exegetische Zustimmung.[16] Als Begründung dient zunächst der Satz, daß Jesus unter den Tieren lebte (1,13). Hier werde ein eschatologisches Motiv aufgegriffen, wonach in der Endzeit der Paradieseszustand wiederhergestellt wird und die wilden Tiere ihre Wildheit ablegen. Is 11, 6–8 zeichnet das messianische Friedensreich so: »Dann wohnt der Wolf beim Lamm, der Panther liegt beim Böcklein. Kalb und Löwe weiden zusammen, ein kleiner Knabe kann sie hüten. Kuh und Bärin freunden sich an, ihre Jungen liegen beieinander. Der Löwe frißt Stroh wie das Rind. Der Säugling spielt vor dem Schlupfloch der Natter, das Kind streckt seine Hand in die Höhle der Schlange.« (Vgl. auch Is 65,25; Hos 2,18ff). Wenn Mk 1,13 von Jesu Gemeinschaft mit den Tieren spricht, steht die alttestamentliche Hoffnung im Hintergrund, daß der Messias als neuer Adam den Paradiesesfrieden wiederherstellt. Das eschatologische Motiv dieses Verses wird durch die Verknüpfung mit dem Bild von der Engelsspeisung gestützt und verstärkt. Zwar fehlen im Alten Testament unmittelbare Zeugnisse für dieses Bild; dafür ist es aber in der zeitgenössischen Apokalyptik überaus verbreitet[17]. Wie nach deren Zeugnis dem ersten Adam von den Engeln Speise bereitet wurde, so reichen die Engel jetzt Jesus, dem neuen Adam, himmlische Speise. Dieses Bild besagt: das durch Adam verscherzte Paradies ist durch Jesus neu erschlossen.[18]
Die Stätte der Versuchung ist die Wüste. Sie ist für Mk im Gegensatz zu Mt/Lk ein messianischer Ort. Für Q ist die Wüste die Behausung der Dämonen (vgl. Lk 11,24; Mt 12,43). Für Mk dagegen zieht sich Jesus in die Einsamkeit der Wüste zurück, um dort im Gebet mit Gott allein zu sein (1,35.45; 6,31f); die Wüste ist für Mk Ort der Nähe Gottes; im Zusammenhang mit den Bildern vom Tierfrieden und vom Engeldienst erscheint die Wüste »als Ort eschatologischen Paradiesesfriedens«[19]. Die Frist von vierzig Tagen meint eine heilsgeschichtlich besonders qualifizierte Zeit.[20]

[16] R. Pesch, Das Markusevangelium I (= HThK II/1), Freiburg-Basel-Wien 1976, 95ff; J. Gnilka, Das Evangelium nach Markus, 58; J. Ernst, Das Evangelium nach Markus, 47; H. Mahnke, Die Versuchungsgeschichte, 28ff; behutsamer R. Schnackenburg, Der Sinn, 111.

[17] Vgl. H. Mahnke, Die Versuchungsgeschichte, 29–31.

[18] J. Jeremias: ThWNT I, 141.

[19] W. Balz: ThWNT VIII, 138; G. Kittel: ThWNT II, 655.

[20] R. Pesch, Das Markusevangelium I, 95: vierzig Jahre ist die Zeit von Israels Wüstenzug; vierzig ist die Frist für Strafen (Gen 6,5ff), Fasten, der Gottesnähe und Buße; nach Jub 3,9 war Adam vierzig Tage nach seiner Erschaffung im Paradies.

Wie der erste Adam im Paradies versucht wurde, so auch Jesus, der neue Adam. Die knappe markinische Wendung »er wurde vom Satan« versucht, berichtet nichts von einem Kampf Jesu. Auch wenn die beiden messianisch-eschatologischen Bilder (friedliches Zusammensein mit den Tieren und Engeldienst) erst im Anschluß an die Versuchung erwähnt werden, so ist doch von keinerlei erstrittenem Sieg oder von Trübung des paradiesischen Friedens die Rede. Jesus, der vom Hl. Geist erfüllt ist, begegnet von Anfang seines Auftretens an als der Stärkere gegenüber Satan und ist so wirklicher Garant der neuen Heilszeit.
Der Initiator der Versuchung ist Satan, der Widersacher Christi (vgl. Mk 8,33; 3,23.26) und Versucher der Menschen (Mk 4,15; 3,22 ff). Gewiß ist zwischen Satan und den Dämonen zu unterscheiden: zeigen diese, wie sehr Menschen dem zerstörenden Zugriff des Bösen ausgeliefert sind und wie wenig sie sich selbst davor bewahren können; so erscheint Satan als Widersacher Gottes und Jesu und als Versucher der Menschen. Gleichwohl darf man gerade bei Mk (3,22 ff.par) »gewisse Angleichungstendenzen«[21] beider Größen nicht übersehen. Beide gehören zu jener weitgefächerten Front gottwidriger Mächte, welcher Jesus mit seiner Botschaft von der Gottesherrschaft vollmächtig entgegentritt. Über den Inhalt des diabolischen Ansinnens Satans werden im Vergleich zu Mt/Lk keine näheren Angaben gemacht. Der Angriff des Teufels wird nur knapp als Versuchung gekennzeichnet; und dies meint Erprobung des Menschen. Jesus, der vom Geist erfüllte Gottessohn, soll seiner messianischen Sendung untreu werden.[22] Aber im Gegensatz zu Adam bleibt er von den Nachstellungen Satans unangefochten.
Damit erscheint Jesus bereits in der Einleitung des Mk-Evangeliums als der Stärkere gegenüber Satan (vgl. auch 3,27); dieser vermag gegenüber dem geisterfüllten Gottessohn nichts auszurichten. In seiner öffentlichen Wirksamkeit wird Jesus als Glied des umkehrwilligen Israels und zugleich als vom Geist erfüllter und bevollmächtigter

[21] K. Kertelge, Teufel, Dämonen, Exorzismen in biblischer Sicht in: Teufel – Dämonen – Besessenheit. Zur Wirklichkeit des Bösen, hrsg. v. W. Kasper u. K. Lehmann, Mainz 1978, 11. Vgl. auch F. Annen, Die Dämonenaustreibungen Jesu in den synoptischen Evangelien, in: Theologische Berichte V, hrsg. v. J. Pfammatter u. F. Furger, Zürich-Einsiedeln-Köln 1976, 130f; zur Diskussion über die Personalität Satans vgl. F. Courth, Der Teufel als der oder das Böse: TThZ 88 (1979) 277–290.

[22] H. Seesemann: ThWNT VI, 23–37.

Sohn Gottes seine Macht weiterhin erweisen, indem er durch Verkündigung (1,14 f), Krankenheilung (1,32–34; 2,1–12; 3,1–6) und Dämonenaustreibung (1,23; 1,32–34; 3,20 ff) das Reich Gottes aufzurichten beginnt[23].

b. Jesus der wahre Gottessohn (Mt)[24]

Gegenüber Mk gestaltet Mt (wie Lk) die Versuchung Jesu in einer dreiteiligen Szene (Mt 4,1–11) und nimmt dazu Israels Wüstenzug als kontrastierenden Hintergrund. Ähnlich wie bei Mk verknüpft Mt die Erzählung unmittelbar mit der Taufe Jesu. Vom Hl. Geist wird Jesus in die Wüste geführt. Nach einem Fasten von vierzig Tagen und Nächten tritt der Teufel auf. So provokativ die einzelnen Fragen Satans auch sind, so sehr sie sich in ihrer Herausforderung auch jeweils steigern mögen: Jesus ist der in allen drei Szenen unerschütterlich in seiner Verbindung mit Gott feststehende geliebte Sohn (Mt 3,17), der dem im Wort der Schrift überlieferten Willen Gottes ohne jeden Abstrich folgt. Und darin liegt seine Hoheit.
Der Teufel beginnt mit der provozierenden Frage: »Wenn du der Sohn Gottes bist« (4,3), dann hast du nicht nötig, Entbehrungen und Hunger zu leiden, dann steht es in deiner Macht, dem quälenden Nahrungsmangel durch ein Brotwunder Abhilfe zu schaffen. Jesus antwortet auf diese Versuchung zum eigennützigen Mißbrauch seiner messianischen Sendung mit einem Schriftwort (Dt 8,3), das an den Wüstenzug des Gottesvolkes erinnert und Israel mahnt, in den verschiedenen Fährnissen des Lebens ganz auf Gott zu vertrauen. Als der wahre Sohn Gottes will sich Jesus gerade auch in Hunger und Bedürftigkeit Gott überlassen und im Vertrauen auf ihn feststehen. Er bringt damit jene gläubig-vertrauende Haltung auf, die dem Gottessohn Israel auf seinem Wüstenzug so oft gefehlt hat.
Die zweite Szene spielt auf der Tempelzinne (4,5–7). Wiederum beginnt der Teufel: »Wenn du der Sohn Gottes bist«, dann könnte ein Sturz in die Tiefe dir die besondere helfende Nähe Gottes veranschaulichen. Gerade ein solch dramatischer Akt wäre ein überaus deutliches Zeichen der bergenden Gegenwart Gottes. Aber Jesus läßt

[23] Vgl. H. Mahnke, Die Versuchungsgeschichte, 47–50.
[24] R. Schnackenburg, Der Sinn, 113ff; W. Grundmann, Das Evangelium nach Matthäus (= ThHK I), Berlin ³1972, 99–104; H. Mahnke, Die Versuchungsgeschichte, 51ff.

sich auch diesmal nicht zu einer für Israel typischen Sünde verführen, die Gott durch Mißbrauch seines verheißenen Schutzes versucht.[25] Seine Antwort ist ein Satz aus dem »Sch^{e}ma^{c} Israel«: »Du sollst den Herrn deinen Gott nicht versuchen« (Dt 6,16). Entsprechend diesem heiligen Gebot will Jesus seine messianische Gottessohnschaft nur vertrauend und glaubend verwirklichen. Alle außerordentlichen Schritte, die den Glauben Israels überspringen, weist Jesus als sündhafte Herausforderung Gottes zurück. Er steht damit als getreuer Erfüller des Glaubensweges Israels vor uns.

Die dritte Szene (4,8–11) stellt Jesus und den Teufel auf einen hohen Berg. Mit dem glanzvollen Angebot äußerer politischer Macht will der Versucher Jesus von Gott und seiner messianischen Sendung abbringen. Der Preis ist die »Anbetung« des Teufels. Eine kontrastreiche Gegenüberstellung als die vom Satan insinuierte Huldigung durch den Gottessohn ist kaum denkbar. Entsprechend entschieden fällt auch die Antwort Jesu aus: »Weiche Satan!« Damit ist wiederum ein Schriftwort verbunden, das ebenfalls dem Israel heiligen Sch^{e}ma^{c} entstammt: »Dem Herrn, deinem Gott sollst du huldigen und ihm allein dienen« (Dt 6,13). Jesu Gottessohnschaft ist wesensnotwendig auf die Anerkennung von Gottes alleinigem Herrsein bezogen und verwirklicht sich entsprechend in willigem Gehorsam und vertrauender Hingabe. Durch keinerlei anti- oder pseudomessianische Aktionen will er diesen Weg verlassen; auch dann nicht, wenn dieser Weg mit äußerer Machtlosigkeit und Entbehrung verbunden ist.

c. Jesus der geisterfüllte Israelit [26](Lk)

Für den besonderen theologischen Akzent der lukanischen Fassung (Lk 4,1–13) sind abgesehen von stilistischen Besonderheiten drei Beobachtungen festzuhalten.

Erstens wird gegenüber Mk und Mt Jesu Geistbesitz überdeutlich hervorgehoben. Voll des Hl. Geistes kehrt Jesus vom Jordan zurück und wird von ihm wie einst Israel von Gott (Dt 8,2) in der Wüste umhergeführt. Der Satan trifft dort auf einen vom Fasten hungrigen Je-

[25] J. Dupont, Die Versuchungen Jesu in der Wüste (SBS 37), Stuttgart 1969, 14.

[26] Vgl. bes. H. Schürmann, Das Lukasevangelium I (= HThK III/1), Freiburg-Basel-Wien 1969, 204–220; J. Ernst, Das Evangelium nach Lukas (= RNT 3), Regensburg 1977, 157–164; J. Dupont, Die Versuchungen Jesu in der Wüste, 42–49; R. Schnakkenburg, Der Sinn, 122ff.

sus, zugleich aber auf den, der vom Hl. Geist geboren ist (Lk 1,35), bei der Taufe vom Hl. Geist erfüllt wurde (Lk 3,22) und dessen öffentliche Wirksamkeit unter der ausdrücklichen Führung des Hl. Geistes steht (Lk 4,18 ff). Lk zeichnet hier Jesus als den Urpneumatiker, der das Urbild der Söhne Gottes ist, die sich vom Hl. Geist leiten lassen (Röm 8,14).[27]

Die zweite theologische Besonderheit der lukanischen Fassung ist die Umstellung in der Reihenfolge der Versuchungen. Für Lk bildet die Szene auf der Tempelzinne den Abschluß. Diese veränderte Anordnung ist mit der lukanischen Sicht Jerusalems in Verbindung zu bringen[28]. Für Lk ist die Sionsstadt das Zentrum der Heilsgeschichte; hier ist auch Jesu eigentlicher Wirkungsbereich; hierhin geht er (9,51.33; 13,22; 17,11; 18,31; 19,28), um in Passion und Erhöhung seinen messianischen Weg zu vollenden. »Ein Prophet darf nirgendwo anders als in Jerusalem umkommen« (Lk 13,33). Aus dieser Perspektive läßt Lk darum auch die Versuchung Jesu in Jerusalem enden.

Eine dritte lukanische Besonderheit ist der Schluß der Versuchungsszene: »Nach diesen Versuchungen ließ der Teufel für eine gewisse Zeit von ihm ab« (4,13). Dieser Vers ist Abschluß und Überleitung zugleich. Er lenkt den Blick auf Jesu Passion, wo der Teufel zur »letzten Prüfung« auftritt, »deren Vorläufer die Versuchungen sind«[29]. Am Ende von Jesu Weg nach Jerusalem nimmt nach der lukanischen Fassung Satan Besitz von Judas, der zum Verräter wurde (22,3); dadurch wird Satan zum entscheidenden Antreiber bei der Hinrichtung Jesu.

Die lukanische Verbindung von Versuchungs- und Passionsgeschichte zeigt aber nicht nur bei Jesus das fortdauernde Wirken seines Widersachers, sondern jetzt auch bei den Jüngern. »Simon, Simon, der Satan hat verlangt, daß er euch wie Weizen sieben darf« (22,31; vgl. auch 22,28.40.46). Dieser Ausweitung des lukanischen Blickes von der christologisch gefaßten Versuchungserzählungen hin zu den Versuchungen der Kirche entspricht die Mahnung Jesu an die Jünger

[27] H. Schürmann, Das Lukasevangelium I, 207.

[28] L. Hartmann, EWNT II, 432–439, hier 436f (Lit.); G. Schneider, Das Evangelium nach Lukas (ÖTK III/2), Gütersloh 1977, 389–391 (Exkurs); H. Schürmann, a. a. O. I, 214; J. Dupont, a. a. O., 63ff.

[29] J. Dupont, a. a. O., 66. Nach H. Conzelmann (Die Mitte der Zeit, Tübingen ^{5}1964, 21–23) folgt auf die Versuchung für Jesus eine Satan-freie Zeit: »Wo Jesus von nun an ist, da ist kein Satan mehr« (22).

zu Wachsamkeit und Gebet. Dies sollen die Hilfen sein, um in den Prüfungen standzuhalten. Der Hinweis auf das Leben Jesu als Vorbild christlichen Lebens ist der Hinweis auf den, der auf seinem Weg von der Wüste hin nach Jerusalem den Satan besiegt hat (vgl. auch Lk 4,33–37; 4,41; 11,14.19 f); darum erkennt der Gläubige in Jesus auch mehr Heil und Hilfe, denn ein ihm gesetztes Vorbild. So kontrastreich Lk den geisterfüllten Jesus seinem Widersacher Satan gegenüberstellt, auch er zeichnet in keiner Etappe einen geräuschvollen Kampf, einen wirklichen Dialog, auch nicht eine Entgegnung in Macht und Herrlichkeit. Vielmehr ist der Siegesweg des »geliebten Sohnes« (3,22) verborgen im unauffälligen, die Schrift erfüllenden Glauben Jesu und im Dunkel der Passion. Dieser verhüllende Schleier bedarf des österlichen Lichtes, um tatsächlich als Jesu heilbringender Siegesweg über Satan erkannt zu werden.

d. Haftpunkte im Leben Jesu

Die verschiedenen theologischen Akzente, mit denen die drei Evangelien die Versuchungserzählung versehen, bestätigen die vorausgehend herausgestellten Gemeinsamkeiten im theologischen Grundverständnis dieser Szene. Jesus ist als geisterfüllter Gottessohn der Besieger des Bösen; auf dem dunklen Hintergrund der Angriffe Satans tritt Jesus bereits zu Anfang seines öffentlichen Wirkens als der unvergleichlich Stärkere hervor. Bei keiner der drei Darstellungen wird die Geschichte zu einem Waffengang zweier auch nur annähernd gleich starker Kontrahenten. Jesus ist der Hoheitsvollere; hoheitsvoll gerade in seiner gläubigen Entschiedenheit, ohne alles äußerlich Erhabene und Spektakuläre, ohne jeden Mißbrauch seines Messiastums das Reich Gottes zu verkünden. Insofern ist auch die Versuchungsszene von Jesu verborgener Epiphanie gezeichnet. Anfanghaft brechen Strahlen seines gottheitlichen Seins durch. Vergleicht man die Versuchungsszene mit der dramatischen Erschütterung Jesu in Gethsemani (Mk 14,32–42 par), treten die hoheitsvollen Züge noch deutlicher hervor. Das führt zu der Annahme, die Versuchungsgeschichten seien ein im verklärenden Licht des Ostersieges Christi in erzählender Form gestaltetes »Summarium hoher frühchristlicher Christologie und Soteriologie«[30].

[30] H. Schürmann, a. a. O., I, 220 (unter Berufung auf J. Dupont, vgl. ebd., Anm. 254); vgl. auch H. Mahnke, Die Versuchungsgeschichte, 204f.

Hiermit stellt sich die Frage, ob die urkirchliche Überlieferung von Jesu sieghafter Begegnung mit Satan Haftpunkte in Jesu Leben besitzt? Lassen sich von dort her Gründe für das eindeutige urkirchliche Bekenntnis anführen, das Christus als Hohenpriester sieht, der »wie wir in Versuchung geführt worden ist, aber nicht gesündigt hat« (Hebr 4,15; 7,26; 9,14)?

Da sind zuerst Jesu Dämonenbannungen zu nennen. Sie tragen ihm die Unterstellung ein, mit Beelzebul[31], dem Anführer der Dämonen, im Bunde zu stehen (Mk 3,22–26 par). Diese Anschuldigung, die in zwei unabhängigen Überlieferungen (Q u. Mk) vorliegt, ist in den ältesten Evangelienüberlieferungen fest verankert. Nach diesem Vorwurf der Gegner Jesu hat er Dämonenbannungen vollzogen. Von seinen Widersachern werden sie als Teufelswerk bestimmt; ihm selber gelten sie als befreiende Überwindung der die Menschen knechtenden Macht Satans (Mt 12,28; Lk 11,19). Sie sind Teil der messianischen Verkündigung Jesu, die sie begleiten und bestätigen (vgl. Mk 1,38f). Der urkirchliche Glaube, daß Jesus der den Satan wie alles Böse überwindende Erlöser Gottes ist, wird neben den Dämonenbannungen durch weitere Anknüpfungspunkte gestützt.[32]

Ein zweiter Haftpunkt im vorösterlichen Leben Jesu für die hoheitsvolle Ausformung der Versuchungserzählung sind die Zeichenforderungen[33], die Jesu messianische Sendung legitimieren sollen. »Mit welchem Recht tust du das alles? Wer hat dir die Vollmacht gegeben, das zu tun?« (Mk 11,28 par) (vgl. auch Mk 8,11; Mt 12,38; 16,1; Lk 11,16.29)[34]. Derartiges Ansinnen wertet Mk als Versuchung (πειράζοντες; Mt 16,1; Lk 11,16); (vgl. Mt 12,38–42; Lk 11,29–32); es wird von Jesus auch entsprechend zurückgewiesen. Mt (16,4) spricht zur Kennzeichnung derer, die Jesus um ein Machtzeichen angegangen waren, von einem »bösen und ehebrecherischen Geschlecht«. In der Passion begegnet die Zeichenforderung aufs Neue (Mk 15,32 par). Die Verbindung zur Versuchungszene liegt

[31] O. Böcher, EWNT I, 507f.

[32] Vgl. R. Schnackenburg, Das Problem des Bösen in der Bibel: Die Macht des Bösen und der Glaube der Kirche, hrsg. v. R. Schnackenburg, Düsseldorf 1979, 11–32, 28ff (Lit.); J. Ernst, Das Evangelium nach Markus, 65–67 (Exkurs: Die Dämonenaustreibungen Jesu); J. Gnilka, Das Evangelium nach Markus I, 221–226, (Exkurs: Wunder und Exorzismen Jesu).

[33] Vgl. J. Dupont, a. a. O., 108ff.

[34] Vgl. K. H. Rengstorf: ThWNT VII, 232–234.

darin, daß die dem Teufel gegebene Antwort dieselben Gründe nennt, die Jesus auch den um Zeichen bemühten Pharisäern entgegenhält: »Sein einziges Zeichen ist seine Treue zu Gott, ist die Tatsache, daß er sich einzig auf das Wort Gottes stützen will, daß er Gott nicht versucht, daß er nur Gott allein dient«[35]. Darin liegen Jesu Autorität und Hoheit; dem von außen schauenden Betrachter sind sie verborgen unter der stillen und dann auch ärgerniserregenden Normalität gläubigen Lebens; sie umhüllt Jesu öffentliches Wirken ebenso wie seine Passion.
Ein dritter Haftpunkt in Jesu vorösterlichem Leben, der für die Ausformung der Versuchungsszene mitzubedenken ist, sind die falschen Messiaserwartungen der Jünger. Jesus tritt ihnen mit großer Entschiedenheit entgegen (Mk 10,35–45 par; 9,30–32 par). Das hier treffendste Beispiel ist die scharfe Petrusschelte Jesu (Mk 8,33 par): »Weg mit dir, Satan, geh mir aus den Augen! Denn du hast nicht das im Sinn, was Gott will, sondern was die Menschen wollen«[36]. Dieser harte Tadel des Apostels Petrus ist von alter historischer Tradition; in der nachösterlichen Gemeinde wäre es wohl niemandem eingefallen, den angesehenen Apostel einen Satan zu nennen, zudem in dieser aramäischen Fassung. Petrus, der Jesus als Christus Gottes bekennt (Mk 8,29), vermag den Leidensweg des Herrn nicht mit diesem Bekenntnis zu verbinden. Daß beides zusammengehört, daß der Messias den Weg des Kreuzes gehen wird, muß Jesus gegen alle »wohlmeinenden« und noch so »menschlichen« Einwände einschärfen. Diese stellen eine gefährliche Versuchung dar; sie sind Gottes Willen entgegengesetzt und darum satanisch. Im Ja zu Gott, so schwer verständlich dies aus menschlicher Perspektive bisweilen auch erscheint (Passion) und im Nein zum Satan, dessen Gesicht allzu oft wohlmeinend-menschliche Züge trägt, liegt die Parallele zwischen der Versuchungserzählung und der Petrusschelte.
Im Bezug auf die sprachliche Ausformung dieser drei Haftpunkte im vorösterlichen Leben Jesu (Dämonenbannung, Zeichenforderung, Jüngerunverständnis) stellt die markinische und die Q-Fassung der Versuchung Jesu eine relativ frühe Verankerung im Kerygma der jun-

35 J. Dupont, a. a. O., 110.
36 Zu den verschiedenen Übersetzungsmöglichkeiten vgl. die Mk-Kommentare von J. Ernst und J. Gnilka. Vgl. auch R. Pesch, Das Markusevangelium I, 275 (Exkurs: Das Mk Jüngerunverständnis).

gen Kirche dar. Sie ist die erste literarisch greifbare Form eines sich weiterhin entfaltenden Kerygmas. Die Tradition vom »versuchten Christus« findet sich später dann auch im Hebräerbrief[37] (4,15; vgl. 7,26; 9,14). Dort heißt es, daß Jesus versucht worden ist wie wir, jedoch nicht in Sünde fiel. Hier steht der Gedanke der unbedingten Solidarität des Hohenpriesters Christus mit uns Menschen im Hintergrund; sie umschließt die ganze Schwachheit und Hinfälligkeit des Menschseins; ein Erliegen in der Sünde wird jedoch ausgeschlossen. Das Motiv des versuchten und sündenlosen Christus begegnet auch über den Hebräerbrief hinaus. So fragt der johanneische Jesus seine Gegner: »Wer von euch kann mir eine Sünde nachweisen«? (Jo 8,24). Der Herrscher der Welt hat über Jesus keine Macht (Jo 14,30). Im 1. Johannesbrief (3,5) heißt es, daß Jesus ohne Sünde ist. Paulus (2 Kor 5,21) hatte formuliert, daß Gott »den, der keine Sünde kannte, für uns zur Sünde gemacht hat, damit wir in ihm Gerechtigkeit Gottes würden«. Daß in der breiten urkirchlichen Überlieferung von der Sündenlosigkeit Jesu die alttestamentliche Vorstellung vom bewährten Gerechten lebendig ist, belegt 1 Petr 2,22: »Er hat keine Sünde begangen, und in seinem Mund war kein trügerisches Wort»; hier handelt es sich um ein modifiziertes Zitat aus Is 53,9b. Diese Zeugnisse belegen eine weitreichende altkirchliche Tradition, die um Versuchungen in Jesu Leben wußte, die aber zugleich seine Sündenlosigkeit bekannte.

Will man nun noch über diese Motivvielfalt hinausgehen und hinter die literarischen Zeugnisse der synoptischen Versuchungserzählungen zurückfragen, um möglicherweise das darin berichtete Vorkommnis zu erurieren, wird man sich mit behutsamen Vermutungen begnügen müssen. H. Schürmann[38] hält angesichts der synoptischen Texte einen historischen Rückblick für schwer möglich, findet aber ein inneres geistiges Geschehen bei einem Wüstenaufenthalt Jesu vorstellbar. J. Dupont[39] glaubt, noch näher an ein Versuchungsereignis heranzukommen. Andere halten die Rückführung der Versuchungsgeschichte auf Jesus selbst für unmöglich; es stelle ein Produkt der nachösterlichen Gemeinde dar[40]. Näherhin handle es sich um

[37] Vgl. O. Michel, Der Brief an die Hebräer (KEK 13) Göttingen [12]1966, 211–213 (Exkurs: Jesus der Versuchte und Sündenlose).
[38] Das Lukasevangelium I, 220.
[39] J. Dupont, Die Versuchungen, 104ff.
[40] H. Mahnke, Die Versuchungsgeschichte, 194 ff.

einen haggadischen Midrasch, um eine »Christus-Geschichte«, die angesichts der beiden Textüberlieferungen (Mk, Q) auf eine sehr frühe Tradition verweist. Inhaltlich umschreibt dieses in Erzählform gefaßte Christusbekenntnis auf dem dunklen Hintergrund satanischer Herausforderungen das Wesen und die Sendung der Person Jesu Christi als geliebten und geisterfüllten Sohn Gottes. Als »Sitz im Leben« werden falsche politische Messiaserwartungen im jüdisch-hellenistischen Raum angegeben. Ihnen gegenüber wird Jesus als der Gottessohn bekannt, »weil er mit seinem durch nichts zu erschütternden unmittelbaren Verhältnis zu Gott Israels Gehorsam in seiner Person erfüllt hat, und weil er so zum Begründer einer neuen Geschichte Gottes mit den Menschen, zum eschatologischen Heilbringer geworden ist, der das Reich Gottes in seiner unbedingten Hingabe an Gott aufgerichtet hat«[41].

II. Dogmatische Weiterführung

1. *Wahrhaft Mensch*

Diese biblische Zusammenschau, die Jesus in satanische Versuchung hineingestellt sieht, zugleich aber deren sieghafte Überwindung bekennt, stellt den Dogmatiker vor die grundsätzliche inhaltliche Frage, wie weit eine Versuchung Jesu überhaupt möglich ist. Geht man vom Glauben an die hypostatische Union aus, muß man Sünde als Auflehnung und Widerspruch gegen Gott von Jesus absolut ausschließen. Er kann nicht Gottes letztes, eschatologisches, eben sein wesenhaftes Wort sein und dann seinen einzigartigen Gottesbezug in der Sünde verleugnen. Wie weit aber ist mit dieser grundsätzlichen Position das biblische Zeugnis von der *Versuchung* Jesu vereinbar? Für die frühe Glaubensgeschichte waren die Versuchung Jesu, seine Verlassenheit und Passion Zeichen seiner wahren menschlichen Seele. So betonen die Väter, daß Christus als Mensch versucht wurde, daß er als Mensch seine Antworten gab und daß er als Mensch gesiegt hat.[42] Dies gilt vor allem für die Auseinandersetzung mit Apollinaris von Laodicea. Bei ihm gehen in Christus Logos und Sarx eine physi-

[41] Ebd., 203; vgl. auch H. Schürmann, a. a. O., 220.

[42] K. P. Köppen, Die Auslegung der Versuchungsgeschichte unter besonderer Berücksichtigung der Alten Kirche, Tübingen 1961, 85.

sche Symbiose ein; der Logos wird zur Seele des Menschen Jesus[43]. Auf diesem Hintergrund argumentiert der Antiochener Theodoret von Cyrus[44], wenn Christus ohne menschliche Seele gewesen wäre, hätte *Gott* Entbehrung, Beschwernis, Versuchung und Leid getragen; *Er* hätte gekämpft und den Teufel besiegt. Wir Menschen hätten dann aber keinen Nutzen davon. Theodoret betont darum nachdrücklich, daß es Christus *als Mensch* war, der den Sieg über Satan errungen hat[45]. In gleicher Weise wendet Theodor von Mopsuestia[46] gegen Apollinaris ein, daß eine Symbiose der Naturen in Christus dem wahren Wesen des Erlösers widerstreitet. Würde an die Stelle der Seele der Logos als bestimmendes Lebensprinzip treten, könne von Christus keinerlei natürliche Schwäche mehr ausgesagt werden, nicht Hunger, Durst, Entbehrung und Leiden. Darum betont Theodor auch, daß Christus als Mensch vom Teufel versucht wurde und diesen als Mensch besiegte.[47]

Der Blick auf das biblische Zeugnis von der Versuchung Jesu ist für die urkirchliche Christologie *ein* wirksamer Anstoß, die Menschheit Christi mit all ihrer natürlichen Schwäche festzuhalten. Ging es bei der Erlösung doch um die Heilung unserer Schwachheit und Sünde. Die Sorge um die wahre Menschheit Jesu, gerade auch in ihrer Leidensfähigkeit, hat nicht weniger die altkirchliche Diskussion bestimmt wie die um seine gottheitliche Würde. Die integrale Menschheit Jesu galt als notwendiges Instrument seiner göttlichen Sendung als Erlöser; darum diente gerade der Blick auf den *leidenden* Christus dazu, die ganze Reichweite der Inkarnation festzuhalten.

Mit seinem Bekenntnis, daß Christus als wahrer Gott und wahrer Mensch Einer ist, findet das Konzil von Chalcedon (DS 301 f.) eine Formel, die die Unterschiedenheit und die Vollständigkeit der beiden Naturen ebenso festhält wie auch die Subjekteinheit des Erlösers. Die

[43] Vgl. A. Grillmeier, Jesus der Christus im Glauben der Kirche I, Freiburg-Basel-Wien 1979, 480ff; F. Courth, Jesus Christus im Zeugnis der frühchristlichen Glaubensgeschichte: Lebendiges Zeugnis 35 (1980) H.1, 66–76, hier 72.

[44] De incarnatione Domini XV: PG 75, 1444; bezüglich der Autorschaft vgl. B. Altaner – A. Stuiber, Patrologie, Freiburg-Basel-Wien [8]1978, 340.

[45] Theodoret vertritt auch die zeitgenössische Meinung, der Teufel habe sich in Jesu wahrer Natur getäuscht; vgl. Kl. P. Köppen, Die Auslegung der Versuchungsgeschichte, 85f.

[46] Vgl. A. Grillmeier, Jesus der Christus, 619ff.

[47] In Ev. Lucae comm. fragm. III: PG 66, 719; vgl. K. P. Köppen, Die Auslegung der Versuchungsgeschichte, 87.

dialektische Gegenüberstellung von Gott und Mensch in der Konzilsentscheidung verstellt in ihrer seins- und naturhaften Betrachtungsweise aber etwas die Konkretheit der vorausgegangenen Diskussion. Mehr noch: die getroffene Formulierung läßt den Gesamtzusammenhang der Geschichte und des Geschickes Jesu zurücktreten.[48] Und entsprechend war die nachfolgende Aufmerksamkeit der Theologen mehr auf die formale, seinsmäßige Beschaffenheit der gottmenschlichen Person Jesu Christi ausgerichtet. Daß Jesus ein wahrhaft menschliches Leben gelebt hat, trat hinter die natur- und seinshafte Betrachtung zurück.

In dem Maße nun neuerlich[49] versucht wird, den ontischen Naturbegriff von Chalcedon in existentiale und heilsgeschichtliche Kategorien zu übersetzen, gelingt der systematischen Theologie auch ein erneuter Zugang zur Versuchung Jesu.

Eine lehramtliche Stütze hat dieses Bemühen um eine Existentialisierung des chalcedonischen Naturbegriffs in der Pastoralkonstitution »Gaudium et spes« des Zweiten Vaticanum. Sie bestimmt Christus als den neuen, vollkommenen Menschen; er hat sich in seiner Menschwerdung gewissermaßen mit jedem Menschen vereinigt. »Mit Menschenhänden hat er gearbeitet, mit menschlichem Geist gedacht, mit einem menschlichen Willen hat er gehandelt, mit einem menschlichen Herzen geliebt« (GS 22). Diese Aussage ist dem »vere Deus« insofern integriert, als Jesus nicht wegen seines exemplarischen Menschseins Sohn Gottes ist; sondern umgekehrt: er ist der neue Mensch, weil er der Sohn Gottes ist (GS 22). Nicht der Mensch bestimmt das Maß Christi, sondern Christus das Maß des Menschseins. »Wer Christus, dem vollkommenen Menschen folgt, wird auch selbst mehr Mensch« (GS 41).

Im Zusammenhang der gegenwärtigen Existentialisierung des chalcedonischen Christusbekenntnisses ist vor allem der Name K. Rahners[50] zu nennen. Zur Verdeutlichung des »vere homo« verweist er auf die Leere, die Tränen, auf die ganze Armseligkeit des Menschen

[48] Vgl. W. Kasper, Jesus der Christus, 280f.

[49] Vgl. L. Scheffczyk, Chalcedon heute: ders., Glaube als Lebensinspiration, Einsiedeln 1980, 209–223.

[50] Probleme der Christologie von heute: Schriften zur Theologie I, Einsiedeln-Zürich-Köln ^{8}1967, 169–222, hier 198; ders., Die Christologie innerhalb einer evolutiven Weltanschauung: Schriften zur Theologie V, Einsiedeln–Zürich–Köln ^{3}1968, 183–221.

Jesus. Er spricht sogar »von letzten Krisen der Selbstidentifikation«, denen Jesus ausgesetzt war.[51] Ja, selbst Irrtum will Rahner von Jesus nicht ausschließen; habe er doch eine Naherwartung formuliert, »die wir, ob man sie irrig nennen will oder nicht, ›so‹, wie sie für uns lautet, als nicht eingetroffen feststellen. Solcher ›Irrtum‹ gehört aber zur Geschichtlichkeit der menschlichen Existenz, die wir doch Jesus wahrhaftig nicht absprechen wollen«[52]. K. Rahner[53] bemüht sich zur Begründung seiner These um eine Analyse der menschlichen Geistigkeit und des Selbstbewußtseins Jesu; er ist um eine Antwort bemüht, die »nicht in Widerspruch zu den kirchenamtlichen Erklärungen« steht und sich dennoch »mit den historischen Befunden der Leben-Jesu-Forschung ohne Zwang verträgt«. Rahner geht es darum, sowohl die unmittelbare Gottesschau des Menschen Jesus als unverzichtbares Glaubensgut[54] festzuhalten wie auch die volle Menschlichkeit des Geisteslebens Jesu zu betonen. Hierzu unterscheidet er das reflexive, gegenständliche Bewußtsein von einer »innersten, ursprünglichen, alles andere Wissen und Tun tragenden Grundbefindlichkeit«[55]. Diese Grundbefindlichkeit ist eine Eigenschaft der kreatürlichen Geistigkeit Jesu. Mittels dieser ursprünglichen, vom reflexiven Bewußtsein unterschiedenen Grundbefindlichkeit wußte sich Jesus in unerschütterlicher Einheit mit dem Vater. Und damit glaubt Rahner, auch die Gottunmittelbarkeit Jesu bestimmt zu haben; sie ist das mit der Grundbefindlichkeit verbundene »ursprüngliche, ungegenständliche Gottessohnbewußtsein« [56]Jesu. Das Bewußtsein, in allen Einzelschritten des Lebens im Willen des Vaters geborgen zu sein, ist das alles tragende religiöse Fundament im Leben Jesu.[57]
Mit diesem Erklärungsversuch ist nach einigen Differenzierungen eine mögliche Hilfestellung für das Verständnis von Versuchung, Erschütterung und Angst im Leben Jesu geboten. Die menschlichen Regungen Jesu sind dort einzuordnen, wo sich die Grundbefindlich-

[51] K. Rahner – W. Thüsing, Christologie – systematisch und exegetisch (= QD 55), Freiburg-Basel-Wien 1972, 28.
[52] K. Rahner – K. H. Weger, Was sollen wir noch glauben?, Freiburg 1979, 113.
[53] Dogmatische Erwägungen über das Wissen und Selbstbewußtsein Christi: Schriften zur Theologie V, Einsiedeln-Zürich-Köln [3]1968, 222–245, hier 227.
[54] Ebd., 233.
[55] Ebd., 238.
[56] Ebd., 237.
[57] Vgl. K. Rahner – W. Thüsing, Christologie, 28.

keit von radikaler und einmaliger Nähe zu Gott in konkrete, geschichtliche Fragen und Entscheidungen hinein auszeitigt und objektiviert; hier beim Übergang von der Grundbefindlichkeit zur konkreten Entscheidung lernt Jesus, hier macht er neue, ihn herausfordernde und erschütternde Erfahrungen, hier stellen sich ihm die bewährenden Fragen, ob dieser oder jener einzelne Schritt auch zu seiner messianischen Lebensform und Sendung gehört; hier erfährt er Anfechtung und Versuchung.[58]

2. *Vollender des Glaubens*

Der durch Rahner eröffnete Blick auf Jesu menschliches Seelenleben erschließt aber noch nicht den aktuellen Heilssinn der Versuchungsszene. Dieser läßt sich angemessenerweise von dem Stichwort »Urheber und Vollender des Glaubens« (Hebr 12,2) her vermitteln. Freilich wird hier das analoge Verständnis von Glaube zu beachten sein. So meint es zum Beispiel bei Jesus nicht, daß er sich auf einen anderen Zeugen berufen muß.

Daß Jesus als geisterfüllter und gehorsamer Gottessohn und eben damit als Glaubender den Teufel besiegt hat, war die Grundaussage vor allem der matthäisch-lukanischen Textgestalt. Dort erwies er sich in der Festigkeit wie auch in der Offenheit und Freiheit seiner Entscheidung als wahrhaft Glaubender, sofern man unter Glaube zuerst und vor allem hingebenden Gehorsam gegenüber Gott versteht. Das dem Glauben eigene Wagnis liegt für Jesus darin, daß er sich gegen alle menschlichen Plausibilitäten und rationalen Vernüftigkeiten zur unbedingten Geltung des Gotteswortes bekennt. Faßt man unter Glauben[59] »Orientierung am Willen des Vaters, Verzicht auf eigenmächtige und selbstherrliche Verfügung, Hintanstellung eigener Ehre, Eifer für die Ehre Gottes ..., Bekenntnis zur Treue und Macht Gottes als der einzigen Herkunft des Lebens, zuversichtliche Inanspruchnahme von Gottes verheißener und jetzt gewährter Macht, Annahme seiner eschatologisch reichen Freigebigkeit und Liebe, Leben auf Gottes

[58] Dogmatische Erwägungen, 239ff; zur kritischen Würdigung vgl. Ph. Kaiser, Das Wissen Jesu Christi in der lateinischen (westlichen) Theologie (= Eichstätter Studien NF XIV), Regensburg 1981, 204–212; H. Riedlinger, Geschichtlichkeit und Vollendung des Wissens Christi (= QD 32) Freiburg-Basel-Wien 1966, 150–153.

[59] D. Wiederkehr: MySal III/1, 627. Vgl. H. U. v. Balthasar, Fides Christi: Sponsa Verbi, Einsiedeln 1961, 45–79.

Vorsorge hin und Handeln aus seiner Ermächtigung heraus«, dann ist Jesus im Vollsinn des Wortes ein wirklich Glaubender. Daß Jesus diesen Glauben wegen seiner unmittelbaren Gottesschau in absolut ursprünglicher, unvermittelter Verbundenheit mit dem Vater gelehrt und in der Erprobung durch die Macht des Bösen und in der Einsamkeit der Passion bewährt hat, macht ihn zum »Urheber und Vollender des Glaubens«[60] (Hebr 12,2). Und das enthebt ihn der Ebene des bloß Vorbildhaften.

Würde man es ohne diesen christologisch-soteriologischen Akzent bei der paränetischen Perspektive der Versuchungserzählung belassen, bürdete man dem Christen eine überschwere Last auf. Die Ermutigung von 1 Petr 5,9 »Leistet dem Teufel Widerstand in der Kraft des Glaubens!« klänge wie eine Überforderung. Glauben in der Nachfolge Jesu darf erst in einem zweiten Schritt als in den Fährnissen und Versuchungen des Lebens zu leistende Aufgabe und kämpfend zu bestehende Bewährung verstanden werden. Glauben ist vor aller sittlichen Ermunterung ein gnadenhaft ermöglichter Weg mit Christus zum Vater. Dies artikuliert etwa die Bitte: »Ich glaube: hilf meinem Unglauben« (Mk 9,24). Christsein heißt, den Pilgerweg des Lebens aus der gewährten Christusgemeinschaft und ihrer verheißenen Vollendung gehen zu können. Der solchermaßen von Christus durch die Wüste des Lebens gebahnte Weg zum Vater verläuft nicht oberhalb der vielfältigen Tücken und Nachstellungen des Satans. Aber bereits die wie eine Overtüre zum gesamten Heilswerk gefaßten Versuchungstexte zeigen, daß Christus der Stärkere gegenüber den zerstörenden Mächten des Teufels ist. Für den Gläubigen bleibt diese Welt von vielerlei satanischer Bedrängnis und Bedrohung gezeichnet; sie glaubend mit Christus bestehen zu können, nicht ihre Beseitigung, ist Inhalt des Christusglaubens. Für diese Gewißheit kann sich der Gläubige auf den johanneischen Christus berufen: »Dies habe ich euch gesagt, damit ihr in mir Frieden habt; in der Welt habt ihr Drangsal; aber seid getrost, ich habe die Welt überwunden« (Joh 16,33). Im Epheserbrief (6,10–17) wird der Christ ermutigt, die Waffenrüstung Gottes anzulegen, um den Nachstellungen des Teufels standhalten zu können. Die hier angesprochenen Sicherungen sind die Verläßlichkeit des Wortes Gottes und das geltenlassende Annehmen des Heilswirkens Christi. Dies ist die Schutzwehr, die der

[60] Vgl. A. Schmied, Jesus als Glaubender: Theologie der Gegenwart 26 (1983) 58–63.

Apostel den Ephesern verkündet. Es ist eine Ermutigung, die sowohl die Macht des Gegners ins Auge faßt, zugleich aber auf die Unverwundbarkeit hinweist, die der Glaubende aus der Gemeinschaft mit Christus gewinnt.

Zusammenfassung: Der Blick auf die Versuchungserzählungen zeigt uns ein frühes, erzählend dargestelltes Christusdogma: Jesus, der geisterfüllte Gottessohn, als der Überwinder Satans. Die Mächte und Gewalten des Bösen, die durch die Auferstehung des Gekreuzigten gebrochen sind, werden bereits zu Beginn der öffentlichen Wirksamkeit Jesu sieghaft zurückgewiesen. An Jesu Gottverbundenheit muß alles Wirken des Bösen scheitern, auch wenn vor allem die Passion zunächst einen anderen Eindruck aufzwingen möchte. Die in den Versuchungserzählungen liegende christliche Weisung zeigt in der Verbundenheit mit Christus, dem »Urheber und Vollender des Glaubens« (Hebr 12,2) den Weg zum gläubigen, unauffälligen und uneigennützigen Geltenlassen des Wortes Gottes in den vielfältigen Bedrängnissen und Bedrohungen des Lebens. Das heißt für den Versuchten: Der Widerstand, der die eigene Kraft übersteigt, wird dann nicht zur Niederlage, wenn der Christ Gottes barmherzig-aufrichtendes Wort gerade dort gelten läßt, wo menschliche Schwäche und Armut zu Resignation und Zweifel drängen. Denn Bewältigung des Bösen geschieht in den kleinen Schritten gläubiger Zuversicht, daß unser »Leben mit Christus verborgen ist in Gott« (Kol 3,3).

Die Bedeutung der Verklärung Christi für das Leben des Christen und für die Kirche Christi

von Johann Auer, Regensburg

Einleitung:

Gestatten Sie drei kurze Vorbemerkungen als Hinführungen zu unserem Thema:

1) Unser Symposion hat sich das Generalthema gestellt: Die Mysterien des Lebens Jesu in ihrer Bedeutung für unsere christliche Existenz. – Nicht also die Verkündigung Jesu, seine Worte und Lehren, vielmehr der verkündigte Jesus selbst, sein Leben, sein Handeln und Leiden und so im tiefsten sein Sein, sollen als Paradigma für unser christliches Leben, für unsere Existenz betrachtet werden.
Das große Thema der Nachfolge oder Nachahmung Jesu soll an Hand einzelner Ereignisse aus dem Leben Jesu erörtert werden, des Jesus, der von sich gesagt hat: »Ich bin der Weg, die Wahrheit und das Leben!« (Joh 14,6). Wie schon dieses Wort Jesu zeigt, geht es nicht primär darum, metaphysisch-anthropologische oder psychologisch-soziologische oder asketisch-moralische Kategorien zu entwickeln, um mit ihnen für uns dieses lebendige Paradigma transparent zu machen. Es geht im tiefsten um unseren »Christus-glauben« selbst, in dem sowohl unser christliches Selbstverständnis, wie auch unser christliches Welt- und Kirchenverständnis im Vollsinn des Wortes »aufgehoben« ist. – Lassen Sie mich dafür zwei kurze Augustinusworte zitieren, die das Gesagte bekräftigen und erhellen. – In seinem Enchiridion de fide, spe et caritate von 421 schreibt er einmal: »Was also in der Kreuzigung Christi, in seiner Grablegung, in seiner Auferstehung am dritten Tag, in seiner Himmelfahrt, in seinem Sitzen zur Rechten des Vaters geschehen ist, ist so geschehen, daß durch diese mystischen Geschehnisse, nicht bloß mystischen Lehren, unser Leben seinem Leben angeglichen (configuretur) und so christlich werde in dieser Welt«[1]. Zur Erklärung zitiert er für die Kreuzigung Gal 5, 24 (den Leidenschaften absterben), für Grablegung und Auf-

[1] Ench. n 14 c 53 (PL 40, 257f).

erstehung Rö 6, 4 (Taufkatechese), für die Himmelfahrt Kol 3, 1 (strebt nach dem Himmlischen) und für das Kommen des Richters Kol 3, 4 (mit ihm offenbar werden in Herrlichkeit). Wie diese Configuratio (– mein Thema spricht von der Transfiguratio Christi –) verstanden werden soll, erklärt er einmal in seinen Predigten zum Johannesevangelium im Anschluß an Christi Wort: ich heilige mich für sie, damit sie in Wahrheit geheiligt seien (Joh 17, 29) mit den Worten: »Da aber dadurch, daß der Mittler zwischen Gott und den Menschen ›der Mensch Jesus Christus‹ (1 Tim 2, 5), Haupt der Kirche geworden ist, die Christen seine Glieder sind, spricht er im folgenden: Darum heilige ich mich selbst für sie. Was bedeutet denn dieses: ich heilige mich ..., wenn nicht: ich heilige sie in mir selbst, da auch sie Ich sind (ipsi sint ego)? Sind doch die, von denen er das sagt (wie ich schon gesagt habe), seine Glieder und einer ist Christus, das Haupt und der Leib ... So geschieht es, daß an anderer Stelle der Apostel sagt (Kol 1, 24): So freue ich mich meiner Leiden für euch und erfülle so in meinem Fleische, was den Bedrängnissen Christi noch fehlt«[2]. Zu dem »heiligen in Wahrheit« erklärt Augustinus, daß Christus in seiner Inkarnation geheiligt wurde, »weil da das Wort und der Mensch eine Person geworden ist (una persona facta)« und dies kam auch den Gliedern seines Leibes zugute. »Es kam ihnen zugute (so spricht Christus), weil auch sie Ich sind (ipsi sunt ego), so wie mir (meine Menschwerdung) zugute kam (profuit), weil ich Mensch bin ohne sie. Und ich heilige mich selbst, d. h. sie in mir, wie ich mich selbst heilige, weil auch sie in mir Ich sind.« – Die Ausführungen werden das Gesagte noch verdeutlichen.

2) Eine zweite kurze Vorbemerkung zu meinem speziellen Thema: Wie sich gleich zeigen wird, ist ein wichtiges Nebenthema hier »Tod und Auferstehung Christi«. Um Überschneidungen mit den Referaten über diese Themen zu vermeiden, habe ich mehr auf das Geheimnis der »Verklärung« abgehoben, wofür der Text, wenigstens bei Lukas, gute Anhaltspunkte gibt, und weil von hier aus auch die Ausdehnung meines Themas auf die Fragen nach dem christlichen Verständnis von Kosmos und Kirche deutlicher wird.

3) Eine dritte Vorbemerkung möge die wichtigsten Aspekte aufzeigen, unter denen ich mein Thema gesehen habe und die dafür ver-

[2] Tract. Jo. Ev. 108 n 5 (PL 35, 1916f).

wendete Literatur kurz angeben. – a) Die exegetischen Probleme dieser Evangelienperikope habe ich anhand der beiden Preisarbeiten von J. Blinzler[3] und J. Höller[4] sowie der Dissertation von J. M. Nützel[5] und des neuen Lukaskommentars von H. Schürmann[6] und des Markuskommentars von R. Pesch[7] erarbeitet. Für die Frage nach der »Bedeutung dieser Perikope für unsere christliche Existenz« habe ich die Predigten zu diesem Thema von zehn griechischen Vätern, von Chrysostomus († 407) über Johannes Damaszenus († 749) bis Theophanes Cerameus (12. Jh.?) und Gregor Palamas († 1359), sowie neben Augustinus († 430) mittelalterliche Theologen (Thomas und Bonaventura) zu Rate gezogen. Hier wurde nicht nur die Tiefe der griechischen Vätertheologie, sondern ebenso die einmalige Bedeutung, die die Perikope im Denken und Beten der Ostkirche hat, sichtbar. – b) So habe ich auch die liturgische Feier der Ostkirche für dieses Fest am 6. August (das elfte unter den 12 großen Festen des Kirchenjahres neben dem einen Hauptfest Ostern) eingesehen. – c) Desgleichen habe ich Einsicht in die Ikonographie dieses Festgeheimnisses genommen.[8] – d) Für die Frage nach der Bedeutung dieser Perikope für unsere christliche Kosmologie habe ich A. Vögtle[9] beigezogen. – e) Für die Fragen nach der für die Auslegung wesentlichen Christusmystik habe ich Auskunft gesucht bei den Werken zur paulinischen Christusmystik von A. Wikenhauser[10] und L. Cerfaux[11] sowie in den Studien von L. Scheffczyk[12].

Wenden wir uns nach diesen Vorbemerkungen dem Thema zu, das in fünf Gedankenkreisen vorgestellt sei:

I) Die Exegese der biblischen Berichte von der Verklärung Jesu

[3] Die ntl. Berichte über die Verklärung Jesu, Münster 1937.

[4] Die Verklärung Jesu. Eine Auslegung der ntl. Berichte, Freiburg 1937.

[5] Die Verklärungserzählung im Markusevangelium. Eine redaktionsgeschichtliche Untersuchung, Würzburg 1973.

[6] HThK III/1, Freiburg 1969, 552–567.

[7] HThK II/2, Freiburg 1977, 83f: dort neuere Literatur!

[8] Vgl. LCI IV (1972) 416–421.

[9] Das NT und die Zukunft des Kosmos, Düsseldorf 1970.

[10] Die Christusmystik des hl. Paulus, Freiburg ²1956.

[11] Le christ dans la théologie de saint Paul, Paris 1951.

[12] Glaube als Lebensinspiration, Einsiedeln 1980, 269–310; Auferstehung. Prinzip christlichen Glaubens, Einsiedeln 1976, 208–260.

II) Allgemeine Versuche über die Bedeutung dieser Perikope, vor allem auch für die Beteiligten
III) Bedeutung des Verklärungsereignisses für unsere christliche Existenz
IV) Bedeutung dieses Ereignisses für unsere christliche Kosmologie
V) Bedeutung dieses Ereignisses für unsere Ekklesiologie.

I. Die biblischen Berichte von der Verklärung Jesu auf dem Berge in exegetischer Sicht.

1) Von der Verklärung auf dem Berg sprechen die drei synoptischen Evangelien (Mk 9, 1–10,(13) – Mt 17, 1-9 (13) – Lk 9, 28–36), und der 2. Petrusbrief (1, 16–18) weist mit drei Versen auf dieses Ereignis hin. Ehe wir uns mit diesem Bericht im einzelnen befassen, wollen wir vier kurze Vorfragen beantworten, so gut wir können.
a) Das literarische Genus des Berichtes ist zuerst zu klären, weil es die Auslegung entscheidend mitbestimmt. Bultmann nennt den Bericht mythologisch.[13] R. Pesch nennt den Bericht zunächst mit M. Dibelius eine Epiphanieerzählung[14], um dann aber auch die Aussage N. Nützels[15] gelten zu lassen, es handle sich nur um einen »christologischen Midrasch«, in dem Christologisches mit alten Bildern verdeutlicht werden soll. Schürmann schreibt hingegen: »In der Erzählung spricht sich eine Christologie aus, die nicht von der Auferstehung und Erhöhung, sondern im Gegenteil von der Erfahrung des geschichtlichen Jesus und seinem Wort her Christologie treibt, wie mit entschlossenem Mut zu konstatieren ist: die ursprüngliche Erzählung will wohl deutlich machen, welche jenseitige Doxa Jesus als dem ›Sohn‹ schon auf Erden eignete – eine größere und ›eigentlichere‹ als Moses, auf dessen Antlitz nur der Widerschein der Doxa Gottes nach Ex 24 lag«[16].
b) Damit ist auch die Frage »Ereignisbericht oder Lehraussage« beantwortet. Schürmann schreibt dazu nochmals die Sache verdeutli-

[13] »Eine von Mk in das Leben Jesu zurückprojezierte Ostergeschichte«: Th. d. NT, Tübingen ^{2}1954, 27.
[14] Vgl. a. a. O., 70.
[15] Vgl. a. a. O. 173.
[16] A. a. O., 565ff; nicht ein Moses-Midrasch wie bei E. Schweizer, in: ThW VIII (1969) 371.

chend: »Die Erzählungen lassen eher an ein an Jesus sich vollziehendes Geschehen, als an eine subjektive Vision der drei oder eines der drei Zeugen denken«, fügt aber dem hinzu: »Die ›literarische Art‹ der Erzählung, die in ihr verwandten Weisen des Denkens, Sprechens und Erzählens sind keineswegs genügend erforscht, um mit verläßlichem Urteil Geschehnis und Aussageweise im einzelnen sondieren zu können«[17]. Wie Blinzler und Höller und m. E. auch noch Schürmann gehe ich (als Dogmatiker) von der Überzeugung aus, daß es sich in dieser »Erzählung« um eine Christologie »von der Erfahrung des geschichtlichen Jesus und seines Wortes« her handelt, d. h., daß der Erzählung ein »Ereignis im Leben Jesu« zugrunde liegt, mag dasselbe auch ›theologisch‹ mithilfe von ›Bildaussagen‹ aus alten Berichten (Moses: Ex 24) und Verheißungsworten Jesu (Mk 8, 31.38) oder Aussagen der paulinischen Mystik (vgl. 2 Kor 3, 7–18) dargestellt sein. – Das ›literarische Genus‹ zu beachten ist notwendig um des ›inhaltlichen‹ Verständnisses einer Erzählung willen; damit aber die ›historische Frage‹ in derselben Erzählung beantworten zu wollen, bedeutet eine »Metabasis eis allo genos« und ist in unsere moderne Exegese, wie mir scheint, durch die »existentielle Exegese« Bultmanns (von Heidegger her inauguriert) hineingekommen. Diese Grenzüberschreitung scheint manchmal bei R. Pesch und J. M. Nützel (Vögtleschule) vorzuliegen. Aus diesem Geist hat schon Pesch in einer umfassenden »redaktionsgeschichtlichen Untersuchung« aus Markus durch Ausscheidung zahlreicher Verse und Versgruppen »das Evangelium der Urgemeinde«[18] erarbeitet und Nützel geht für unsere Erzählung darüber noch entscheidend hinaus, indem er die für Mk hier vorliegende ›Quelle‹ rekonstruiert (und dann seiner Auslegung zugrundelegt), indem er alles, was mit Moses in dieser Erzählung zusammenhängt als »Einfügung durch Mk« ausscheidet und die Eliasaussagen als neue Deutung durch Mk für Mal 3, 23 begreift[19]. – Nur wenn bei Mk oder in dem »Evangelium der Urgemeinde« eine gewisse »geschichtliche Ordnung«, wenigstens für gewisse zusammengehörige Stücke (wie etwa dem Passionsbericht bei Pesch von 8, 27 an), angenommen werden darf, – was m. E. begründeterweise nicht geleugnet werden kann –, hat meine nächste Vorfrage noch den

[17] Ebd., 576.
[18] Vgl. (HerBü 748), Freibung[2] 1982.
[19] Vgl. a. a. O., 87–166, bes. 165.

großen Sinn, der in der Exegese bis in die neuere Zeit herein angenommen wird, und der für das tiefere Verständnis unserer Erzählung von großer Bedeutung ist.

c) Diese Vorfrage betrifft die »textgeschichtliche und sachliche Einordnung« des Berichtes. – Für die griechischen Väter seit Chrysostomus bis zu Gregor Palamas ist das Verklärungsereignis die Antwort auf die Mt 16, 27; Mk 9, 1; Lk 9, 27 vorausgehende Rede Jesu: »Es sind einige unter den hier Stehenden, die den Tod nicht kosten werden, bis sie den Menschensohn mit seinem Reiche kommen (so Mt; Mk: die Gottesherrschaft in Macht gekommen; Lk: das Reich Gottes kommen) sehen.« Sie erkennen zugleich in der »Verklärung Jesu« einen Hinweis auf die »Herrlichkeit der Seligen mit Christus bei Gott«. Diese Hinweise begegnen auch bei Hieronymus, Ambrosius und Leo I., während Gregor I. und Beda Venerabilis in dem »Reich Gottes« schon die sichtbare Kirche auf Erden sehen möchten[20]. Die Aufklärungsexegese sieht in diesem Wort Jesu einen »Irrtum Jesu«[21]. Die neuere katholische Exegese betont mehr den Zusammenhang von erster Leidensweissagung und Gerichtsverheißung in der Rede Jesu (Mt 16, 21–23) und zwischen Mt 16, 27 (Kommen des Menschensohnes als Richter) und 16, 28 und deutet so die Verklärung Jesu diesen beiden Aussagen gegenüber und sieht in der Verklärung einen vorübergehenden sichtbaren Hinweis auf dieses endgültige »Kommen in Herrlichkeit«[22]. R. Pesch sieht in der Verklärung eine »Prolepse der Auferstehung« gemäß der Verheißung Jesu in Mk 8, 31[23]. Nützel legt dar, daß diese »einigen unter den Umstehenden« nach Mk nicht nur die auserwählten Apostel auf dem Tabor sein können, sondern darunter vielmehr alle, zumal aus der Heidenwelt (Hauptmann unter dem Kreuz Mk 15, 39), zu verstehen sind, die Christus als »wahren Sohn Gottes« verstehen werden[24].

d) Nach dem Sondertext des Lk (9, 30–33), der hier zweimal das Wort ›Doxa‹ gebraucht, wie wir noch sehen werden, ist wohl mehr an die ›Herrlichkeit‹ als letztes Resultat der Auferstehung (vgl. Lk 24,

20 Gregor I., Hom. in Mt 32; Beda Venerabilis: PL 92, 215f.

21 Vgl. B. Weiß u. a.

22 Vgl. K. Weiss, Exegetisches zur Irrtumslosigkeit und Eschatologie Jesu Christi, Münster 1916, 158–170, vgl. auch 1–15.

23 Freilich nicht in Wirklichkeit, sondern zur Belehrung der Apostel: vgl. a. a. O. 72.

24 Vgl. a. a. O., 267–271.

25f »mußte nicht Christus das leiden, um so in seine Herrlichkeit einzugehen«), als an die Auferstehung selbst gedacht. Bei der Auslegung des Textes werden wir davon noch mehr zu sprechen haben.

2) Zur Exegese im einzelnen.

a) Nur *»Petrus, Johannes und Jakobus«* sind Zeugen dieser Verklärung (Mk, Mt: allein!). Chrysostomus bereits begründet diese Auswahl damit, daß Petrus (Mt 16, 19: der Fels der Kirche) Johannes (Joh 1, 1: der große Theologe, der Jünger, den Jesus liebte: Joh 13, 23) und Jakobus (Apg 12, 2: der erste Märtyrer unter den Aposteln) besonders ausgezeichnet waren[29]. Die anderen Apostel haben sich deshalb nicht zurückgesetzt erachtet. Anastasius v. Antiochien († 608) betont, daß Judas als unwürdiger nicht allein ausgeschlossen sein sollte[30] und Theophanes von Tauromenien sieht in der Dreizahl noch ein Symbol für die Welt[30]. – Die neueren Exegeten verweisen auf die Auszeichnung dieser drei Apostel schon bei der Heilung der Tochter des Jairus (Mk 5, 37 Par) und am Ölberg (Mk 14, 33 Par) und auf Gal 2, 9[32].

b) Die *›Verklärung‹:* Nach Mt und Mk wurde Christus »vor ihren (der Apostel) Augen verwandelt« (methemorphothä Mt 17, 2; Mk 9, 2). Mt und Lk sprechen von der Veränderung des Antlitzes (Mt: leuchtete wie die Sonne) und alle drei Synoptiker sprechen vom »Lichtglanz seiner Kleider«.

Jesus wird den Jüngern als der Menschensohn der Endheilshoffnung (Mk 8, 38: eschatologische Wirklichkeit) geoffenbart. Sie sollen wissen: »das Ziel seines Weges durch Leiden und Tod (Mk 8,31) ist die

[25] Ex 24, 16f: Moses auf dem Berg: vgl. die zahlreichen Angaben in Apokryphen: R. Pesch, a. a. O., 72.

[26] PG 61, 713–716.

[27] Zuerst wohl im apokryphen Hebräerevangelium: E. Hennecke/W. Schneemelcher, Ntl. Apokryphen in deutscher Übersetzung I, Tübingen ³1959, 108 n 3.

[28] Hom. 59 (PG 132, 1019–1048 n 407); vgl. G. Groll, Auf den Spuren Jesu, Leipzig 1973, 335–338.

[29] PG 61, 721–724.

[30] PG 89, 1361–1376.

[31] Erde-Himmel-Meer: Überirdische-Irdische-Unterirdische: PG 132, 1019–1048 n 403.

[32] Säulen der Kirche: J. Blinzler, a. a. O., 128.

Herrlichkeit des Weltvollenders (Mk 8,38 Par)«[33]. 2 Petr 1,17 sagt dazu: »Denn er empfing von Gott dem Vater Ehre und Herrlichkeit (timän kai doxan).« – Nach Lukas waren die Apostel »vom Schlaf beschwert« eingeschlafen. »Als sie aber erwachten, sahen sie seine (Christi) Herrlichkeit und die zwei Männer (Moses und Elias) bei ihm stehen« (in Herrlichkeit – doxa: 9, 32, 31). Auf die Deutung dieser Verklärung haben wir nachher einzugehen. Hier sei nur soviel gesagt: sie ist von ganz anderer Art als der Lichtglanz des Moses, wenn er vom Berg herab, von der Unterredung mit Gott, kam (Ex 34, 29 f. 35); sein Leuchten war ein ›Widerschein‹ aus seiner Begegnung mit dem göttlichen Licht[34]. Augustinus deutet das Licht auf dem Antlitz Christi allegorisch auf »die Klarheit seines Evangeliums« (Joh 1, 9: Licht, das jeden Menschen erleuchtet) und den Glanz der Kleider auf »die Reinheit der Kirche« (Apk 7, 14: die ihre Kleider gewaschen im Blute des Lammes)[35].

c) »Es erschienen ihnen *Moses und Elias* im Gespräch mit ihm« (Mk und Mt) und zwar »in Herrlichkeit«, wie Lk hervorhebt. Chrysostomus wie Augustinus[36] sehen in diesen Gestalten den Hinweis auf »das Gesetz und die Propheten«, die beide Tod und Verherrlichung des Messias vorherverkündigt haben, andere sehen in beiden nur »Vorläufer des Messias«[37].

d) Lk 9, 31 bringt hier die wesentliche Ergänzung: »Sie sprachen von seinem Ende (exodos), das sich in Jerusalem erfüllen sollte« (ämellen). Die Aussage ist ganz eingebettet in die Sprechweise des Lk, der Apg 13, 24 Paulus von der Vorbereitung des ersten Auftretens (eisodos) Jesu durch den Täufer sprechen läßt, und der Jesus zu den Emausjüngern sagen läßt: »Mußte (edei) nicht Christus das alles leiden, und so eingehen in seine Herrlichkeit« (Lk 24, 26). – Die Bedeutung dieses Gespräches zwischen Jesus und Moses und Elias hat uns nachher zu beschäftigen.

e) Einheitlich berichten wieder alle drei Synoptiker von der Verlegenheitsreaktion des Petrus auf dieses außergewöhnliche Ereignis: »Da sprach Petrus zu Jesus: Herr,« (Mt – kyrie; Mk – rabbei; Lk –

[33] J. Behm, Art. μεταμορφοῦσθαι, in: ThW IV (1942) 765.

[34] Vgl. H. Schürmann, a. a. O., 556f.

[35] Serm. 79 (PL 38, 493); vgl. R. Pesch, a. a. O., 73f.

[36] Serm. 78 (PL 38, 490–493).

[37] Mk 8, 28; R. Pesch, a. a. O., 74f; J. M. Nützel, a. a. O., 113–122; Suarez, Op. Om. XIX, Paris 1877, disp. 32, 411ff.

epistata) es ist gut, daß wir hier sind. Wir wollen« (Mk, Lk; Mt – ich will) »dir drei Hütten bauen, eine für dich, eine für Moses und eine für Elias.« – Wohl angeregt schon durch das Nachwort bei Mk und Lk (»er wußte nicht was er sagte!«) wird von den Vätern die Rede des Petrus arg gerügt. Schon Chrysostomus zählt hier alle Sünden des Petrus, wie sie bei Mk berichtet werden, auf und tadelt, daß er für Christus wie für Moses und Elias, ohne Unterschied der Person, in gleicher Weise eine Hütte bauen wolle, und daß er mit dem Wort: »Es ist gut, daß wir hier sind«, das Paradies schon auf Erden haben wolle. Gerade dieser letztere Gedanke wird von fast allen späteren Predigern immer neu gestaltet: Petrus denkt nur an sich und nicht an das Reich Gottes, das durch den Tod Jesu in der Welt aufgerichtet werden muß[38]. Die Güter, die den Christen als Hoffnungsgut bei Christus in der Herrlichkeit verheißen sind, können nicht auf Erden schon Besitz sein.[39] Andere meinen, Petrus wollte die drei auf dem Berg der Verklärung festhalten durch den Hüttenbau, um so Christus, den wohl Moses und Elias verteidigen würden, vor Verfolgung und Tod zu bewahren.[40] Symbolisch deuten Augustinus und Beda die drei Hütten auf »Gesetz, Prophetie und Evangelium«[41].

f) »Da,« (während Petrus noch redete: Mt, Lk) »kam eine Wolke, die sie überschattete« (Mk 9, 7). Es ist auffällig, daß Nützel für diese Wolke mit dem ›Überschatten‹ trotz seines besonderen Interesses für die Mosesgestalt im Bericht des Mk sich hier nicht für die Parallele mit Ex 40, 34 (Wolke als Zeichen der Gegenwart Gottes über dem Bundeszelt) ausspricht[42], wie es noch Schulz im ThW tut[43]. Bei den griechischen Vätern finde ich den Hinweis zuerst bei Anastasius v. Antiochien, der mit der Wolke die magnificentia (megaloprepeia = Schechina) Gottes angedeutet sieht, die auf dem Sinai (Ex 24, 14–18), über dem Bundeszelt (Ex 40, 34) und beim Auszug aus Ägypten (Ex 14, 20) das Zeichen für »Gottes Gegenwart« für das

[38] Timotheus Presb. Hier.: PG 86, 255–266.

[39] Pantaleon Diac. Constant.: PG 98, Or. I: 1247–1254; Or. II: 1253–1260.

[40] Vgl. Mt 16, 22; Anastasius v. Antiochien († 608): PG 89, 1361–1376; Timotheus Presb. Hier.: PG 86, 259–266; Theophanes v. Taormina (?), Hom. 59 (PG 132, 1019–1048 n 4/9).

[41] Augustinus, Serm. 79 (PL 38, 493); Beda Venerabilis: in Marcum III c 8 (PL 92, 215–220); neuere Deutungen siehe bei J. M. Nützel, a. a. O., 122–141.

[42] Vgl. a. a. O., 141–144.

[43] Vgl. ThW VII (1964) 402.

Volk Israel war[44]. – Theophanes von Taormina (?) schließlich stellt hier die theologisch bedeutsame Frage, ob nicht auch der Heilige Geist (neben Christus und der Stimme des Vaters) auf dem Tabor erschienen sei und erklärt, daß hier die Wolke das Zeichen des Hl. Geistes sei, so wie bei der Taufe Jesu die Taube sein Zeichen gewesen ist. Gott ist ja immer der Dreifaltige. Ebenso sehen dann Beda und Petrus von Blois († 1204) in der Wolke das Bild des Hl. Geistes und betonen die Gegenwart des Dreifaltigen Gottes in dieser Verklärungserscheinung[45]. – Darum sagt Lk 9, 34 auch: »Es befiel sie aber Furcht (subjektive Antwort auf die Gegenwart Gottes), als sie in die Wolke eintraten.« – Augustinus bemerkt hier: die Wolke umfaßt alle 6 an der Erscheinung beteiligten Personen in einer einzigen Hütte, wo Petrus für die drei verklärten Gestalten drei Hütten bauen wollte[46]. – Ich erwähne diese Bemerkungen der Väter und alten Theologen hier, weil mir scheint, diese Aussagen haben »theologisch Wesentliches« zu sagen, zu dem die moderne historisch-kritische Methode keinen Zugang mehr hat. –

g) »Siehe (Mt) eine Stimme erscholl aus der Wolke: Dies ist mein geliebter (Lk: auserwählter) Sohn (Mt, Mk, Lk: Ps 2, 7), an dem ich mein Wohlgefallen habe (Mt: Jes 42, 1)j; auf ihn sollt ihr hören (Mt, Mk, Lk: Dt 18, 15)!« – Nützel nimmt an, daß Mk diesen Satz erst seiner Quelle hinzugefügt hat, um sein Verständnis der Verklärungsszene deutlich zu machen[47]. Die Entscheidung über die Richtigkeit dieser Annahme hängt davon ab, ob man das markinische Verständnis[48] oder die Konstruktion von Nützel als genuin annimmt. – Das Wort aus der Wolke zeigt deutlich zwei Anklänge: der erste Teil entspricht dem Wort, das vom Himmel her über Jesus bei seiner Taufe im Jordan gesprochen wird (Mt 3,17; persönlich »Du bist ...« bei Mk 1, 11 und Lk 3, 22). – Der Schlußsatz »Ihn sollt ihr hören« entspricht der Mahnung des Moses im Anschluß an seine »Messiasprophezeihung« nach Dt 18, 15: »einen Propheten wie mich ... auf ihn sollt ihr hören!« (vgl. Apg 3,22). Schon Chrysostomus betont, daß hier der

[44] PG 89, 1361–1376.

[45] Beda Venerabilis: in Lucam III (PL 92, 453–456); Petrus v. Blois († 1204): PL 207, 778–792.

[46] Serm. 79 (PL 38, 493).

[47] Vgl. a. a. O., 152.

[48] Auch 2 Petr 1,17 zitiert dieses Wort.

himmlische Vater an das erinnere, was er bei der Taufe Jesu gesprochen habe[49].

Es ist auffällig, daß die Prediger, seit dem 7. Jh. wenigstens, ausdrücklich betonen, daß mit diesem Wort der »wesensgleiche (homoousios) Sohn des Vaters[50], der Sohn von Natur, nicht durch Gnade, aber in zwei Naturen[51] angesprochen sei, und Theophanes v. Taormina will dies deutlich machen, indem er darauf verweist, daß hier bei hyios der Artikel (ho) stehe, um ihn von Israel als treulosem »Sohn Gottes« ohne Artikel (Ex 4, 22; 19, 12) zu unterscheiden[52]. – Bei der Antwort auf die Frage nach der Bedeutung der Verklärung für die Beteiligten werden wir zu dieser Aussage Stellung nehmen müssen.

h) Am Ende des Verklärungsberichtes ist wieder »Jesus allein« (Mk 9, 8; Mt 17, 8; Lk 9, 36) mit seinen Aposteln. – Bei Mk wird diese Tatsache ganz nüchtern berichtet mit den Worten: »Und plötzlich, als sie sich umsahen, erblickten sie niemand mehr, als Jesus allein, bei sich.« – Nützel nimmt diese Formulierung als ursprünglichen Quellentext an. – Mt erzählt hier mit Worten, die an Dn 8, 18 (»während er noch mit mir redete, lag ich betäubt mit dem Antlitz auf dem Boden; er berührte mich und stellte mich aufrecht auf meinen Platz«; vgl. Dn 10,10) erinnern, ausführlich: »Und als die Jünger das hörten, fielen sie auf ihr Angesicht nieder und fürchteten sich sehr. Da trat Jesus zu ihnen hin, rührte sie an und sprach: steht auf und fürchtet euch nicht! Als sie aber die Augen erhoben, sahen sie niemand mehr als Jesus allein«[53]. – Mt ist offenbar an der Wirkung dieses Ereignisses auf die Apostel besonders interessiert. Anders scheint das Interesse des Lk zu liegen, der schreibt: »Und während die Stimme erscholl, fand sich, daß Jesus allein war.« – Die Väter heben vielfach im Anschluß daran hervor, daß der christliche Gehorsam Gott und Jesus Christus gilt, nicht mehr dem Moses oder Elias[54].

i) Die drei Synoptiker berichten schließlich vom »Abstieg vom

[49] PG 61, 715; ähnlich Proklos Ep. Const.: PG 65, 763–772.

[50] Timotheus Presb. Hier.: PG 86, 259–266.

[51] Anastasius v. Antiochien: PG 89, 1361–1376.

[52] PG 132, 1019–1048.

[53] Vgl. J. Höller, a. a. O., 149f.

[54] So Chrysostomus: PG 64, 36ff: verweist auf Jo 10, 30. 38; Proklos Ep. Const.: PG 65, Or. VIII, 770ff; Pantaleon Diac. Const. († 1252): PG 98, Or. II, 1253–1260; Johannes Dam.: PG 96, 573ff.

Berg« (Mk 9, 9; Mt 17, 9; Lk 9, 37). Nach Nützel ist dies wiederum Ergänzung des Mk, ebenso wie das folgende

k) ›Redeverbot‹ Jesu für die Apostel in Hinsicht auf das Geschaute, von dem nur Mk und Mt berichten (»Erzählt niemand von dem Gesicht, bis der Menschensohn von den Toten auferstanden ist«: Mt). – Mk fährt fort »und sie befolgten das Verbot«, und Lk, der von dem Verbot nicht spricht, sagt trotzdem ausdrücklich: »Und sie schwiegen und erzählten niemand in jenen Tagen etwas von dem, was sie geschaut hatten« (Lk 9, 36). Mk 9,10 fügt jedoch noch hinzu: »sie disputierten aber miteinander darüber, was das ›von den Toten auferstehen‹ bedeute.« – Der Satz leitet über zu der Perikope über die Frage der Apostel an Jesus inbetreff der »Wiederkunft des Elias« vor dem Messias gemäß der Weissagung Mal 3,23f, die bei Mk und Mt anschließend behandelt wird. Lk 1,17 erwähnt diese Prophezeiung als in Johannes dem Täufer erfüllt in der Rede des Engels an Zacharias zu Beginn seines Evangeliums. – Soviel zum Text der Verklärungsperikope, soweit es mir dogmatisch bedeutsam erschien. Wenden wir uns damit dem 2. Gedankenkreis zu:

II. Die Verklärung Jesu und ihre Bedeutung für die Beteiligten

Hier sei nach einem kurzen Überblick über die wichtigsten allgemeinen Deutungsversuche für diese Verklärungserzählung die Antwort auf die drei Fragen gesucht: 1) Wie ist dieses Ereignis dogmatisch zu verstehen? 2) Bedeutet dieses Ereignis auch etwas für Jesus selber? 3) Was bedeutet es für die drei Apostelzeugen?

Allgemeine Deutungsversuche:
Von den hier verwerteten Monographien bieten nur Höller[55] und Nützel[56] größere Ausführungen zur Frage nach der Bedeutung dieses Verklärungsereignisses. – Höller[57] weist dabei auf die Ausführungen von Alfonsus Tostatus († 1455) in seinem Mt-Kommentar hin, der acht Bedeutungen herausstellt: Jesus möchte zeigen, daß er die Macht hat, jedem zu vergelten und was er den Guten schenken möch-

[55] Vgl. a. a. O., 206–228.
[56] Vgl. a. a. O., 252–274 bzw. 299.
[57] Vgl. a. a. O., 206.

te; er möchte zum Kreuztragen ermuntern und auf die künftige Herrlichkeit hinweisen; er möchte die Herrlichkeit seiner eigenen Menschheit zeigen und seinem Wort auf Erden größeres Gewicht verleihen; er möchte schließlich damit seine Göttlichkeit beweisen und seinen bevorzugten Aposteln Trost und Stärke gewähren für die Leiden, die auf sie zukommen. – Man könnte hier noch auf Cornelius a Lapide SJ († 1637)[58], Commentarii ... Paris 1875, verweisen, der unter Beiziehung reicher Vätertexte etwa dieselben Gedanken gemäß der mittelalterlichen Einteilung nach historischer, allegorischer (symbolischer) anagogischer und tropologischer Auslegungsmethode vorstellt. Von besonderer Bedeutung mag sein Hinweis sein, daß Christus auf Erden seine göttliche Herrlichkeit viermal ausdrücklich ›verborgen‹ hat, nämlich in seiner Menschwerdung, am Kreuz, in seiner Auferstehung (mit Herrlichkeit gekrönt, aber noch nicht sichtbar) und in der hl. Eucharistie[59]. »Die Verborgenheit des Glanzes ist also das Wunder, und das Sichtbarwerden dieses Glanzes in der Verklärung das Aussetzen des Wunders.« Die tropologische Deutung will vor allem mit hoher rhetorischer Kraft die Verwandlung der sündigen Seele durch die Gnade Christi schon auf Erden zeigen: transfiguratio enim nostra consistit in configuratione cum Christo ... laßt uns Christus gleichgestaltet werden in aller Demut und allem Gehorsam; laßt uns lebendige Abbilder des Lebens und der Heiligkeit Christi, unseres Vorbildes, sein; laßt uns denken, reden und handeln mit derselben Frömmigkeit, wie Christus, damit jeder, der uns sieht, glaubt, er sehe Christus in uns (vgl. Gal 12, 20); der Weg dazu heißt: verweilen auf dem Berg Gottes in Meditation, Einsamkeit und Gebet. –

Höller bietet seine Darlegung in fünf Punkten: Christozentrische Sinngebung (Bedeutung der Verklärung für Christus selber); heilsgeschichtliche Deutung (NB – AB); christologische Zwecke (für den Christusglauben der Apostel); pädagogisch-unterrichtliche Zwecke (für die Nachfolge Christi); eschatologische Deutung (Hauptthema der katholischen Auslegung). – Thomas v. A. († 1274) sieht den Zweck der Verklärung vor allem in der Belehrung und Stärkung der Apostel, stellt fest, daß der Glanz der Verklärung gleich der claritas

[58] Vgl. Commentarii in IV Evangelia, Paris 1875: Commentaria in Matthäum VIII, 1, 326–337.

[59] Esca hamum occultans: Johannes Dam.: PG 96, 562.

gloriae war, fragt nach der Bedeutung der beteiligten Personen als Zeugen für die Vergangenheit und die Zukunft und zieht aus der Übereinstimmung des Wortes des himmlischen Vaters bei Taufe und Verklärung Jesu die Folgerung: Wie wir durch die Taufe die Gnade erlangen, so wird uns durch die Verklärung Jesu die claritas futurae gloriae im voraus gezeigt und die naturalis filiatio Christi gelehrt, die Grund unserer Annahme an Sohnesstatt ist[60]. Thomas sieht auch die Hl. Dreifaltigkeit (Pater in voce, Filius in homine, Spiritus Sanctus in nube clara) wie bei der Taufe so auch bei dieser Verklärung am Werk (a 4 ad 2), und er sieht den Convenienzgrund dafür, daß die Apostel die gloria suae claritatis schauen durften darin, daß Christus auch unseren Leib gemäß Phil 3, 21 »der Herrlichkeit seines Leibes gleichgestalten wird«. Diese zuletzt angeführte Aussage des hl. Thomas führt uns endlich zur ersten Frage:

1) Was ist dogmatisch zu dieser »Verklärung Jesu« zu sagen?

Diese Frage ist die eigentliche, zentrale Frage unseres ganzen Referates und in der Antwort auf diese Frage sind die Antworten auf alle weiteren Fragen, die an dieses Ereignis gestellt werden können, vorprogrammiert und enthalten. Vordergründig könnten wir hier fragen: Ist die Verklärung ein Ereignis im Leben Jesu, das irgendwie von außen über ihn kommt, mit ihm geschieht, oder ist es ein Ereignis, das aus seinem eigenen Inneren kommt, in seinem Wesen gründet, ein Stück seiner eigenen inneren Geschichte ist? – Die Antwort auf diese Frage ist, wie mir scheint, für das allgemeine Thema unseres Symposions von letzter Bedeutung. Vielleicht ist gerade »die Verklärung Jesu« ein »Mysterium des Lebens Jesu«, an dem in besonderer Weise abzulesen ist, was überhaupt »ein Mysterium des Lebens Jesu« ist.

a) Schon Chrysostomus sagt in seiner 2. Predigt zu diesem Festgeheimnis, daß die auserwählten Apostel hier »mit Christus, dem Meister, der unaussprechlichen Mysterien teilhaftig und Augen- und Ohrenzeugen von unaussprechlichen und unsichtbaren Dingen geworden sind«[61]. – Kyrill v. Alexandrien spricht davon, daß Christus in der Verklärung, in der Herrlichkeit erscheint, »die er nachher beim Vater haben wird und in der er als Richter einmal kommen wird« und

[60] S Th III q 45 a 1–4.
[61] PG 61, 721–724.

er nennt diese Herrlichkeit »das Mysterium seiner Heilsgeschichte im Fleische« (oikonomias meta sarkos)[62]. Timotheus Presb. Hier. lehrt, Christus habe bei seiner Verklärung »seine Herrlichkeit, soweit sie die Menschen ertragen können, nicht wie sie wirklich ist, sehen lassen«[63]. – Anastasius v. Antiochien († 608) sagt schon deutlicher: »die göttliche Herrlichkeit, die durch die menschliche Wirklichkeit verdeckt war, trat hervor, um unsere künftige Verklärung anzudeuten«[64]. – Johannes v. Damaskus endlich († 749) geht in seiner großen Homilie zu diesem Fest von einer ausführlichen Darstellung der Lehre von der »Hypostatischen Union in Christus« aus (»nicht ein äußerer Glanz wurde dem Körper hinzugefügt, sondern ein innerer Glanz aus der Gottheit des Wortes Gottes, das in unaussprechlicher Weise mit ihm hypostatisch geeint ist, brach hervor«[65]. – Ebenso geht Andreas v. Kreta († 740) von der Lehre von der Hypostatischen Union in Christus bei seiner im Geist des Ps.-Areopagiten vorgestellten mystischen Betrachtungen dieses Ereignisses aus.[66] – Dieselben Gedanken entfaltet Theophanes v. Taormina[67]. Gregorios Pal.[68] hebt hervor, daß dieses göttliche Licht, obgleich es ungeschaffen ist, doch nicht Gottes Wesenheit selbst ist.[69] – In ähnlicher Weise sagt Thomas v. A., daß die Verklärung Christi von seiner göttlichen Natur her verstanden werden muß, wie schon der Damaszener sagt, fügt aber hinzu, daß diese Verklärung aus der Seele über den Leib komme, »aber nicht nach der Art einer dem Leib innewohnenden und ihn affizierenden Qualität, sondern vielmehr nach Art einer vorübergehenden passio, so, wie wenn die Luft durch die Sonne erleuchtet wird; so ist der Glanz, der im Leibe Christi offenbar wird, ein wunderbarer (miraculosus) gewesen, so wie Ps. Dionysius sagt (ep. 4 ad Caium): Christus hat in seinem Leib das gewirkt, was des Menschen ist«[70]. Ausdrücklich weist Thomas in diesem Zusammenhang die

[62] Hom 9 (PG 77, 1009–1026).
[63] PG 86, 259–266.
[64] PG 89, 1365f.
[65] PG 96, 547–556.
[66] PG 97, 931–958.
[67] PG 132, 1019–1048 n 408.
[68] PG 151, Hom. 34, 423–436, 433: »Christus ist verklärt worden, nicht annehmend, was er nicht war, noch in etwas anderes verwandelt, sondern um seinen Jüngern zu zeigen, was er war.«
[69] PG 151, Hom. 35, 435–450.
[70] S Th III q 45 a 2c.

Meinung des Hugo v. St. Viktor zurück, daß Christus als Menschen die vier präternaturalen Gaben der claritas (Verklärung), agilitas (Seewandel), subtilitas (Jungfrauengeburt) und impassibilitas (Abendmahl) zu eigen gewesen seien. – Dieselben Gedanken finden sich wieder bei Cornelius a Lapide, der noch dazu darauf hinweist, daß Suarez[71] nur einen äußeren, wunderbaren Glanz an Gesicht und Kleidern Jesu annimmt.

b) Diese Hinweise mögen genügen, um nun ein grundsätzliches Wort zur Lehre von der Hypostatischen Union in Christus hier zu sagen, das zum Verständnis unseres Verklärungsereignisses und eines jeden Christusmysteriums, wie mir scheint, notwendig ist. Ich kann mich hier kurz fassen, indem ich auf die gute Studie von Philipp Kaiser[72] verweise, der neben der ›Trennungstheologie‹ der franziskanischen Schule und der ›Einigungstheologie‹ der thomistischen Schule eine mehr modale ›Integrationstheorie‹ (Durandus, Suarez) und eine ›Aktuationstheorie‹ (M de la Taille) und die Theorie von K. Rahner darstellt, die man wohl ›Funktionaltheorie‹ nennen dürfte, der ich nicht so positiv gegenüberstehe wie Kaiser. – Für unsere Zwecke hier mag genügen, schlicht festzustellen, daß die Hypostatische Union in Christus ein mysterium stricte dictum ist, demgegenüber jede Theorie, die das Ganze irgendwie logisch verstehbar machen möchte, immer in irgendeiner Weise in Not gerät: entweder das Göttliche und das Menschliche zu sehr zu trennen (Not des Nestorius), so daß die Absolutheit des Göttlichen gegenüber dem Menschlichen verdunkelt wird (»in Gottes Gestalt Menschengestalt annehmend«-labon: Phil 2,7), oder aber das Göttliche und das Menschliche so eng miteinander zu verbinden (Not des Monophysitismus), daß das wahre Menschsein Jesu nicht mehr ernst genug genommen ist gemäß dem Wort Jo 1, 16: »Das Wort (Gottes) ist Fleisch geworden« (egeneto!). – Auch uns wird es nicht gelingen, in unseren Betrachtungen über die Christusmysterien, die ganz aus diesem Geheimnis geklärt werden müssen, dies so aufzuhellen, daß wir eine allseitig gültige oder auch nur befriedigende Antwort auf unsere Fragen geben können. Es mag genügen, daß wir uns bei unserem Reden dieses hl. Mysteriums bewußt bleiben. »Der Christusglaube ist erst dort vollkommener Christus-

[71] De Myst. Christi, Op. Om. XIX, Paris 1877, disp. 32.

[72] Die gottmenschliche Einigung in Christus als Problem der spekulativen Theologie seit der Scholastik, München 1968.

glaube, wo er auch die Beziehung des Glaubenden zur Person Christi realisiert, wo er die Frage nach dem ›Wer‹ des Heilsbringers stellt, wo er nach der Person des Erlösers fragt.«[73] Wenden wir uns nach diesen Vorüberlegungen der Beantwortung der 2. Unterfrage zu:

2) Bedeutet das Verklärungsereignis auch etwas für Christus selber? Höller hat in seiner Behandlung der »christozentrischen Sinngebung« für unsere Perikope viele recht verschiedene Ansichten gesammelt.[74] Auffällig ist, daß von keiner Stimme die Lehre von der Hypostatischen Union hier angezogen wird. Aber eines lehren alle diese Aussagen: daß auch das Menschsein Christi ernst genommen werden muß, wie allein das Wort Hebr 5, 8 zeigt: »Obwohl er Sohn war, hat er durch Leiden Gehorsam gelernt«, und wie ein Blick in die Leidensgeschichte zeigt, vom Gebet im Ölgarten (»Vater, wenn es möglich ist« – Mt 26, 39; »alles ist dir möglich« – Mk 14, 36; »wenn du willst« – Lk 22, 42 ... »nicht was ich will, sondern was du willst«) und der Stärkung durch den Engel vom Himmel (Lk, 22, 43 f) bis zu seinem lauten Aufschrei am Kreuz: »Mein Gott ..., warum hast du mich verlassen« (Mk 15, 34; Mt 27, 46). – Unannehmbar ist sicherlich für uns die Ansicht, Christus habe in diesem Verklärungsereignis die ›Todesweihe‹ empfangen, so wie er bei der Versuchung in der Wüste seine ›Berufsweihe‹ erhielt[75]; ebenso untragbar ist die Meinung, Christus habe hier in einer Art von Ekstase eine »natürliche Gottesnähe erlebt«[76]; unbrauchbar ist auch die Ansicht, Christus habe, »als er im Gebet mit dem Rätsel seiner Bestimmung rang«, hier eine neue Einsicht in den Sinn seiner Verwerfung zum Heil der Menschheit bekommen. All diese Aussagen gehen von einem Christusbild aus, das die katholische Lehre von der Hypostatischen Union in Christus, die reale Menschwerdung des Gotteswortes, des Logos, nicht anerkennt. – Nicht abzulehnen ist hier, wie mir scheint, aber die Aussage, Christus sei in diesem Verklärungsereignis als Mensch selbst auch innerlich gestärkt worden[77], und vielleicht gehört zu dieser Stärkung auch das Erlebnis dieser für den Menschen vorweggenommenen

[73] L. Scheffczyk, Katholische Glaubenswelt, Aschaffenburg 1977, 210.
[74] Vgl. a. a. O., 206–211.
[75] H. Weinel, P. Feine, u. a.
[76] A. Arndt, C. D. Matthiesen, u. a.
[77] So P. Schegg: Lk 22, 43.

»Herrlichkeit«[78], daß die Verborgenheit der Herrlichkeit im Menschen Jesus während seines Erdenlebens das eigentliche Wunder war und die Verklärung so nur eine kurze Aufhebung dieses Wunders bedeutet. – Von dieser Sicht her läßt sich auch leichter die Bedeutung der Verklärung Jesu für uns, Hinweis auf unsere zukünftige Teilhabe an der endgültigen und ewigen Herrlichkeit Christi zu sein, verstehen. Dies wiederum eröffnet uns den Zugang zu den zahlreichen Verweisen auf unsere künftige Herrlichkeit in den Briefen des hl. Paulus, die ihren »Sitz im Leben« wohl nicht nur in seinem Damaskus-Erlebnis haben, sondern ebenso auf dem Verklärungsereignis Jesu (als Urtradition) aufbauen. Lassen sie mich auf die wichtigsten Stellen bei Paulus hier kurz hinweisen. Die bedeutendste Stelle ist gewiß 2 Kor 3, 7–18 (Vergleich zwischen dem leuchtenden Antlitz des Moses und der Verklärung Christi: »Wir aber, die wir mit unverhülltem Angesicht den Glanz des Herrn widerspiegeln, werden zum selben Bild umgeformt (metamorphoûmetha!) vom Glanz zu Glanz (doxa)«; vgl. Phil 3, 20f). Zahlreich sind vor allem die Stellen, wo Paulus den Zusammenhang zwischen unserem Kreuztragen mit Christus und unserem Verherrlichtwerden mit ihm herausstellt (Rö 8, 18; 2 Kor 4, 17; 2 Tim 2, 19; vgl. 1 Petr 1, 11; 3, 18; 4, 13; 5, 1). 2 Kor läßt die eschatologische Verherrlichung des Christen mit Christus schon in diesem irdischen Leben, wenn auch noch verborgen, als innere Realität erscheinen. – In ganz einmaliger Weise hat Card. Pierre de Bérulle (1575–1629) die Notwendigkeit dieses »Insein des Christen in Christus, dem bereits verklärten Herrn« herausgestellt, wenn er schreibt: »Nicht als erloschene Vergangenheit also sollen wir die Mysterien Jesu behandeln, sondern als lebendige Gegenwart, selbst Ewigkeit, von der wir eine immer gegenwärtige, ewige Frucht ernten sollen ... Jesus ist die Ergänzung unseres Seins, das nicht Bestand hat als nur in ihm, und nicht Vollendung, als nur in ihm, wahrhaftiger als der Leib sein Leben und seine Wesensergänzung von der Seele hat und das Glied im Leib und der Zweig im Rebstock und der Teil im Ganzen ... Unser Gut ist, in ihm zu sein und ihm zu gehören: zu sein, zu leben, zu handeln durch ihn, wie der Rebzweig Sein, Leben und Furcht hat vom Rebstock ... Er liebt es, in den Seelen einzuprägen sein eigenes inneres Sein und dessen Wirkungen ... Laßt uns darbieten unser Herz seiner Demut, seiner Liebe, seiner Güte ... Sei-

[78] So A. Calmet, J. Felten: 1 Petr 1, 17.

ne Demut, so göttlich-menschlich, will sich einprägen in unseren Seelen ... Das ist der Sinn jener Worte: Lernet von mir, denn ich bin sanftmütig und demütig von Herzen und ihr werdet ein Ausruhen (von aller Hast) finden für eure Seelen (Mt 11, 29) ... Jenes ungeschaffene Wesen ist so fern und erhaben über alle geschaffenen Wesen, daß sich verlieren in seinen Abgrund uns besser ansteht, als ihn kennen, und ihm angehören durch sein verborgenes Wirken besser als durch eigenes Denken und Vorstellen.«[79] – Diese Gedanken, so wird sich zeigen, sind maßgeblich auch für alle kommenden Betrachtungen. – Wenden wir uns hier noch kurz der 3. Teilfrage zu:

3) Welche Bedeutung hat das Verklärungsereignis für die drei auserwählten Apostel?

Die Antwort ist hier schwer zu geben, weil nach dem Bericht der Schrift die Apostel sich bei dem Ereignis selbst recht menschlich, allzu menschlich (sie schlafen und Petrus redet verworren) benehmen, und weil sie nachher auf dem Ölberg und beim Leiden Jesu nur versagen: in der Todesangst Jesu schlafen sie, bei der Gefangennahme fliehen sie, und Petrus verrät seinen Meister. Nur Johannes steht schließlich unter dem Kreuz, vielleicht mehr durch das Mitleid mit Jesu Mutter geleitet, als durch die Liebe zum Gekreuzigten. Erst das Kommen des Pfingstgeistes verwandelt auch sie. – Das Verklärungsereignis scheint sie noch nicht gestärkt oder gar verwandelt zu haben. – Vielleicht haben dann doch jene Väter recht, welche die Bedeutung der Verklärung Jesu für die erwählten Apostel vor allem in ihrem späteren »Zeugnis für diese Verklärung« sehen, einem Zeugnis, das allen kommenden Zeiten den »Sinn von Verklärung« (mehr als die Erscheinungen des Auferstandenen) vor Augen führt, von Verklärung, die im religiösen Leben des Christen auf Erden eine »innere Vorstellung« bleibt, wenn nicht gnadenhafte, visionäre Schau (vgl. Apg 7,56) das sinnenhafte Bild hinzufügt. – Größer als für die Apostel ist also die Bedeutung der ›Verklärungsvorstellung‹ wohl für das Leben des Christen mit Christus in dieser Welt, von dem nunmehr die Rede sein soll.

[79] Vgl. O. Karrer, Gott in uns: Die Mystik der Neuzeit (Nachdruck der Ausgabe München 1926), München 1978, 167–179.

III. Die Bedeutung des Verklärungsereignisses für unsere christliche Existenz in dieser Welt

Lassen Sie mich, ehe wir diesen Gedankenkreis entfalten, noch einmal eine allgemeine Feststellung vorausschicken. Wie wir eingangs gesehen haben, kommt dem Verklärungsereignis auf dem Tabor (ähnlich wie der Taufe Jesu im Jordan: Epiphaniefest!) nicht nur im Festkalender der Ostkirche, sondern irgendwie in ihrer ganzen Theologie eine ausgezeichnete Bedeutung zu. Ich möchte mit wenigen Strichen dies anhand von vier Monographien vorstellen[80].

Allgemein läßt sich sagen: Es sind zwei recht verschiedene Denkweisen (apophatisch in Bildern im Osten und kataphatisch in Kategorien im Westen), die die verschiedenen Weltbilder in der Theologie des Ostens (mystisch-gnostisch) und des Westens (logisch-historisch-kritisch) bedingen, obgleich beide Theologien dieselbe Offenbarung des Geheimnisses (Trinität) durch die Menschwerdung des Logos in der Kraft des göttlichen Geistes zeigen: – a) Im ostkirchlichen Denken blieb bis heute die heilige, unbegreifliche und unaussprechliche Trinität das lebendige Zentralgeheimnis (als lebendige Wirklichkeit) der Theologie. In der westkirchlichen Scholastik (12. Jh.) wurde dieses Glaubensgeheimnis immer mehr zu einem Gegenstand kritischen Denkens und seit der Reformation wurde dieses Geheimnis durch eine neue Christozentrik in den Hintergrund gedrängt. – b) In der Ostkirche wurde das Mysterium ›Christus‹, vor allem seit den Schriften des Ps. Dionysius von Kenosis und Doxa her, die sich im Christenleben als Askesis und Ekstasis auswirkten, gesehen. In der Westkirche suchte man dieses Grundgeheimnis der Heilsgeschichte mehr von der Zweinaturenlehre her zu erhellen, bis in unserer Zeit eine Christologie von oben und von unten daraus wurde. – c) Besonders deutlich wird der Unterschied in der Rede von dem, was die Kluft zwischen Schöpfer und Geschöpf, zwischen Sünde und Heiligkeit im christlichen Weltverständnis überbrückt: in der Lehre von der Gna-

[80] Vgl. G. Wunderle, Wesenszüge der byzantinischen Mystik, aufgezeigt an Symeon dem Jüngeren, dem Theologen (949–1022), in: Ders., Der christliche Osten. Geist und Gestalt, Regensburg 1939, 120–150; H. Biedermann, Das Menschenbild bei Symeon dem Jüngeren, dem Theologen (949–1022), Würzburg 1949; V. Lossky, Essai sur la théologie mystique de l'Église d'Orient, Paris 1944, bes. Économie du fils, 131–150; ders., Schau Gottes, Zürch 1964, bes. die Lehre des Erzbischofs Gregor Palamas (1296–1359), 121–133.

de. Wo der Osten hier von der Mitteilung von ungeschaffenen Energien in Gott an den Menschen spricht (die nicht identisch sind mit der Wesenheit Gottes), da redet der Westen, wiederum seit der Scholastik, von einer von Gott geschaffenen ›übernatürlichen‹ Qualität in der Seele des Menschen. ›Hyperphyes‹ bedeutet so im Osten ›ungeschaffen‹ = nicht geworden, den Personen in Gott (Prosopon) zugehörig, während es im Westen den Sinn von ›geschaffene Qualität, aber höher als die menschliche Natur‹ hat. In beiden Fällen soll die wahre »Gotteskindschaft« als Vereinigung mit Gott ebenso wie die absolute Unbegreiflichkeit Gottes festgehalten werden. – d) Die ›Gottesschau‹, wie sie im Ereignis der Verklärung Christi angedeutet ist, gehört so nach östlichem Verständnis schon in das Leben des Christen in dieser Welt herein (Ps 35, 10: Denn bei dir ist des Lebens Quell, in deinem Licht schauen wir das Licht), während sie im Verständnis des Westens Grund für die besondere Seligkeit im Himmel ist (1 Petr 3, 20f).
Zwei kleine Texte mögen das Gesagte verdeutlichen: Der erste Text stammt von Symeon, dem Neuen Theologen: »Wie soll ich mich, vereint mit ihm (Christus) benennen? Zu einem Gott hat er in zwei Naturen mich gemacht und eins in der Person, zu einem Doppelwesen, und wie du siehst gab er dazu mir einen Doppelnamen. Schau den Unterschied: Mensch bin ich von Natur und Gott durch Gnade. Siehe, welche Gnade ich hier meine: daß ich nach Sinn und Einsicht, Geist und Wesen, ihm vereinigt bin.«[81] »Auch du mußt, so wie Christus, himmlisch sein. Wenn Du nicht also bist, wie wirst du da dich einen Christen nennen dürfen? Wenn nämlich, wie der Herr himmlisch ist, so auch nach seinen Worten, jene sind, die an ihn glauben.«[82] – Der Weg dazu ist Einsamkeit, Gebet und Opfer. Es geht um die persönliche Heiligkeit des einzelnen. Anders das westliche Denken, das mehr um die missionarische Kirche kreist, wie der kurze Text des hl. Augustinus aus seiner Predigt zum Verklärungsfest zeigt. Er weist zuerst auf 1 Kor 13, 5 (4–13: Liebe sucht nicht das Ihrige) und 10, 24 (Keiner suche seinen Nutzen, sondern den des anderen) hin, und fährt fort: »Das hat Petrus noch nicht verstanden, als er nur danach verlangte, mit Christus auf dem Berg sein Lebtag zu bleiben (vive-

[81] Hymnus 21 nach der Übersetzung von K. Kirchhoff, Symeon. Le Nouveau Théologien. Hymnen. Licht im Licht, München ²1951, 139.
[82] Hymnus 31, ebd., 209.

re)«, und er läßt Christus zu Petrus sagen: »Steige hinab vom Berg, um dich zu plagen auf der Welt, anderen zu dienen, Verachtung und Kreuz zu tragen! Das Leben selbst ist auf die Welt gekommen, um getötet zu werden; das (lebendige) Brot ist auf die Erde hinabgestiegen, um zu hungern, der Weg ist Mensch geworden, um unterwegs zu ermüden; die Quelle ist vom Himmel herabgestiegen, um Durst zu leiden! Und du scheust vor Mühe und Leid zurück? Suche nicht dich und das deine, laß dich von der Liebe leiten und verkünde laut die Wahrheit! Dann wirst du zum ewigen Leben gelangen und dich in Sicherheit finden!«[83] Gewiß, in diesen Texten sind ein Mönch und ein Bischof mit ihrem kirchlichen Weltbild gegenübergestellt. Doch diese Gegenüberstellung charakterisiert auch in etwa die Verschiedenheit im Geist dieser beiden Kirchen.[84]
Doch wenden wir uns nach diesen Vorüberlegungen der Beantwortung unserer Frage zu: Was bedeutet das Verklärungsereignis für unsere christliche Existenz heute? –

1) Das erste ist: Dieses Ereignis, wo Christus in Herrlichkeit erscheint und zugleich über sein kommendes Leiden spricht, und zugleich mit ihm Moses, der das alte Gottesvolk im Auftrag und in der Kraft Gottes organisiert, und Elias, der in den schlimmsten Zeiten der Versuchung in diesem Gottesvolk den tragenden Jahweglauben mit Wort und Schwert verteidigt, verklärt, d. h. als der Herrlichkeit Christi teilhaftige Menschen erscheinen, – dieses Ereignis will uns nicht mit Worten lehren, sondern sichtbar erleben lassen (Botschaft der Bilder!), daß auch in unserem Leben als Christen wie im Leben Christi selber vor der Auferstehung der Kreuzestod, *vor der Verherrlichung die Erniedrigung* und das Leiden stehen. – »Wenn wir nämlich mit der Gestalt seines Todes (in der Taufe) vereinigt worden sind, dann werden wir es auch mit der Gestalt seiner Auferstehung sein« (Rö 6,5). – »Christus will ich erkennen und die Macht seiner Auferstehung und die Gemeinschaft mit seinem Leiden! Sein Tod soll mich prägen! So hoffe ich auch zur Auferstehung von den Toten zu gelangen« (Phil 3,10f). – »Denn ihr seid gestorben (dem alten Menschen in der Taufe) und euer neues Leben ist mit Christus verborgen in Gott. Wenn Christus, unser Leben, offenbar wird, dann

[83] Serm. 78 (PL 38, 490–493).
[84] Vgl. dazu das Märchen vom Nikolaus und Vladimir, die am Tor des Himmels ankommen!

werdet auch ihr mit ihm offenbar werden in Herrlichkeit. Darum legt ab, was irdisch an euch ist!« (Kol 3,3ff). – Alles, was Paulus hier (Kol 3, 1–17; ähnlich Eph 4,17–24) über das christliche Leben sagt, will nicht nur moralische Belehrung oder Mahnung sein: es will Beschreibung einer Wirklichkeit sein, deren wir als Christen in Christus bereits teilhaftig sind, auch wenn sie noch verborgen ist und erst in unserem Kommen zum verklärten Herrn oder im Kommen des verklärten Christus zu uns offenbar wird. »Ihr seid in der Wahrheit unterrichtet, die Jesus selber ist« (vgl. Eph 4, 21.17–25).

2) Was wir oben über die paulinische Christusmystik gesagt haben, ist grundlegend für alles, was uns in der Hl. Schrift über den Zusammenhang von Tod und Auferstehung, von Leid und Verklärung gesagt wird, angefangen beim vierten Knecht-Gotteslied (Jes 52,13–53,12), das schon die Urgemeinde oder Christus selbst auf den Messias angewendet hat. Christus ist nicht nur unser »Vorbild«, er ist das Haupt des Leibes, dessen Glieder wir sind, aus dem uns alle Kraft kommt im Kämpfen und Leiden unseres Lebens (vgl. 1 Kor 12, 12–30), er ist der Weinstock, von dem wir als Rebzweige leben (Jo 15, 1–8). – »Wenn einer *in Christus* ist, ist er *eine neue Schöpfung* ... Gott hat ihn (Christus), der die Sünde nicht kannte, für uns zur Sünde gemacht, damit wir in ihm Gerechtigkeit Gottes werden« (2 Kor 5, 17.21; vgl. Gal 6, 15). »Ich will mich allein des Kreuzes unseres Herrn Jesus Christus rühmen, durch das mir die Welt gekreuzigt ist, und ich der Welt gekreuzigt bin« (Gal 6, 14). »Nicht ich lebe, Christus lebt in mir« (Gal 2, 19). Und die Folgerung daraus: »Gott hat uns mit Christus auferweckt und uns mit ihm einen Platz im Himmel gegeben ... Gottes Geschöpfe sind wir, in Christus Jesus dazu (neu) geschaffen, in unserem Leben die guten Werke zu tun, die Gott im voraus für uns bereitet hat« (Eph 2, 7.10). Das ist die Wirklichkeit der Heilsmysterien Christi und ihre Bedeutung für unsere christliche Existenz. – Glauben wir das? Leben wir aus diesem Glauben? – »Aus Gnade seid ihr durch den Glauben gerettet, nicht aus eigener Kraft, sondern Gott hat es geschenkt« (Eph 2, 8). Nicht das Geheimnis selbst (fides quae), unser Glaube (fides qua) ist zur Diskussion gestellt vor den Christusmysterien, ganz besonders vor diesem Mysterium der Verklärung auf Tabor.

3) Dieser *Glaube* kann nicht leben ohne die *Hoffnung!* »Glaube heißt festhalten an dem, was man noch erhofft, Glaube gibt den Be-

weis für die Dinge, die man nicht sieht, in die Hand.« (Hebr 11,1). – Das ist der Glaube unseres Stammvaters im Glauben, der Glaube ›Abrahams‹: »Gegen alle (menschliche) Hoffnung hat er der (göttlichen) Hoffnung vertraut« (Rö 4, 18). Dies ist »das Geheimnis, das seit ewigen Zeiten und Generationen verborgen war, jetzt aber den Heiligen geoffenbart wurde: Christus in euch (als Kirche) (ist) die Hoffnung auf Herrlichkeit« (Kol 1, 27). »Er wird unseren armseligen Leib verwandeln in die Gestalt seines verherrlichten Leibes nach seiner Macht, mit der er sich alles unterwerfen kann« (Phil 3, 21). – So mahnt Petrus die Presbyter als Mitpresbyter, »der als Zeuge der Leiden Christi auch an der Herrlichkeit, die sich offenbaren soll, teilhaben wird« (doxes koinonos), gute, selbstlose, treue, eifrige Priester zu sein (1 Petr 5, 1–11). – »Diese Hoffnung (des Christen) wird nicht zuschanden werden, denn *die Liebe Gottes* ist ausgegossen in unsere Herzen durch den Hl. Geist, der uns gegeben ist« (Rö 5, 5). »Bleibet niemand etwas schuldig, es sei denn die gegenseitige Liebe (die christliche Lebensaufgabe bis zum Sterben bleibt); denn wer den Nächsten liebt, erfüllt (pepläroken) das Gesetz ... Des Gesetzes volle Erfüllung ist also die Liebe« (Rö 13, 8.10). – Der Heilige Geist, der Geist der Liebe, verwirklicht, personalisiert, verinnerlicht das »Leben in Christus« in uns. So muß wieder am Ende dieser Überlegungen stehen: Christliches Leben ist Leben aus dem Dreifaltigen Gott: dem Vater, dem Sohn und dem Hl. Geist, deren Sohn, Bruder und Braut wir geworden sind durch die Taufe, vollendet in der Firmung, Lebensvollzug werdend in der hl. Eucharistie; auf dessen Anruf, Heimsuchung und Einwohnung unsere Seele antwortet in Glauben, Hoffnung und Liebe, befähigt durch die Erschaffung als »Ebenbild Gottes«, des Dreieinigen (Gn 1, 26). – »Als die Zeit erfüllt war, sandte Gott seinen Sohn ..., damit wir das Recht der Sohnschaft (in ihm) erlangten. Weil ihr aber Söhne seid, sandte Gott den Geist seines Sohnes in unsere Herzen, der laut ruft (Rö 8, 26: mit unaussprechlichen Seufzern): Abba, Vater!« (Gal 4, 4–6). Hier in der Wahrheit und Wirklichkeit des Heiligen Geistes, in seinem »Einwohnen in unseren Herzen« muß der große christliche Geist der ostkirchlichen und westkirchlichen Theologie den Ort erkennen und erfassen, an dem sie eins sind im »Leben aus Christus« und darum eins werden können und müssen als »die Kirche Christi«[85]. – Doch wenden wir uns der

[85] Vgl. Y. Congar, Der Heilige Geist, Freiburg 1982, 99–118; 29–73.

nächsten Frage zu. Wir müssen ja im Reden ein Ende finden, schweigen lernen, wo es nicht auf das Reden, sondern auf das Handeln im Leben ankommt.

IV. Was bedeutet das Verklärungsereignis auf dem Tabor für unser christliches Verständnis von Welt und Kosmos?

Wir leben in dieser Welt und von dieser Welt, und nach dem Reden der Offenbarungsschriften ist das Schicksal des Kosmos an das Schicksal der Menschen geknüpft (Röm 8,21f) und umgekehrt (Gen 1, 28–30). So soll eine kurze Überlegung der oben genannten Frage gewidmet sein, ehe wir die Bedeutung des Verklärungsereignisses für die Kirche untersuchen.

1) Zunächst seien ein paar Bemerkungen zu dem großen exegetischen Werk von Anton Vögtle zu diesem Thema erlaubt. Vögtle kommt in seinem Werk »Das NT und die Zukunft des Kosmos« am Schluß zu dem Resultat: »Die Frage nach der relativen und absoluten Zukunft des Kosmos kann der Exeget mit gutem Gewissen dem Naturwissenschaftler überlassen ... Im Zentrum der alten Heilsbotschaft steht das auf die Zukunft ausgerichtete Heilshandeln Gottes am Menschen und damit die endzeitliche Heilsgemeinde ... Der Begriff Kosmos kann bei Paulus ohne weiteres mit personalen bzw. anthropologischen Begriffen wechseln«[86]. Er beruft sich dafür auf Jo 3, 16: »... denn dazu hat Gott seinen Sohn in die Welt gesandt, nicht daß er die Welt richte, sondern daß die Welt durch ihn gerettet werde.« – Demgemäß legt er auch die apokalyptischen Texte Mk 13, 24 (Himmel und Erde), Hebr 12, 26f (jetziger und kommender Äon) wie die Schlußvision Apk 20, 11–15; 21, 1ff sowie 2 Petr 3, 1–23 aus. Aber auch Aussagen über den außermenschlichen Kosmos, wie den »Weltuntergang im Brand« oder die Reden vom »neuen Geschöpf« (Gal 6, 15; 2 Kor 5, 17) und vom »neuen Himmel und der neuen Erde« (2 Petr 3, 13; Apk 21, 1), werden in diesem Sinne ausgelegt, oder er sagt: »So gut wie sicher geht keine der beiden Wendungen« (Wiedergeburt: Mt 19, 28; Ende der Welt: Mt 24, 3; 28, 20) »auf Jesus zurück. Sie kommen also nur als Zeugnisse matthäischer bzw. urchrist-

[86] Düsseldorf 1970, 233.

licher Enderwartung in Betracht«[87] und setzt sich, wie oft, mit der entgegenstehenden Meinung Schnackenburgs auseinander. –

2) Ich kann hier nicht die Einzelexegesen vorführen. Zum Ganzen möchte ich sagen:
a) Die auf den außermenschlichen Kosmos bezogenen Schriftaussagen nur als »jüdischen Topos, verbunden mit stoisch-helleneistischen Allformeln« zu erklären, wird den Texten nicht gerecht.
b) Der eingangs erwähnte Verweis auf die Naturwissenschaften als zuständiger Instanz für die rechte Antwort geht fehl: die empirischen Naturwissenschaften haben zu dieser Frage nichts zu sagen. Sie können nur von der Astronomie und der Evolutionslehre her ›Hypothesen‹ aufstellen[88]. Mit Recht sagt wohl Hedwig Conrad Martius in ihrem Beitrag über eine »künftige Kosmologie«, daß es eine gleichberechtigte zweifache Betrachtung der Welt geben werde, »das Wesen dieser Welt in faktisch physischer Sicht und das Wesen dieser Welt in faktisch metaphysischer Sicht«[89].
c) Beherzigenswert scheint mir in den Ausführungen von Vögtle der Hinweis auf Rö 8, 19.22 und Kol 1, 15–20, wo er herausstellt, welche Bedeutung das personale und damit heilsgeschichtliche Denken für die Bibel, bes. das NT hat[90]. »Die Schöpfung (ktisis = Kosmos und Menschen) ist der Vergänglichkeit unterworfen, nicht aus eigenem Willen, sondern durch den, der sie unterworfen hat (der Schöpfer), mit der Hoffnung, daß auch eben diese Schöpfung (ktisis = Kosmos) von der Knechtschaft der Vergänglichkeit befreit werden soll zur Freiheit der Herrlichkeit (eis ten eleuthärian täs doxäs) der Kinder Gottes.« (Rö 8, 20ff) –
d) Doch wie schon der kurze Römerbrieftext zeigt, geht es nicht an, Mensch und Kosmos zu trennen, wie es Vögtle tut. Die Anthropologie (Mensch als personaler Geist in Leib) wie die Christologie (logos sarx egeneto Jo 1, 16) verbieten das, wie Leo Scheffczyk mehrfach

[87] Ebd., 151.
[88] Vgl. Z. Bucher, Natur-Materie-Kosmos. Eine allgemeine Naturphilosophie, St. Ottilien 1982; P. von der Osten-Sacken, Die neue Kosmologie. Astronomie auf der Suche nach der Wirklichkeit unserer Welt, Düsseldorf 1976; B. Philberth/K. Philberth, Das All. Physik des Kosmos, Stein am Rhein 1982.
[89] Schriften zur Philosophie II, München 1964, 380ff.
[90] Vgl. a. a. O. 183–232.

dargetan hat[91]. Vor allem in seiner Monographie zur Auferstehungslehre, von der jedoch nachher ein eigenes Referat handeln wird, zeigt er, wie in eben diesem Zentralgeheimnis und -ereignis der Heilsgeschichte die göttliche Heilszuwendung zur Welt als Schöpfung, die Verwandlung der materiellen Schöpfung und die Sinnerhellung der ganzen Geschichte verankert sind und erhellt werden[92]. – Genug damit. Werfen wir noch einen kurzen Blick auf den letzten Gedankenkreis unserer Überlegungen und auf die Frage:

V. Welche Bedeutung hat das Verklärungsereignis für unser Kirchenverständnis und unser Leben als ›Kirche‹?

In fünf Bereichen, die zu diesem Fragenkomplex gehören, wollen wir die Antwort auf diese Frage suchen und aufweisen.

1) Kirche als *›Gemeinschaft der Heiligen‹*
Zur Kirche gehört nicht nur, Kirche ist selber im innersten Wesen die Gemeinschaft der Heiligen, das wahre Volk Gottes, d. h. zu ihr gehören alle Menschen, die auf dem Weg zur Erfüllung ihres Wesens durch Gott in der Gemeinschaft mit Christus im ewigen Geiste Gottes sind, oder dieses Ziel schon erreicht haben. Der Mensch mit Leib und Geistseele und als einmalig-personales Wesen soll einmal teilhaben an der »Herrlichkeit Gottes«. – »Durch ihn (Christus) haben wir den Zugang zur Gnade erhalten, in der wir stehen (in dieser Welt) und rühmen uns der Hoffnung, mit der wir der Herrlichkeit Gottes entgegengehen« (Rö 5, 2). – Wenn wir fragen, welche menschliche Vorstellung wir von der »Verklärung des Leibes« haben, die nichts anderes als die Teilhabe an der verklärten Leiblichkeit Gottes in Christus ist (vgl. Kol 2, 9), müssen wir gestehen, daß wir außer den Bildern, die uns eben durch die Berichte von der Verklärung Jesu auf Tabor und durch atle Paradigmata dazu gegeben sind, eigentlich nur Worte und Begriffe aus der neuplatonischen Philosophie verwenden (vgl. 1 Kor 15, 42–44), wie sie durch Origenes und Gregor v. Nyssa und besonders durch Ps. Dionysius in unsere Theologie hineinge-

[91] Vgl. oben genannte Literatur!
[92] Vgl. Auferstehung. Prinzip christlichen Glaubens, Einsiedeln 1976, 217–252.

kommen sind. Diese neuplatonischen Begriffe[93] können uns vieles in Hinsicht auf unsere menschliche Leiblichkeit und auf unser geistig-seelisches Leben geben (vgl. 1 Jo 3, 2: wir werden ihn schauen wie er ist). Das Entscheidende freilich für unser personales Wesen kann nur noch im christlichen »Geheimnis der Liebe« ausgesagt werden. – »Die Seligen werden Gott lieben, mehr als sich selbst, und einander wie sich selbst, und Gott wird sie mehr lieben, als sie sich selbst lieben; denn sie werden ihn und sich selbst und einander durch ihn – und er sich und sie durch sich selbst lieben«[94]. Im Liebesgeheimnis, das der Dreifaltige Gott selber ist, ist also die Seligkeit der Seligen aufgehoben. – »Jetzt schauen wir wie in einem Spiegel und sehen nur rätselhafte Umrisse, dann aber schauen wir von Angesicht zu Angesicht. Jetzt erkenne ich unvollkommen, dann aber werde ich ganz erkennen, so wie ich ganz erkannt bin (werde ganz lieben, wie ich ganz geliebt bin – von Gott)« (1 Kor 13, 12).

2) *Das eucharistische Wandlungsgeheimnis*

Das geheimnisvolle Geschehen, durch das Christus unter den sakramentalen Zeichen von Brot und Wein durch das im Auftrag Christi gesprochene Wort gegenwärtig wird und sich uns schenkt, wird schon von Justin »Verwandlung« (metabolä) genannt, ein Geschehen, das auch uns verwandeln möchte, wenn wir uns verwandeln lassen[95]. Gregor v. Nyssa spricht von einem »Umschaffen«[96] und einer »elementaren Umwandlung«[97], so wie unsere westliche Theologie seit dem frühen 13. Jh. von einer »substantialen Wandlung«[98] spricht. – Irenäus nennt denselben Vorgang im Anschluß an Jo 1, 16 (Fleischwerdung des Wortes) einfach ein »Werden« (gignesthai). – Der katholische Glaubensrealismus wird hier im Ernstnehmen von Brot und Wein ebenso wie im Ernstnehmen der Verwandlung in Leib und Blut Christi wie im Ernstnehmen der verwandelnden Wirkung für den, der gemäß der Aufforderung Christi zum Essen und Trinken

[93] In ihrer besonderen Tiefe uns vorgestellt etwa bei Plotin, En. VII, 1 über das erste Gut und die Glückseligkeit, und En. VII, 3 über die Schau.

[94] Anselm v. Canterbury, Prosl. c 25.

[95] Justin, 1. Apol. c 66 (PG 6, 428f); vgl. auch Kyrill v. Jer., Cat. myst. V, 7 (PG 33, 1113ff): Weinwunder von Kana!

[96] metapoiein: Or. Cat. c 37 (PG 45, 94–98).

[97] metastoicheiosis: Adv. Apol 25 (PG 45, 1177f).

[98] transsubstantiatio: Thomas v. Aquin, S Th III qq 75–77.

handelt, – und das alles wird so ernst genommen wie das »Logos sarx egeneto« – besonders deutlich. Das Ereignis auf dem Tabor wollte diese Wirklichkeiten für unsere Sinne etwas faßbar machen. – Von diesem eucharistischen Mysterium lebt die Kirche in ihrem immerwährenden Opfer, das sie im Auftrag des Herrn vollzieht (– tut dies zu meinem Gedächtnis –), und in dem uns das Mahl (Opfermahl!) bereitet wird. – Wie natürliche Speise vom Menschen in seine körperliche Natur umgewandelt wird, so will die göttliche Speise den Essenden zu einem Leben im Geiste dessen (des verklärten Herrn) bringen, der sich uns in dieser Speise ganz schenkt, damit auch wir uns ganz ihm schenken (Franz v. Assisi: an die Priester seines Ordens).

3) Das *Neue Jerusalem*

Schon der Schreiber der Geheimen Offenbarung hat die Kirche in ihrer Erfüllung bei Gott im apokalyptischen Bild des »Neuen Jerusalem« geschaut (Apk 21,9–22,5: Epistel zum Kirchweihfest!), der »Stadt, die von Gott her aus dem Himmel herabstieg in der Herrlichkeit Gottes«. Die Stilmittel, mit denen Johannes das wunderbare Geheimnis dieser »Gottesstadt« beschreibt, stammen aus der Apokalyptik. Die Zahl Zwölf (10 mal) (12 = 3 x 4 = göttliche irdische Zahl) bestimmt alle Maße und Wirklichkeiten. Und Gott und das Lamm in ihrer Herrlichkeit sind Tempel und Licht (Sonne und Mond) dieser Stadt. Am Strome des Lebens, der unter dem Throne Gottes und des Lammes hervorquillt, steht der Baum des Lebens (den Strom überspannend), der zwölfmal im Jahre Früchte trägt ..., »und sie werden herrschen (mit ihm) in Ewigkeit«. Das ist die Erfüllung der Verheißung: »Siehe, ich mache alles neu« (21, 5) für die Kirche, die »Braut des Lammes«. – Was bei der Verklärung auf Tabor im Glanz auf dem Angesicht des Herrn und im Leuchten der Kleider seinen Ausdruck fand, wird hier im neuen Jerusalem durch den Glanz von Glas und Gold und Perlen und durch die Farbenpracht der zwölf mit Namen genannten Edelsteine, welche die zwölf Grundsteine der Stadt schmücken, für unsere Sinne sichtbar. Das Wort Gottes des Vaters auf Tabor findet seine Antwort in den Hymnen der Engel und Heiligen, der vier Tiere und der zwölf Ältesten vor dem allmächtigen Gott und dem Lamm (Apk 4 und 5 und 7).

4) *Maria Assumpta*

Wir können diesen Gedankenkreis nicht abschließen, ohne nicht auch auf Maria, die verklärte Mutter des Herrn und die ›Mutter der

Kirche‹ zu schauen. Die griechischen Väter bauen bereits auf (legendären) Transitus Mariae Erzählungen ihre Verkündigung von der Aufnahme Mariae in den Himmel auf (Modestus v. Jerusalem, Germanus v. Konstantinopel – seit etwa 700); die Westkirche geht mehr den Weg der Konvenienzgründe aus der Würde der Gottesmutterschaft[99]. Im 12. Jh. erscheinen die ersten Bilder (Buchmalerei), die Jesus und Maria als Braut und Bräutigam, gemeinsam auf einem Thron sitzend, darstellen (vgl. Apk 21, 2; Ps 44, 10). Seit 1220 gibt es Darstellungen, auf denen Christus seiner Mutter die Königskrone (der Herrlichkeit) aufs Haupt setzt; seit Ende des 14. Jh. vollzieht diese Krönung die durch drei gleichaltrige Könige dargestellte Dreifaltigkeit[100]. Die Ostkirche kennt die Trennung zwischen Aufnahme und Krönung Mariens nicht. Durch beide Titel soll, je nach der besonderen Denkweise der Kirchen, zum Ausdruck gebracht werden, daß Maria als die einmalige Auserwählte und Begnadigte auch in einmaliger Weise an der »Herrlichkeit Jesu Christi, ihres Sohnes« Anteil hat. Michelangelo läßt darum (wie andere nach ihm) in seiner Darstellung des Jüngsten Gerichtes Maria (als die besondere Fürsprecherin beim Sohn) innerhalb der Mandorla des Weltenrichters Platz finden. – An der Person Mariens wird so sichtbar gemacht, was der Seher der Geheimen Offenbarung im Bild vom Neuen Jerusalem als der Braut des Lammes geschaut hat: die Teilhabe des auserwählten Geschöpfes (Maria-Kirche) an der Herrlichkeit Jesu Christi, die die Herrlichkeit Gottes ist in der ewigen Erfüllung der Schöpfung beim Schöpfergott.

5) *»Damit Gott alles in allem sei«* (1 Kor 15, 28)
Den Abschluß aller christlichen Betrachtung über die ›Herrlichkeit Gottes‹ die in Christus aufgeschienen und durch ihn auch die in Christus erlösten Menschen ergriff, muß wohl eine kurze Besinnung auf das Wort des hl. Paulus im 1. Korintherbrief sein: »Wenn ihm (Christus) dann alles unterworfen sein wird, wird auch er, der Sohn (ho hyios) sich dem unterwerfen (dem Vater-Gott), der ihm alles unterworfen hat, damit Gott (der Drei-einige) alles in allem sei.« Wie soll das verstanden werden, wenn Christus das Haupt der Kirche ist und die Kirche sein mystischer Leib? Kann das »Fleisch der Sünde« (Rö 8, 3), das Fleisch des Sohnes ward (Jo 1, 16), so in Gott eingehen, daß

[99] Vgl. LThK X (^{2}1965) 307f.
[100] Vgl. LCI II (1970) 671–676.

»Gott alles in allem« ist? – Augustinus hat uns zu diesem Satz eine tiefe Besinnung geschenkt[101]. Wir können den Grundgedanken etwa so fassen: Ist das Geheimnis der Menschwerdung darin zu sehen, daß der Logos ganz in dem Dreifaltigen Gott geblieben ist, als er ganz Mensch wurde, so ist das Geheimnis der eschatologischen Selbstunterwerfung »des Sohnes«, der nun »Gott-Mensch« ist, hinein in den Dreifaltigen Gott, darin zu sehen, daß er trotzdem ganz unser leibhaftiger Bruder bleibt in der Wirklichkeit des Mysteriums der ›Hypostatischen Union‹. – Zur Deutung dieser Wahrheit mag uns Eph 1, 22 f verhelfen, wo Paulus schreibt: »Ihn (Christus) hat er zum Haupt gegeben über die Kirche ganz und gar; diese ist sein Leib, die Fülle dessen, der alles in allem erfüllt.« In Civ. Dei XXII c 18, wo Augustinus seine Eschatologie behandelt, zieht er zur Darstellung der Erfüllung der Menschen bei Gott Eph 4, 7–14 heran, wo Paulus u. a. sagt: »Der herabstieg, ist derselbe, der auch hinauffuhr über alle Himmel, damit er alles erfülle« (Christus), und wo er als Ziel der erwählten Menschen angibt »bis wir gelangen zur Einheit des Glaubens und der Erkenntnis des Sohnes Gottes, zum Altersmaß der Fülle Christi. »Wie nämlich das Maß der einzelnen Glieder, so ist das Maß des ganzen Leibes, der ja aus einzelnen Gliedern besteht«, sagt hier Augustinus[102]. – Wie geschieht dann unsere Teilhabe an »der Fülle Christi« d. h. an seiner Existenz in Herrlichkeit? Wir werden wieder zurückgreifen müssen auf das Geheimnis der Hypostatischen Union und dürfen sagen: Wie dieses Geheimnis in der ›Person‹ Christi seinen Ursprung und seine Mitte hat, so wird uns unsere Teilhabe an der Herrlichkeit des ›Sohnes‹ durch die ›Person des Sohnes‹ zuteil, an dem wir teilhaben wie die Glieder an der Ganzheit des Leibes, dessen Haupt Christus ist. – Weil in Gott aber alles ›personaler Geist‹ ist, wird auch diese unsere Teilhabe wohl nicht anders verstanden werden können denn als Teilhabe »durch Schau und Liebe«, dem einzigen Weg, wie Person Person erfassen kann, Person und Person eins werden können. Und was ist zur Verklärung unseres Leibes zu sagen? »Kein Auge hat es gesehen und kein Ohr hat es gehört und in keines Menschen Herz ist es gedrungen, was Gott denen bereitet, die ihn lieben« (1 Kor 2, 9; vgl. Jes 64, 3; 52, 15).

[101] Vgl. De Trin. I c 10: KKD VIII (1983) 404–406.
[102] Vgl. H. Schell, Das Wirken des Dreieinigen Gottes, Mainz 1885, 610–615.

Die Stellvertretung am Kreuz als Ermöglichung menschlicher Sühne

von Kurt Krenn, Regensburg

Der sogenannte Zeitgeist scheint für unsere Thematik nunmehr günstig zu sein. Noch ist es nicht lange her, daß man an das vom Menschen machbare Unendliche glaubte; mit Faszination verfolgte man die Linien des Wachstums und des Fortschritts. Diese Linien des Wachstums und des Fortschritts schienen in den steilen Himmel zu weisen, und kaum einer wagte es, den Sinn solcher Maßlosigkeit in Zweifel zu ziehen oder gar deren innere Gefahren zu behaupten oder abzuwenden. Nunmehr scheinen wir mit einem Schlag um vieles klüger zu sein.

I. Ausgang von der Zeitsituation

Heute liegt es in der Einsicht vieler Menschen, daß sich die vom Menschen und seiner Technik gemachten Dinge schließlich gegen den Menschen selbst wieder kehren und ihn schließlich zerstören.[1] War es zuerst das lineare Unendliche, das die Menschen faszinierte und das Lebensgefühl prägte, so ist es heute das stabile Organische, dessen Bestehen und Wohl sich die Menschen unterordnen. In einer neuen Bedeutung ist der Begriff »Natur« und »Umwelt« aufgetaucht. Natur ist für die Menschen nun nicht mehr jenes Buch, das in mathematischen Lettern, in Kreisen, Dreiecken und anderen geometrischen Figuren geschrieben ist. Natur verstehen nun die Menschen als etwas Bergendes und Lebenserhaltendes. Vorsicht, Behutsamkeit, Übersicht, Einfügsamkeit und Verantwortung sind nun die neuen Verhaltensweisen gegenüber der Natur, deren Geheimnisse und Sinn einst nur in der Mathematik erschließbar schienen.
Zeitgeist und heutiges Lebensgefühl scheinen die Menschen bereits dazu zu verpflichten, daß jeder alles in ein Zusammenhängendes, Gemeinsames, Organisches, Lebendiges einbringt und darin verant-

[1] Vgl. Redemptor hominis, Nr. 15.

wortet. Man hat sich an das Leitbild vom »Raumschiff Erde« gewöhnt; niemand kann aus diesem Raumschiff aussteigen; keine Tat, keine Leistung, keine Erfindung, keine Wahl, kein Fehler und kein Irrtum geschehen heute privat und bloß individuell. Alles hat zu allem Beziehung, alles und jedes steht zu allem und zu jedem in einem verwirrenden Gefüge von Konsequenzen, von Schaden und Nutzen, von Krieg und Frieden, von Überleben und Untergang. Das Wort »Solidarität« trägt trotz seiner vielen Verwendungen und Bedeutungen immer auch den Grundsinn dafür, daß alles in den Zusammenhang des Gemeinwohls und der Menschenwürdigkeit einzubringen und auch dort zu verantworten ist. In den früheren Jahrhunderten bis herauf in unsere Zeit war die Situation in den menschlichen Beziehungen noch anders. In früheren Zeiten schienen die Einsichten und die Irrtümer, die Tugenden und die Laster, die Leistungen und die Fehlleistungen der Menschen an den Grenzen ihrer Staaten, Volksgemeinschaften und Lebensräume ohne weitere Folgen zu versanden. In früheren Zeiten schien so viel leerer Raum zwischen den Menschen zu bestehen, daß die einzelnen konkreten Systeme kaum miteinander zu kommunizieren schienen. So blieben es in früherer Zeit meist nur die religiösen und kulturellen Systeme, die Solidarität und Kommunikation zwischen den Menschen verschiedener Völker, Staaten und Lebensräume herstellten. In diesen Zeiten war das Stehen und Bestehen der Menschen vor der Wirklichkeit Gottes etwas viel Konkreteres und Entscheidenderes, da Glaube und Religion oft als einzige die Sehnsucht der Menschen nach Solidarität und Kommunikation erfüllten.

In unserer Zeit ist nunmehr vieles anders geworden. Der Prozeß der Austauschbarkeit aller Dinge, aller Leistungen, des Wissens, der Erfahrungen, der Lebens- und Sozialordnungen, der Informationen, der Technik und der Entscheidungshilfen wird von Tag zu Tag intensiver und umfassender. Und je austauschbarer die einzelnen Systeme mit gleichen Systemen und, noch mehr, je austauschbarer die einzelnen Systeme mit nichtgleichen Systemen werden, desto mehr entwerfen wir eine Wirklichkeit, die wir unsere »Welt« nennen. Und, wenngleich die Pastoralkonstitution ›Gaudium et Spes‹ des II. Vaticanums niemals einen adäquaten Begriff oder eine umfassende Beschreibung dessen bietet, was mit der »Welt von heute« gemeint ist, scheint doch im Hintergrund dieses Konzildokuments ein Leitbild von »Welt« zu stehen, das vom ständig wachsenden Zustand totaler

Austauschbarkeit menschlicher Wirklichkeiten und von der unbedingten Relevanz jedes Zustandes, jeder Tat und jeder Veränderung für das Totale der »Welt« ausgeht.
Demnach scheinen in unserer Welt die Tage dessen gezählt zu sein, was wir das Private, das Individuelle, das absolut Persönliche, das Unergründbare und das Unsagbare des Menschen nennen. Denn immer mehr wird alles Menschliche in der Rechenschaft der universalen Austauschbarkeit und Beziehungshaftigkeit stehen. Und das Fortschrittsstreben der Menschen wird sich auch damit nicht zufriedengeben. Man wird an eine solche total in Austauschbarkeit stehende Welt auch noch den Maßstab der »Optimierung« anlegen. Was könnte im letzten jenes Optimum sein, das eine total austauschbare Welt der Verhältnisse stabilisiert? Ein solches Optimum bei wachsendem Fortschritt und Können der Menschen kann nur das Prinzip des »Gleichgewichts« sein, das sich immer dringlicher einzustellen hat, je gewaltiger die Leistungen und die Verfügungsmacht der Menschen über die Dinge wird. Und der angstvolle und hektische Duktus der heutigen Friedensdiskussion dürfte im Grund nichts anderes als die Verzweiflung an der Optimierung unserer Welt im »Gleichgewicht« sein.

II. Die Sühnebotschaft

In einer solchen Welt muß heute das christliche und katholische Wort von der »Sühne« ausgesprochen, begreifbar gemacht und verwirklicht werden. Und dieser Beitrag hat, über das Deuten des Kreuzestodes Jesu Christi hinaus, in diesem Kreuzestod die wahre Wirklichkeit unserer, der menschlichen, Sühnemitwirkung zu erspüren und darzulegen. Gott hat Jesus Christus in seinem Blutvergießen, in seinem blutigen Sterben am Kreuz, öffentlich als Sühne aufgerichtet und vor Augen gestellt, als Sühne dargeboten, um seine Gerechtigkeit im Kosmos manifest zu machen.[2] Wie nun kann es von Gott gewollt sein und aus Gottes Wesen geordnet sein, daß auch wir Menschen in Verbindung mit Christus Sühne leisten, daß unsere menschliche Sühne an uns selbst Gnadenvolles wirkt, daß unsere menschliche Sühne auch für andere Menschen hilfreich und gnadenvoll ist,

[2] Vgl. H. Schlier, Der Römerbrief, 111 u. 114.

daß unsere Sühne den Gang der Geschichte ändert und unsere Welt in eine heilvolle Wirklichkeit geleitet, die die Welt nicht sich selbst und nicht aus sich selbst zu geben vermag? Wie können wir das Anliegen der Herz-Jesu-Sühne-Frömmigkeit rechtfertigen, wie zum Beispiel können wir die Botschaft der Mutter Gottes von Fatima in das grundsätzliche Gefüge der Theologie vom Kreuz Christi einfügen?
Es läge sicher weit unter der Wahrheit der Kreuzesbotschaft, wollten wir unsere menschliche Sühnemitwirkung nur als fromme und irrationale Paradigmen einer allgemein notwendigen Solidarisierung der Menschen untereinander gelten lassen. Gerade weil die Welt heute vom Wirklichkeitsgefühl der totalen Austauschbarkeit ausgeht, wird sie verständnislos bleiben gegenüber einer Art von »Sühne«, die ihre Wirklichkeit und Wirksamkeit nicht in einem Leistungsaustausch innerhalb der Systeme oder zwischen den Systemen geltend macht, sondern sich nur vor Gott und in Gottes Ordnung rechtfertigt.
Zunächst möchte es den Schein haben, als wäre die Sühne gleichsam das zeitgemäßeste Verhalten in unserer Welt der immer mehr gesteigerten Austauschbarkeit und Beziehungen. Doch in einer solchen Welt ist hinwiederum kein Platz für etwas, was sich nicht in die Systeme als systemrelevante Leistung einbringt. Die Sühne ist, so wie sie der katholische Glaube versteht, aus zweierlei Perspektive etwas für die Systeme der Welt Fremdes und Nichtbedeutendes: Erstens, die Sühne, sofern sie etwas gutzumachen hat, bemißt sich nicht an den Forderungen der Systeme; so wird Sühne im eigentlichen Sinn nicht soziale Leistung, nicht systemstabilisierender Beitrag und auch nicht systemfördernde Innovation sein. Sühne transzendiert jene Bedeutungen, die ihr aus der Einordnung in die Systeme zuwachsen könnten, und bedeutet zunächst nur das, was die Zuwendung zu Gottes Sein und Handeln an Wirklichkeit gewährt. Zweitens, die Sühne ist etwas dem Selbstvollzug des Systems Entgegengesetztes. Das System strebt von sich aus nach Stabilität, nach Integration, nach Funktionalität, das System rechtfertigt sich durch das funktionierende Gleichgewicht seiner Momente und Beziehungen. Die Sühne hingegen trägt durch und durch das Kennzeichen der »Negativität«: Nicht der kann sühnen, der aus Überfluß gibt; es sühnt vielmehr der, der seiner eigenen Vollständigkeit etwas entzieht. Nicht der kann sühnen, der dabei sein Glück und seine Befriedigung sucht und findet; es sühnt vielmehr der, der sich dem Verzicht, dem Mühsamen und dem Selbstlosen, der Selbstaufgabe und der Entfremdung unter-

wirft. Nicht der sühnt, der selbstbehauptende Selbstverwirklichung sucht; es sühnt der, der gehorsam lebt, gehorsam bis zum Tod. Es sühnt nicht der Glückliche, es sühnt nicht der Starke; es sühnt vielmehr der Leidende und Schwache. Das Werk der Sühne erstreckt sich über den ganzen Bereich der Negativität bis hin vor den Grenzen der Sünde. Und in dieser Negativität der Sühne, die die Sünde ausnimmt, im ganzen Bereich dieser Negativität ist ein durchgehender Grundzug ausmachbar: alles, was Sühne ist, ist mit »Leid« und »Leiden« verknüpft.

Und im Bekenntnis des Neuen Testaments ermessen wir jenen Raum der Sühne, den der Sohn Gottes für uns durchschritten hat: »Wir haben ja nicht einen Hohenpriester, der nicht mit uns leiden könnte in unseren Schwächen, sondern einen, der wie wir in allem versucht worden ist, aber nicht gesündigt hat«[3]. Und wiederum in Jesus Christus wird jenes Nichts, jene Negativität, ausgegrenzt, die alle Niedrigkeiten des Daseins umfaßt und dennoch mit der Wirklichkeit jenes Lebens verbunden ist, das Heimkehr zu Gott ist: »(Christus Jesus) war wie Gott, hielt aber nicht daran fest, Gott gleich zu sein, sondern entäußerte sich, wurde wie ein Sklave und den Menschen gleich. Sein Leben war das eines Menschen; er erniedrigte sich und war gehorsam bis zum Tod, bis zum Tod am Kreuz. Darum hat ihn Gott über alle erhöht und ihm den Namen verliehen, der jeden Namen übertrifft, damit vor dem Namen Jesu alle Mächte im Himmel, auf der Erde und unter der Erde ihre Knie beugen, und jede Zunge bekennt: Herr ist Jesus Christus zur Ehre Gottes, des Vaters«[4].

Die Systeme unserer Welt brauchen Selbstbehauptung und Selbstbestätigung; alles hat sich in ihnen als Kraft und nicht als Schwäche, als Stabilisierung und nicht als Untergang, als integrierend nicht als entbehrend einzubringen. Unsere Systeme verstehen wohl das Gleichgewicht der Kräfte und Gewalten; unsere Systeme können die Schwäche und das Leiden höchstens als eine Strategie der Stärke verstehen. Unsere Systeme sind »ausgefüllte«, sie können nicht als Ausfüllung in sich aufnehmen, was Schwäche und Leiden wäre. Nicht vollziehbar wäre das Wort des Kolosserbriefs: »Jetzt freue ich mich

[3] Hebr 4,15.
[4] Phil 2,6–11.

in den Leiden, die ich für euch ertrage. Für den Leib Christi, die Kirche, erfülle ich in meinem irdischen Leben das Maß seiner Leiden«[5].
Es wäre also ein großes Mißverständnis, wollte man den theologischen Gedanken der Sühne dem heute so gängigen Ideal der allgemeinen Solidarisierung der Menschen untereinander und miteinander zuordnen oder gar unterordnen. Sühne wäre nie das adäquate Mittel innerhalb der menschlichen und weltlichen Systeme. Sühne kann auch nicht einfach wie eine »Ursache« (causa) verstanden werden, die unfehlbar eine von ihr abhängige »Wirkung« (effectus) setzt. Sicherlich läßt sich jene Dimension, in der die stellvertretende Sühne des Erlösers Jesus Christus und die Sühnemitwirkung der Menschen füreinander Wirklichkeit wird, wie ein lebendiger Organismus verstehen, in dem das eine auf das andere wirkt und nichts untereinander unverbunden und beziehungslos bleibt. So dürfen wir sagen, daß die Kirche ein lebendiger Organismus ist, in dem die Lebensverbindung nicht nur zwischen dem Haupt und den Gliedern, sondern auch zwischen den Gliedern untereinander besteht. Leo Scheffczyk folgert daraus: »So findet zwischen den Gliedern ein Lebens- und Kräfteaustausch statt. Deshalb können ›alle Glieder einträchtig füreinander sorgen‹ (1 Kor 12,25), aber sie werden auch vom Leid wechselseitig betroffen; denn ›wenn ein Glied leidet, leiden alle Glieder mit‹ (1 Kor 12,26). Im ›Leib Christi‹ kann so auch der eine zum Heil des anderen wirken. Hier gibt es zwischen den Gliedern oder Zellen ein Übergehen von Kräften und Impulsen, ein Eintreten füreinander. Dies geschieht in Kraft des Hauptes Christi, der allen Gliedern das Leben spendet und der will, daß es im ganzen Leibe zirkuliere. Durch diese Zirkulation der Lebenskräfte, bei der jedes Glied seine unvertauschbare Stellung einnimmt, soll der Leib Christi in die Tiefe wie in die Höhe wachsen und seine vollendete Gestalt gewinnen«[6].
Dieses Bild vom Leib Christi und von dessen Gliedern garantiert sich aus dem Neuen Testament und gestattet auch, daß in Begriffsverhältnissen dieses Bildes die Fragen weitergeführt werden. Dennoch findet hier keine Argumentation nach den Schemata der Kausalität statt. Wenngleich es zwischen dem Haupt des Leibes und den Gliedern des Leibes die verschiedenen Wechselbeziehungen gibt, so dominiert doch immer das Leitbild des Organismus als eines immer schon

[5] Kol 1,24.
[6] L. Scheffczyk in: Betendes Gottesvolk, Nr. 135, 1983/3, S.3.

»Ganzen«. Und im Ganzen des Organismus hat alles immer schon mit einer gewissen »Gleichzeitigkeit« zu geschehen, da der Organismus als »Ganzes« längst schon die entscheidende Bedingung dafür ist, daß die Wechselbeziehungen stattfinden und eine Wirklichkeit gestalten können.

Das übliche Schema der Kausalität ist in diesem Fall nicht anwendbar. Zur Kausalität gehört nämlich wesentlich die Nichtgleichzeitigkeit von Ursache und Wirkung, was schon die klassische Metaphysik mit dem Satz »causa est prior/potior effectu« zum Ausdruck brachte. Und der wohlbekannte Satz »omne quod movetur ab alio movetur«, der auch eine Interpretation des Kausalitätsvorganges ist, zeigt an, daß kausal verstandenes Geschehen zuinnerst von einer Entfremdung (ab alio) geprägt ist, die dem Wesen des »Ganzen« in einem Organismus zutiefst widerstreitet. Das kausale Schema ist niemals in der Lage, ein »Ganzes« von seinem Inneren her aufzuhellen. Das »prius« und »posterius« von Ursache und Wirkung, die Nichtgleichzeitigkeit in der Kausalität, ist die besondere Interpretationsmöglichkeit der Wirklichkeit durch die Kausalität. Die theologischen »Ganzheiten« hingegen lassen sich kaum theologische Bedeutung durch nichtgleichzeitige Kausalität abgewinnen. Darüber hinaus bleibt im Verhältnis Ursache-Wirkung der »Unterschied« und die »Abhängigkeit« von Wirkung und Ursache das »Erklärende«; eine mögliche dahinterliegende »Einheit« von Ursache und Wirkung wird durch die Nichtgleichzeitigkeit des Kausalschemas als Einheit undenkbar.

Sühne als ein Geschehen in einer theologischen Ganzheit wird also nur sehr unzureichend in einem Kausalschema darstellbar sein. Diese Problematik wird noch durch ein besonderes Moment der Sühne verschärft: die »Stellvertretung« im Geschehen der Sühne. Zunächst baut sich dieses Problem in den Fragen auf: Wie kann der Erlöser Jesus Christus überhaupt Sühne leisten in einer Geschichte der Sünde, an der er nie beteiligt war? Wie und warum kann der Erlöser Sühne leisten für etwas, was nie seine eigene Sünde war? Wie kann der Erlöser Sühne leisten für die Vielen, für die Sünden der Vielen, denen er in allem gleich geworden ist, ausgenommen die Sünde? Wenn die Erlösung durch Christus auch als Werk der Sühne in allem und für alle mehr als genügt, wie und warum kann der einzelne mit Gott versöhnte Mensch dann noch in das Geschehen der Sühne als Sühnender miteinbezogen werden? Und die vielleicht allerschwerste Frage lautet in diesem Zusammenhang: Wie kann der einzelne erlöste Mensch als ein

Sühnender die Sühne tun für den Anderen, wie kann der sühnende Mensch gleichsam stellvertretend in die Bekehrung und das Heil anderer Menschen Einfluß haben? Immer geht es bei diesen Fragen in irgendeiner Perspektive um das Problem der »Stellvertretung«, die als Stellvertretung fast nichts erklären würde, wenn sie den juridischen Rahmen für menschliche Rechtsgeschäfte bräuchte. Die Stellvertretung im Geschehen der Sühne muß eine Aneignung im Anderen, eine wahre Wirklichkeit im Anderen, geradezu eine lebendige Identität im Anderen erbringen.

Das übliche Schema der Kausalität kann in dieser Frage nichts klären, es kann höchstens das Geschehen der Sühne mißdeuten. Zufälligkeit oder unverstehbare Überflüssigkeit wären das Ergebnis der Deutung der Sühne durch das kausale Schema: »Zufällig« und nicht mehr als zufällig wäre jenes Sühnegeschehen, in dem alles zum Vollzug kommt, was in Haupt und Gliedern des mystischen Leibes an Stellvertretung und damit an Heilsvermittlung überhaupt möglich ist. Das kausale Schema würde also im Sühnegeschehen immer den Verdacht der Zufälligkeit erzeugen, je nachdem ein Mensch in das volle oder das nicht-volle Sühnegeschehen des Leibes Christi einbezogen wird. Und auch als »überflüssig« erscheint jede Form von stellvertretender Sühnemitwirkung, wenn die Erlösungstat Christi als die Tat des einen für alle genügt. Nach dem kausalen Schema wäre zum Beispiel die Gnadenmittlerschaft Mariens kaum damit zu beschreiben, daß Maria das Gnadenhafte uns »de congruo« verdient, was Christus »de condigno« uns verdiente.[7]

Oder: wie kann theologisch gerechtfertigt werden, was Pius XII. nennt »ein wahrhaft erregendes Geheimnis, das man niemals genug betrachten kann: daß nämlich das Heil vieler abhängig ist von den Gebeten und freiwilligen Bußübungen der Glieder des geheimnisvollen Leibes Jesu Christi, die sie zu diesem Zwecke auf sich nehmen«.[8]

III. Die Bedeutung der Stellvertretung

In diesem Beitrag kann nicht alles geleistet werden, was das Thema »Sühne« in allen wesentlichen Aspekten erörtern könnte. Wir müs-

[7] Vgl. DS 3370 (Pius X., Enc. »Ad diem illum« 2. Febr. 1904).
[8] Zit. bei L. Scheffczyk a. a. O., 2.

sen uns gleichsam dem Herzstück dessen zuwenden, was Sühne meint. Es sind auch nicht die vielen Möglichkeiten von Sühneleistungen, deren Angemessenheit wir nennen und bewerten könnten. Auch die besonderen wohltätigen und gnadenhaften Wirkungen der Sühne müssen eher unbesprochen bleiben. Es geht um das Herzstück der Sühne, um die Stellvertretung. Es geht um die Stellvertretung in der Erlösungstat Christi, vor allem des Kreuzestodes als des Höhepunktes der Sühne; es geht aber auch um die wahre Wirklichkeit der Sühnemitwirkung der erlösten Menschen, um deren stellvertretende Kraft vor Gott und für die Menschen. Es geht um eine Wirklichkeit, deren Denkbarkeit und Rechtfertigung vor der glaubenden Vernunft uns schwerfällt. Der Zwang unserer menschlichen Vorstellung, verschiedene Momente einer Wirklichkeit in einem Nebeneinander und in einem Nacheinander denken zu müssen, bedeutet auch die große Last der glaubenden Vernunft im theologischen Problem der Sühne. Es sollte auch nicht genügen, einfach Texte aus der Schrift und aus der Glaubenslehre der Kirche ausfindig zu machen, um dann die Aussagen über Sühne in ihrer Bedeutung einigermaßen widerspruchsfrei verstehbar zu machen.

Das Ideal der theologischen Reflexion und Spekulation erreichen wir nur dann, wenn wir in die theologischen Verhältnisse wenigstens ein Minimum an geistiger Erfahrung des Menschen einbringen können. Beispiel dafür wäre die spekulative Reflexion der Trinität, die von der gleichzeitigen Erfahrung von Identität und von den verschiedenen geistigen Vollzügen des Menschen ausgeht. Ein ähnliches Problem und ein ähnliches Erfahrungserfordernis besteht in der Frage von Sühne und Stellvertretung.

Zunächst besteht die Perplexität der menschlichen Vernunft vor der stellvertretenden Sühne darin, daß die persönliche Tat des Sühnenden auch die eigenste Wirklichkeit des Anderen sein soll. Noch verschärft wird diese Fragestellung dadurch, daß gleichsam »objektive Werke« der Sühne (Leiden, Gebete, Opfer) in die »subjektive Wirklichkeit« dessen eingehen sollen, dem die stellvertretende Sühne zugute kommt. Das heißt, objektiv gesetzte Sühnewerke (auch die Tatsache des Kreuzestodes Christi) müssen schließlich die persönliche Identität des »Entsühnten« sein. Wir haben also eine vermittelnde Einheit zu erspüren, die das Objektive auf der einen Seite und das Eigenverantwortliche, uneinnehmbar Individuelle des Entsühnten auf der anderen Seite einer einzigen und gemeinsamen Wahrheit zuführt.

In dieser Problematik bleibt uns auch das Nachdenken über den Kreuzestod Christi nicht erspart, wenngleich wir in der Erlösungstat Christi den Vorgang der stellvertretenden Sühne in der vollen Deutlichkeit der Heiligen Schrift besitzen. Das Problem der Stellvertretung stellt sich für die glaubende Vernunft auch in der Erlösung durch Christus. Hier trägt auch die emphatische Verneinung mancher Theologen bezüglich der Sühnemitwirkung des Menschen im Leib Christi und der Betonung des einzigen Erlösers und Mittlers Jesus Christus nicht zu einem weiterführenden Verständnis bei.[9]
Auch der Kreuzestod Christi erscheint zunächst als nichts anderes als eine historische Tatsache, die genauso eine Objektivität und Äußerlichkeit zu überschreiten hat, wie andere objektive Werke der Sühne, um eine persönliche rechtfertigende Wirklichkeit der Vielen zu sein, deren Sünden der leidende Gottesknecht auf sich lädt (vgl. Jes 53,11). Jesus Christus ist das Lamm Gottes, das hinwegnimmt die Sünden der Welt (Joh 1,29); sein Dasein »für die anderen« vollendet er in seinem Sterben, das er »für die Vielen« (Mk 14,24) vollzog. Nach Paulus hat Christus in seinem Kreuzestod den Fluch der Sünde stellvertretend für alle auf sich genommen (Gal 3,31), ja er ist »für uns zur Sünde gemacht« worden (vgl. 2 Kor 5,21). Sicher weist uns die Aussage des Epheserbriefes, daß der Gottmensch das Haupt der Kirche ist und daß in ihm das ganze All zusammengefaßt ist (Eph 1,22 u. 1,10), einen Weg der Stellvertretung des Hauptes für die Glieder des Leibes. Dennoch wird die theologische Vernunft in diesem Problem der Identität, die Tatsächliches und Objektives mit der persönlichen Wirklichkeit der vielen Entsühnten zu vermitteln hat, nach weiteren Einsichten und Erfahrungsanalogien suchen.
Hegel, der in der gesamten Heilsgeschichte mit allen Entfremdungen zwischen Gott und der Welt gleichsam die Demonstration der besonderen Identität des Göttlichen erblickte, bleibt gegenüber dem objektiven Werk des Opfers eigentlich auf dem unverständigen Standpunkt der Aufklärung; so sagt er über den Kultus des Opfers: »Das Peinliche dieses Kultus liegt darin, daß diejenige Handlung, wodurch die Reinigung von einer anderen Handlung vollbracht wird, keine notwendige Beziehung auf dieselbe haben kann«[10]. Auch der Opfertod Christi hat für Hegel eine bloße dialektische Verlaufsgeschichte

[9] Vgl. N. Hoffmann, Sühne. Zur Theologie der Stellvertretung, 9 f.
[10] G. W. F. Hegel, Jub.ausgabe, Bd. 15,246.

ohne die geringste innere Verdienstlichkeit, wenn er dazu festhält: »Gott kann nicht durch etwas Anderes, sondern nur *durch sich selbst* befriedigt werden«[11]. Und das Problem der Imputation und die Begrenztheit der Imputation sieht Hegel so: »Das Leiden und Sterben in solchem Sinne ist gegen die Lehre von der moralischen Imputation, wonach jedes Individuum nur für sich zu stehen hat, jeder der Täter seiner Taten ist. Das Schicksal Christi scheint dieser Imputation zu widersprechen; aber diese hat nur ihre Stelle auf dem Felde der Endlichkeit, wo das Subjekt als *einzelne Person* steht, nicht auf dem Felde des freien Geistes. In dem Felde der Endlichkeit ist die Bestimmung, daß jeder bleibt, was er ist; hat er Böses getan, so ist er böse; das Böse ist in ihm als seine *Qualität.* Aber schon in der Moralität, noch mehr in der Sphäre der Religion wird der Geist als frei gewußt, als affirmativ in sich selbst, so daß diese *Schranke* an ihm, die bis zum Bösen fortgeht, *für die Unendlichkeit des Geistes ein Nichtiges ist:* der Geist kann das Geschehene ungeschehen machen; die Handlung bleibt wohl in der Erinnerung, aber der Geist streift sie ab. Die Imputation reicht also nicht an diese Sphäre hinan«[12].
Die Solidarität der Liebe, die in der sühnenden Stellvertretung durch Christus die Erlösung des Menschen grundlegt, wird bei Hegel zu einer dialektischen Gottesgeschichte umgedeutet, in der Gott auch den Sündenfall und die Sünde der Menschen in seiner dialektisch fortschreitenden Selbstwerdung vereinnahmt.
Unser Problem ist es vielmehr, nun auf anderem Weg zu erklären, wie Gott durch den Gottmenschen Jesus Christus etwas trägt und besiegt, was niemals seine eigene Identität sein kann, nämlich die Sünde.
Den ersten Schritt des Verstehens der Stellvertretung in der Sühne lehrt uns der Erlöser selbst. Der Gottmensch Jesus Christus wurde den Menschen in allem gleich, ausgenommen die Sünde. Die Sünde ist nicht irgendwo in der Welt, nicht irgendein Ding, nicht irgendein gewordenes Resultat. Die Sünde hat in der Welt gleichsam ein einziges Haus: den Menschen. Mit dem Menschen kam, besteht und vergeht die Sünde in dieser Welt. Und im Menschen konnte die Sünde in dem Augenblick bestehen, in dem die Wahrheit der Schöpfung im Menschen zerbrach, in dem der Mensch gegen seine ursprüngliche

[11] G. W. F. Hegel, Jub.ausgabe, Bd. 16,304.
[12] G. W. F. Hegel, a. a. O., 304 f.

und erste Wahrheit lebte. Und diese Wahrheit des »Anfangs«, auf den sich auch Jesus[13] beruft, ist: der Mensch ist Gottes Bild und Gleichnis. So kann die Sünde nur dort bestehen, wo sie gegen diese ursprüngliche Wahrheit des Menschen besteht, wo sie damit auch gegen das ursprüngliche Offenbarsein des Schöpfers besteht. Wenn der »Anfang« der Schöpfung mehr bedeutet als bloß das erste Glied in einer langen Reihe der Dinge und Entwicklungen, dann kann dieser Anfang, in dem wir vom Bild- und Gleichnis-Gottes-Sein des Menschen sprechen, nichts anderes als das Offenbarsein der ewigen Liebe des Schöpfers sein. So kann sich an jenem »Anfang«, den Gott mit dem Menschen und mit der Welt setzt, nur jene Wahrheit zeigen, die durch keine Geschichte und Fortentwicklung überboten oder relativiert werden kann. Daß der Mensch Gottes Bild und Gleichnis ist, ist in nichts die Wahrheit, die erst in einer »Geschichte« zustande käme; es ist die Wahrheit des Menschen im »Anfang«, die keine projektive und produktive Geschichte des Menschen und der Menschheit braucht, um die Wahrheit des Menschen zu sein. Diese Wahrheit ist aus Gottes Ewigkeit dem Menschen zugedacht, sie »wird« nicht durch Geschichte, aber als das Offenbarsein der Liebe Gottes kann sie die Geschichte des Menschen messen und gestalten.
»Ihr werdet wie Gott und erkennt Gut und Böse« (Gen 3,5) hatte die Schlange der Frau versprochen; und Gott schickt den ungehorsamen Menschen aus dem Garten Eden weg und stellt fest: »der Mensch ist geworden wie wir; er erkennt Gut und Böse« (Gen 3,22). Liegt die Ursünde des Menschen nicht vielleicht in jenem Bruch mit der Wahrheit des »Anfangs«, etwas »anderes« als »Mensch« zu sein, zu sein »wie Gott«?
Aber auch in der Geschichte des sündigen Menschen hat die Wahrheit des Menschen von seinem »Anfang« durchgehalten. Es hat auch hierin seinen guten Sinn, vom sündigen Menschen als vom »homo vulneratus« nicht jedoch vom »homo totaliter corruptus« zu sprechen. Der Mensch wurde wohl gleichsam das Haus der Sünde, weil das »integrum totale« seiner Liebe zu Gott gestört war und der Mensch nicht mehr das Offenbarsein der unmittelbaren Liebe des Schöpfers sein konnte. Die Verhältnisse der Liebe wurden im Menschen zu Naturgesetzen des Stärkeren und Schwächeren, des Äußerlichen, des Partikulären (nicht mehr des »Ganzen«), der ungeistigen

[13] Vgl. Mt 19,8.

Vorschriften und der Handlungsordnung von »actio« und »reactio« verkehrt. In einer heutigen Terminologie könnte man sagen, daß dem sündigen Menschen die gottgeschenkte Wirklichkeit des »Personalen« verlorenging und in dem sündigen Menschen die Schwergewichte der Macht, der Gewalt, des Nutzens, der Gerechtigkeit ohne Barmherzigkeit, der Sinnlichkeit ohne Glauben, des Erlebens ohne Grund und des Daseins ohne erschaute Wahrheit ein System der Ungerechtigkeit (vor Gott) und der Unwahrheit errichteten. Und man mag es als die radikalste Sünde des Menschen verstehen, daß in einem solchen sündigen Menschen nicht mehr die Wahrheit des »Anfangs« offenbar sein konnte.

Wohl wurde auf diesem Weg der Mensch das Haus der Sünde. Dennoch blieb der Schöpfer der Wahrheit des »Anfangs« des Menschen treu; in diesem Sinn hat die Wahrheit vom »Anfang« in der Geschichte durchgehalten. Und dieses Durchhalten des »Anfangs« war und ist auch in der Geschichte vernehmbar: Selbst im größten Zorn blieb Gott ohne Alternative dem Menschen und der Auseinandersetzung mit dem Menschen treu. Selbst in der Situation der Sintflut und des Zornes Gottes zeigt sich jenes Drama, daß Gott zum Menschen keine Alternative hat und keine Alternative will. Und selbst der sündige Mensch hat in seinem gewöhnlichsten Lebensgefühl noch eine unverlierbare Ahnung von der Wahrheit seines »Anfangs«.

Worin besteht im Menschen die Ahnung seines »Anfangs«? Diese Ahnung besteht darin, daß der Mensch selbst in seinen kühnsten Begriffen, Wünschen, Zielen, Fortschritten von sich nur das Menschsein denken kann. Selbst wenn er es wollte, könnte der Mensch sein Menschsein nicht durch etwas »anderes« überbieten. Das heißt, der Mensch ist nur als Mensch »wirklichkeitsfähig«. L. Wittgenstein, der in seinem Tractatus logico-philosophicus keineswegs einer Theologie oder Metaphysik hörig ist, stellt diese unersetzbare Wirklichkeitsfähigkeit des Menschseins so fest: »Das Subjekt gehört nicht zur Welt, sondern es ist eine Grenze der Welt« und »Das Ich tritt in die Philosophie dadurch ein, daß die ›Welt meine Welt‹ ist«[14]. Die Wahrheit des Anfangs zeigt sich in dieser Wirklichkeitsfähigkeit des Menschen; sie ist, richtig gesehen, ein Indiz der alternativlosen Treue Gottes zum Menschen. Die Geschichte gibt dem Menschen auch andere erfahrbare Ahnungen der Treue Gottes: Je bewußter, je geisti-

[14] L. Wittgenstein, Tractatus logico-philosophicus, 5.632 u. 5.641.

ger, je entschiedener der Mensch lebt, desto mehr geht dem Menschen auf, daß er »einmalig« und »unwiederholbar« in seinem individuellen Dasein ist. Solange der Mensch sündig und unerlöst ist, erfährt er seine Einmaligkeit und Unwiederholbarkeit als die härtesten Tatsachen seines Daseins; in dieser unerlösten Geschichte der Tatsachen wird eine solche Erfahrung des Menschen zur Erfahrung der Angst, der Todesangst. Und wo die Sünde das Haus des Menschen beherrscht, dort entsteht in solcher Erfahrung das Schwergewicht des Egoismus, der des Menschen Einmaligkeit und Unwiederholbarkeit in Haß, Neid, Unrecht, Kampf, Selbstherrlichkeit und Unbarmherzigkeit verunstaltet.

IV. Das Zentrum der Erlösung

Was war und ist nun die Erlösung durch den Gottmenschen Jesus Christus, der Mensch geworden, den Menschen in allem gleich wurde, ausgenommen die Sünde? Diese Menschwerdung Gottes ist der Höhepunkt der göttlichen Treue des »Anfangs« zum Menschen. Es gehört zur Wirklichkeit des sündigen und unerlösten Menschen, daß für ihn jeder Zustand nur »Tatsache« ist, ohne Ziel, ohne Auftrag, ohne Sinn, ohne Gnade, ohne Berufung, ohne Ganzheit, ohne Liebe, ohne Ursprung. In dieser Welt der harten und bloßen »Tatsachen« wird die Wahrheit des Menschen aus seinem »Anfang« niedergehalten und verdunkelt. Aber genau in diesem Zusammenspiel der fundamentalen Treue Gottes und dieser Gnadenlosigkeit im unerlösten Menschen, demonstriert sich das Erlösende, das wir in den Geheimnissen des Lebens, Leidens und Sterbens des menschgewordenen Gottessohnes als unsere erneuerte und erlöste Wirklichkeit erfahren. Worin besteht die Erlösung des Menschen durch Christus? Die Enzyklika »Redemptor hominis« beantwortet diese Frage mit einer Aussage der Pastoralkonstitution »Gaudium et Spes«: »Christus ...hominem ipsi homini plene manifestat eique altissimam eius vocationem patefacit«[15]. Für Johannes Paul II. ist die Wirklichkeit der Erlösung durch Christus die Wiederfindung des Menschen in der Wahrheit des »Anfangs«. Der durch Christus erlöste Mensch wird nicht neu geschaffen in dem Sinn, daß er nicht mehr Mensch wäre.

[15] Vgl. Gaudium et Spes, Nr. 22 u. Redemptor hominis, Nr. 8 u. 10.

Die Neuschaffung des Menschen durch die Erlösung ist vielmehr eine Rückkehr durch Christus zu jener Wahrheit des Schöpfungsanfangs, in der sich die treue Liebe des Schöpfers zum Menschen zeigt. In der Erlösung »zeigt sich der Gott der Schöpfung als der Gott der Erlösung, als Gott, der ›treu ist‹, nämlich treu seiner Liebe zum Menschen und zur Welt, treu seiner Liebe, die er gerade am Schöpfungstag schon kundtat«. Und der Mensch hat sich wiederzufinden in der Wahrheit seines »Anfangs«, im wahren Menschsein durch Christus.[16]

Es trifft nicht ganz exakt die Grundrichtung der Erlösung, wenn die Erlösung in einer projektiven Geschichte, die in ihren Prozessen gleichsam nach auswärts geht, interpretiert wird. Die Erlösung ist in diesem Sinn weniger ein »Wagnis« Gottes mit den Menschen, die Erlösung durch Christus ist in ihrer Grundrichtung viel eher eine Heimkehr zur Wahrheit des Anfangs, zum barmherzigen Vater, zum liebenden, treuen Schöpfer. Und in diesem Sinn ist auch die Mitte des Evangeliums die Aufdeckung von Wert und Würde des Menschen, der Weg zur Selbstfindung des Menschen durch den wahren Gott und wahren Menschen Jesus Christus.[17]

Welche Bedeutung hat nun das Leben, Leiden und Sterben Jesu für die Wirklichkeit der Erlösung? Ein »Lehrer«, ein Sokrates, konnte den Menschen nicht erlösen, den Menschen nicht dem treuen Gott des Anfangs versöhnen. Die Erlösung ist keine Philosophie und keine Hermeneutik und keine Therapie. Warum mußte Jesus für die Menschen leiden und sterben statt sie einfach zu belehren? Warum ist Erlösung nicht einfach die Bekehrung des Menschen aus Einsicht?

Es geht nun um den gottgewollten Sinn der Sühne, insofern Christus stellvertretend für den sündigen Menschen leiden und sterben mußte, um den sündigen Menschen zu entsühnen und mit Gott zu versöhnen. Der sündenlose Gottmensch, der für uns gehorsam wurde bis zum Tod am Kreuz, ermißt gleichsam im Weg des sühnenden Leidens und Sterbens die ganze Wirklichkeit des sündigen Menschens. Dieses Ermessen des Menschseins in Sühne durch Christus hat seinen göttlichen Zusammenhang in dem, was »Redemptor hominis« immer wieder betont: Christus tut dem Menschen das Menschsein voll kund. Christus als die einmalige und unübertreffliche Offenbarung

[16] Vgl. Redemptor hominis, Nr. 10 u. 9.
[17] Vgl. Redemptor hominis, Nr. 10.

der treuen und alternativlosen Liebe Gottes zum Menschen führt den sündigen Menschen in die Wahrheit des »Anfangs« heim. Im Kreuzestod findet die Sühne Christi gleichsam ihre tiefste Vermenschlichung, denn im Tod ist der sündige Mensch über alle seine Bestimmungen und Schicksale hinweg voll ermessen.

Der Erlöser durchmißt in Liebe und Gehorsam zum göttlichen Vater all das, worin der natürliche und sündige Mensch nicht lieben kann, weil es für ihn im Zusammenhang mit der Sünde steht: der Stachel des Todes ist die Sünde, die Kraft der Sünde ist das Gesetz (1 Kor 15,56). Und das sühnende Leiden und Sterben Christi wird nicht deswegen zur Tat der Erlösung und Liebe, weil es den Höhepunkt menschlichen Schmerzes bedeutet, sondern, weil der menschgewordene Sohn Gottes aus seiner einzigartigen Einheit mit dem Vater alles das, was die Sünde zum »Leid« des Menschen gemacht hat, zu einem Offenbarsein der vom »Anfang« treuen Liebe Gottes heimführt. Auch Hegel sieht in seiner Religionsphilosophie sehr deutlich, daß alles Sühnegeschehen in der Erlösung seine Wirklichkeit nur gewinnt, wenn der Geist der Liebe das Leiden und Sterben als das Folgegefüge der Sündigkeit in ein Offenbarsein der Liebe Gottes verwandelt: »Dieser Tod ist die Liebe selbst, als Moment Gottes gesetzt und dieser Tod ist das Versöhnende. Es wird darin die absolute Liebe angeschaut. Es ist die Identität des Göttlichen und Menschlichen, daß Gott im Endlichen bei sich selbst ist und dies Endliche im Tode selbst Bestimmung Gottes ist. Gott hat durch den Tod die Welt versöhnt und versöhnt sich ewig mit sich selbst. Dies Zurückkommen aus der Entfremdung ist seine Rückkehr zu sich selbst und dadurch ist er Geist und dies Dritte ist daher, daß Christus auferstanden ist«[18].

Bringt nun die Erlösung aus dem Sühneleiden und Sühnetod Christi dem erlösten Menschen eine Wirklichkeit, die uns das Versöhntsein mit Gott auch in der Gestalt menschlicher Erfahrung gewährt? Ja, wir können ein wenig dieses Geheimnis der Erlösung in Sühne mit unserer menschlichen Wirklichkeitserfahrung verknüpfen. Es macht die Deutbarkeit der Sühne Christi aus, daß er im Leiden und Sterben dem Menschen das Menschsein in der Weise voll kund tun konnte, daß er alles Menschliche in die Allgegenwart der Liebe stellt. Das Durchschreiten des Leidens und Sterbens bedeutet, daß nichts im Menschen ist, was nicht Liebe sein und Liebe werden könnte. Damit

[18] G. W. F. Hegel, a. a. O., 304.

hat Christus der Sünde gleichsam das Hausrecht im Menschen entzogen. »Redemptor hominis« sagt, daß der Sinn der göttlichen Tat, den Sohn, der die Sünde nicht kannte, zur ›Sünde‹ zu machen, nichts anderes wollte, als zu zeigen, daß die Liebe größer ist als alle geschaffenen Dinge, daß die Liebe stärker ist als die Sünde, Schwäche und Nichtigkeit der Kreatur, daß die Liebe stärker ist als der Tod.[19]
In den Maßstäben unseres heutigen Denkens sagen wir, daß die Wirklichkeit der Erlösung im Menschen der Rückgewinn des »Personalen« ist: durch Christi Sühne wird der Mensch in nichts und durch nichts mehr in der Liebe zu Gott auf den Punkt des Ungehorsams getrieben, auch nicht mehr im Leiden und Tod. Damit ist die das Ganze des Menschen durchschreitende Sühne Christi in ihrer »menschlichen « Wirklichkeit im erlösten Menschen die totale »Repersonalisierung« des Menschen. Und somit steht die Wirklichkeit der Erlösung durch Christus in nichts anderem als im »persongewordenen« Menschen, der in allem und über alles Gott lieben kann. Dem erlösten Menschen sind die Gewichte der Sünde genommen; durch Christus ist der Mensch in der Erlösung zum wahren Menschsein geführt; der erlöste Mensch kann nur als »Person« das volle Maß der Erlösung sich aneignen. Und wo etwas die Wirklichkeit der »Person« ist, dort erklären die Schemata von Ursache und Wirkung, von Teil und Summe der Teile, von actio und reactio nicht mehr jene Innerlichkeit und Identität, die der personalen Wirklichkeit eigen ist.
Somit wäre der erste Schritt getan, der das stellvertretende Werk der Sühne Christi als die totale Kraft der Rücknahme jeder Entfremdung, auch des Leidens und Sterbens, in die volle und reine Liebe erläutert. Der nächste Schritt, die zweite Frage nach der Möglichkeit menschlicher Sühnemitwirkung ist nun noch zu bewältigen.
Es gehört zu den Implikationen der Erlösungstheologie von »Redemptor hominis«, daß jeder einzelne Mensch auch als Einzelner für Gott den ganzen Sinn der Schöpfungstat und des Heilwerkes ausmacht.[20] Dies heißt nicht, daß Schöpfung und Erlösung völlig individualistisch auf den »einzelnen« Menschen zugeschnitten wären; dies ist keine Absage an die mystische Leibhaftigkeit der Kirche; dies ist kein Verzicht auf den Gestaltungsauftrag der Kirche gegenüber der ganzen Menschheit.

[19] Vgl. Redemptor hominis, Nr. 9.
[20] Vgl. Redemptor hominis, Nr. 13: ipse est ›omnis‹ homo.

Es heißt vom erlösten Menschen angesichts seiner ewigen Erwählung, Berufung und Begnadung durch Gott: »ipse est ›omnis‹ homo«, er ist alles, was das Ganze des wahren und erlösten Menschseins ausmacht und gleichzeitig ist dieser Mench in das Mysterium Christi eingebunden, an dem vier Milliarden einzelne Menschen teilhaben[21]. Dennoch hat diese Erlösungstheologie eine »anthropo-logische« Regel, die uns als bloß logische Regel nicht geläufig ist. Wir müssen diese Regel etwas negativ formulieren, um den Kern ihrer Bedeutung herauszuheben, etwa so: Was Gott in einem einzigen Menschen nicht gelingt, das gelingt auch nicht mit einer Vielzahl von Menschen. Das heißt, Gott bindet das Risiko seiner Liebe und seines Heilshandelns an den absoluten Ernst des einzelnen Menschen; jeder einzelne Mensch ist in diesem Sinn für und vor Gott das »Ganze«. Auch ein einziger Mensch würde genügen, um das ganze Tun des Schöpfers und Erlösers in seinem Wesen bestehen zu lassen. Und auch ein einziger Mensch, der von Gott per hypothesim außer acht gelassen wäre, würde genügen, um Gottes Heilswerk selbstwidersprüchlich zu machen.

Jeder Mensch ist im Schöpfungs- und Heilshorizont Gottes das »Ganze«. In dieser Perspektive möchte es fast scheinen, daß Sinn und Wirklichkeit jeder mitmenschlichen Stellvertretung und Sühne aufgehoben sind. Ist nun nicht mehr theologisch einbringbar, was Gott schon mit Abraham (Gen 18, 23–33) über eine Schonung von Sodoma und Gomorrha redet, daß Gott um der zehn Gerechten willen nicht vernichten will? Wie können wir in der Nachfolge Christi Sühne leisten, nicht nur für die eigenen, sondern auch für die Sünden der anderen Menschen? Verdrängt der Mensch als das »Ganze« gegenüber der Tat Gottes den Sinn jeder Solidarität von erlöstem Mensch zu erlöstem Mensch?

Dieses ›omnis homo‹ des Menschen, dieses »Ganze« ist nicht ein bloßes »Vorhandensein«, das alles mögliche »Andere« im Heilverhältnis zu Gott verdrängt und ausschließt. Dieses »Ganze« des Menschen erläutert sich nicht als die Gesamtheit der Dinge, sondern als die durch nichts mehr überbietbare und durch nichts mehr zurücknehmbare Zuwendung der Liebe Gottes zum einzelnen Menschen. Dieses (erlöste) »Ganze« des Menschseins ist nicht ein Besitz des Menschen, sondern eine totale, in nichts mehr entfremdete, daß heißt durch

[21] Vgl. Redemptor hominis, Nr. 9.

Christus entsühnte, Beziehung der Liebe zwischen Gott und Mensch.[22]
Es geht in diesem »Ganzen« um die Unteilbarkeit der Liebe; diese Liebe ist durch Christus im Menschen ausgesühnt und birgt daher nichts mehr an Entfremdung in sich; diese Liebe ist jedoch auch unteilbar darin, daß es nunmehr auch für Gott keinen Anlaß gibt, sich von einem einzigen Menschen abzuwenden, um sich zur Durchsetzung seiner Liebe »vielen« anderen Menschen zuzuwenden. So zeigt sich hier schon eine Grundvoraussetzung für jede Möglichkeit menschlicher Sühnemitwirkung: Nur der durch Christus erlöste und entsühnte Mensch ist selbst zur Sühne für andere fähig. Der erlöste Mensch muß durch Christus durch und durch zur Liebe Gottes ausgesühnt sein. Denn, der unerlöste und nicht ausgesühnte und nicht versöhnte Mensch wird in den alten Entfremdungen der Sünde agieren wollen: er wird bei einem Versuch der Mitsühne »Ursachen« setzen wollen, obwohl alles Gottes Liebeswerk ist; er wird »Verdienste« ins Feld führen wollen dort, wo alles längst Gnade ist; er wird meinen, daß er eine »größere« Gerechtigkeit besitzen muß, um anderen sühnend zu helfen, während jeder einzelne Mensch für Gott das »Ganze«, das heißt, der absolute Ernstfall der göttlichen Liebe ist.
Stellvertretende Mitsühne für andere kann nicht heißen, gleichsam in »Teilen« zu einem Resultat beizutragen, als »Ursache« bestimmte Wirkungen erzielen. Bei unserer menschlichen Sühne geht es um ein »Erfüllen« dessen, was an den Leiden Christi noch fehlt.[23]
Über das Bedenken menschlicher Mitsühne könnte vielleicht in weiten Feldern der Theologie bewußt werden, daß mit dem »Erfüllen« eine theologische Einsicht sich entfalten könnte, die nicht mehr von dem modischen Begriff der Geschichtlichkeit getrieben ist und damit zur progressiven Gottlosigkeit spekulativ verurteilt ist. »Erfüllen« verlangt keine projektive Addition, um seine Wirklichkeit zu erreichen, denn das Wesen der Liebe Gottes ruht längst im Maß der Leiden Christi. »Erfüllen« ist das »Bewahrheiten« der in Christus feststehenden Liebe Gottes, die durch die Sühne Christi jede Entfremdung längst überwunden hat. Im »Erfüllen« ist die Grundbewegung eine andere, denn es wird nichts produziert, nichts addiert; im »Er-

[22] Vgl. N. Hoffmann, Sühne. Zur Theologie der Stellvertretung, S. 60, 66, 74: Sühne als Durchsetzung der »Sohnschaft«.
[23] Vgl. »Antanaplēroō« in Kol 1,24.

füllen« kann nur etwas eingebracht und zum unentfremdeten Ganzen der Liebe erhoben werden.
Unsere Werke der Mitsühne »machen« nicht die Liebe, sie haben sich vielmehr in der Liebe zu »erfüllen«. Unsere Werke der Sühne müssen die Werke der unentfremdeten Liebe sein. Es gibt im Bereich des Heiles keinen Weg, durch den die Liebe »gemacht« wird, es gibt nur den Weg, auf dem die Liebe »erfüllt« wird. Der 1. Korintherbrief weiß sehr genau, daß die Entfremdung die Liebe ausschließt, selbst wenn man die größten Werke der Liebe zu tun scheint: »Wenn ich alle Glaubenskraft besäße und Berge versetzen könnte, aber die Liebe nicht hätte, wäre ich nichts. Und wenn ich meine ganze Habe verschenkte, und wenn ich meinen Leib dem Feuer übergäbe, aber die Liebe nicht hätte, nützte es mir nichts«[24]. Die Liebe, in der Erlösung und Heil geschehen, ist in diesem Sinn nicht zu gewinnen, sondern nur zu »erfüllen«.
Man muß es den zur Mitsühne bereiten Menschen sagen, daß sie mit ihren Sühnewerken nichts zu verursachen, aber alles zu »erfüllen« haben. Es ist wie beim Gebet: Im Gebet geht es nicht darum, den göttlichen Willen zu beeinflussen und zu verändern oder gar die Güte Gottes zu übertreffen; im Gebet geht es darum, in unentfremdeter Liebe die Wahrheit der Güte Gottes zu »erfüllen«. Daher ist es immer schon der Geist Gottes selbst, der für uns eintritt mit unaussprechlichen Seufzern. Der Geist tritt, so wie Gott es will, für die Heiligen ein.[25]
Menschliche Sühne ist, so gesehen, nicht Leistung, sondern Berufung. Im Tod am Kreuz hat die Sühne Christi die tiefste Entfremdung des Menschen den Tod, zum Offenbarsein der treuen Liebe Gottes zurückgeführt. Diesem Kreuz ist jede sühnende Tat der Menschen verpflichtet. Im Kreuz Christi ist jede Entfremdung zur Liebe zurückgeführt, vom Kreuz Christi her wird jeder erlöste Mensch ein Liebender und Sühnender. Von daher hat sich jedes bloße »Dasein« des Menschen in »Berufung« verwandelt. Gott, der seine treue Liebe im Erlöser Jesus Christus unüberbietbar sein ließ, hat sich jedem Menschen ganz und unüberbietbar verpflichtet. Damit ist auch jeder Mensch jedem Menschen in dessen Wahrheit und Würde verpflichtet. Und der durch Christus entsühnte Mensch ist fähig, im anderen

[24] Kor 13,2f.
[25] Vgl. Röm 8,26 f.

Menschen nicht den ihm entfremdeten »Anderen«, sondern den Bruder zu sehen. Der Weg der Sühne ist der Weg der Geschichte, der Weg der Geschichte wird der Weg der Sühne durch Christus und die Christen.

Die Sühne des Menschen für sich selbst und für andere ist im letzten nicht ein freiwillig und zusätzlich gewähltes Werk des erlösten Menschen. Die Sühne ist jene Berufung des Menschen in diesem Leben, im Leib seiner Kirche, die die Gemeinschaft der Berufenen im Maß des Leidens Christi ist, auf allen Wegen des Lebens die Sorge für die Bewahrheitung der treuen Liebe Gottes zu tragen; jeder hat in dieser Kirche die Berufung, die in der Länge und Breite, Höhe und Tiefe durch Christus ermessene Wahrheit der treuen Liebe Gottes zum Menschen zu »erfüllen«. Die Wege der Liebe sind in diesem Leben noch viele und verschiedene, aber alle Wege sind Wege der Sühne, die Wege des Herzens des Erlösers.

Auferstehung: Vollendung des Lebens Jesu und Bestimmung des Christseins

von Joseph Schumacher, Freiburg

1. Die zentrale Stellung der Osterbotschaft

Die Auferstehung des gekreuzigten Jesus von Nazareth ist zugleich der Grund und der entscheidende Inhalt des christlichen Glaubens, denn die Begegnung mit dem Auferstandenen führt die Jünger aufs neue zusammen, und die Auferstehung ist der eigentliche Gegenstand ihrer Verkündigung. Daher kann Paulus sagen: »Ist aber Christus nicht auferweckt worden, so ist nichtig unsere Verkündigung, nichtig euer Glaube ... so seid ihr noch in euren Sünden«[1].
Die Wirklichkeit der Auferstehung Jesu wird heute mit großer Skepsis betrachtet. Herbert Braun spricht das aus, was viele mehr oder weniger explizit denken, wenn er erklärt: »Der Glaube an die Auferstehung ist eine altchristliche Ausdrucksform, und zwar eine umweltbedingte Ausdrucksform für die Autorität, die Jesus über jene Menschen gewonnen hat. Wir heute werden diese Ausdrucksform nicht als für uns verbindlich empfinden können.«[2] Eine solche Deutung hängt innerlich zusammen mit der Skepsis gegenüber dem Geheimnis der Inkarnation. Wenn man Jesus nur als einen Propheten betrachtet, wird man schwerlich Zugang finden zum Geheimnis seiner Auferstehung.
Es gibt im NT indes keine eindeutigeren Aussagen als jene von der Auferstehung Jesu[3] und von den Erscheinungen des Auferstandenen[4]. Die Überzeugung von der Auferstehung Jesu setzt sich nicht erst langsam in der Urgemeinde durch. Diese verdankt ihr vielmehr ihre Existenz. Ohne die Osterbotschaft gäbe es keine Kirche und keine Verkündigung des Evangeliums. Zunächst war die Geschichte Je-

[1] 1 Kor 15,14–17.
[2] H. Braun, Jesus, Stuttgart 1969, 154.
[3] 1Thess 1,10.
[4] Jo 20,25.

su und seiner Bewegung mit seinem Tod zu Ende[5]. Dann schuf die Kunde von seiner Auferstehung aber eine neue Situation. Darum erzählt und deutet die Gemeinde sein Leben im Lichte der Osterbotschaft, weshalb es für uns keinen anderen Zugang zu ihm gibt als den durch den Osterglauben der Urzeugen. Alles, was über ihn berichtet wird, ist demgemäß zugleich Bekenntnis und Deutung. Das Neue Testament ist das Ergebnis der neuen »Sehweise«, die den Jüngern in der Begegnung mit dem Auferstandenen vermittelt wurde[6]. Ja, von diesem Ereignis her sah man nunmehr nicht nur die Worte und Taten Jesu, sondern auch das Alte Testament[7].

Diese Erkenntnis macht sich die Offenbarungskonstitution des II. Vatikanischen Konzils zu eigen, wenn sie feststellt, daß die Apostel »nach der Auffahrt des Herrn das, was er selbst gesagt und getan hatte, ihren Hörern mit jenem volleren Verständnis überliefert (haben), das ihnen aus der Erfahrung der Verherrlichung Christi und aus dem Licht des Geistes der Wahrheit zufloß«[8].

Wenn man die gesamte Überlieferung über Jesus im Lichte der Osterbotschaft deutete, so folgt daraus bereits, daß sie die Mitte des Kerygmas der Urgemeinde ist. Das wird aber auch an nicht wenigen Stellen der neutestamentlichen Schriften direkt bezeugt, besonders bei Paulus und in der Apostelgeschichte, aber auch in den Petrusbriefen, im Jakobusbrief und in der Apokalypse[9]. Apostel sein bedeutet Zeuge der Auferstehung Jesu sein[10]. Die Pfingstpredigt des Petrus kulminiert in der Feststellung: »Diesen Jesus hat Gott auferweckt, dessen sind wir alle Zeugen.«[11] Petrus und Johannes werden verhaf-

[5] Daß die Existenz der Kirche den Tod und die Erhöhung Jesu voraussetzt, wird auch in dem Christusmanifest Mt 28,16 ff. deutlich. Der Gedanke der Sendung der Jünger durch den Auferstandenen ist ein zentrales Element bei der Erscheinung des Auferstandenen vor den Elfen (vgl. A. Vögtle, Was Ostern bedeutet, Meditation zu Mattäus 28,16–20, Freiburg 1976, 54f).

[6] F. Mussner, Die Auferstehung Jesu (Biblische Handbibliothek VII), München 1969, 127; vgl. O. Cullmann, Unsterblichkeit der Seele oder Auferstehung der Toten? Antwort des Neuen Testaments, Stuttgart 1962, 46.

[7] J. Kremer, Das älteste Zeugnis von der Auferstehung Christi, Eine bibeltheologische Studie zur Aussage und Bedeutung von 1 Kor 15,1–11 (Stuttgarter Bibelstudien 17), Stuttgart 1966, 146.

[8] Dei Verbum, Art. 19.

[9] L. de Grandmaison, Jesus Christ II, Paris 1928, 399; F. Mussner, a. a. O., 59; J. Kremer, a. a. O., 146.

[10] Apg 1,21f; 1 Kor 9,1.

[11] Apg 2,32.

tet, weil sie die Auferstehung Jesu verkünden[12]. Die entscheidende Tätigkeit der Apostel besteht darin, daß sie »mit großer Macht« Zeugnis ablegen »von der Auferstehung Jesu des Herrn«[13]. Die Areopagrede des Paulus gipfelt in den Aussagen: » ... ihn (Jesus) hat er für alle beglaubigt, da er ihn von den Toten auferweckt hat«[14]. Im Prozeß der Juden vor dem römischen Statthalter Festus in Cäsarea geht es vor allem um »einen Jesus, der bereits tot ist und von dem Paulus behauptete, er lebe«[15]. Diesen Punkt wiederholt Paulus in seiner Verteidigungsrede vor König Agrippa[16]. Die Dominanz der Osterverkündigung tritt auch eindeutig im Römerbrief[17], im 1. Korintherbrief[18] und im Philipperbrief[19] hervor.

So wurde der Zeuge des Glaubens zum Grund und entscheidenden Inhalt des Glaubens. Aus der Verkündigung der Gottesherrschaft des vorösterlichen Jesus wurde die Verkündigung Jesu, des Auferstandenen.[20] Das ist kein Bruch, denn bereits der historische Jesus hatte seine Basileia-Predigt eng mit seiner Person verbunden, und nach der Überzeugung der Urgemeinde hatte in seiner Auferstehung die Vollendung der Basileia begonnen.

Die Auferstehung Jesu als zentraler Inhalt der Verkündigung ist für Paulus so bedeutsam, daß man nach ihm nicht an der religiös-existentiellen Bedeutung Jesu festhalten kann unter Absehung von seiner Auferstehung[21] und daß ein Glaube an Christus, der nicht Auferstehungsglaube ist, nicht als Heilsglaube verstanden werden kann[22]. Ja, er geht noch weiter, wenn er einem Christenglauben, der das Auferstehungsereignis ausklammert, gar auch jeden innerweltlichen Nutzen bestreitet[23].

[12] Apg 4,2; vgl. auch 3,15; 5,32; 10,40f.
[13] Apg 4,33.
[14] Apg 17,31.
[15] Apg 25,19.
[16] Apg 26,23.
[17] Rö 1,1–5; 10,8f.
[18] 1 Kor 15.
[19] Phil 2,6–11.
[20] Vgl. G. Ebeling, Das Wesen des christlichen Glaubens, Tübingen 1959, 67.
[21] 1 Kor 15,14: » ... wäre Christus nicht auferweckt, so wäre unsere Verkündigung nichtig«.
[22] 1 Kor 15,17: » ... wäre Christus nicht auferweckt, so ... wäret ihr noch in euren Sünden«.
[23] 1 Kor 15,17–19: » ... wäre Christus nicht auferweckt ... wären wir erbarmungswürdiger als alle Menschen« (vgl. L. Scheffczyk, Auferstehung, Prinzip christlichen Glaubens, Einsiedeln 1976, 19–24).

In der Theologie der Vergangenheit stand die zentrale Stellung der Auferstehung Jesu weithin im Schatten der Lehre von der Gottheit Christi und von der hypostatischen Union. Sie wurde als Folge der Erlösungstat Christi am Kreuz erörtert, im übrigen aber als das entscheidende Kriterium für die Wahrheit des Christentums in der Apologetik behandelt. Heute tritt sie jedoch, bedingt durch das heilsgeschichtliche Denken, in der Gesamtdarstellung des Glaubens stärker hervor. Bahnbrechend ist hier das Werk »Die Auferstehung Jesu als Heilsmysterium« von F. X. Durrwell[24], das das Geheimnis der Auferstehung als den Mittelpunkt des christlichen Glaubens versteht, um den alle übrigen Heilswahrheiten kreisen[25]. Nuancierter formuliert L. Scheffczyk, wenn er es als ihren Konzentrationspunkt und ihr Strahlungszentrum versteht[26].

2. *Wesen und Glaubwürdigkeit*

Bereits Thomas von Aquin weist darauf hin, daß die Auferstehung Jesu nicht in unseren menschlichen Erfahrungsbereich fällt, daß sie die allgemeine Erkenntnis übersteigt »sowohl was den terminus a quo angeht, sofern die Seele von der Unterwelt zurückgekehrt ist und der Leib aus dem verschlossenen Grab hervorgegangen ist, als auch was den terminus ad quem angeht, sofern er das Leben der Glorie erlangt hat«[27], daß sie daher vom Menschen nur gewußt werden kann, »wenn sie von Gott her geoffenbart ist«[28]. Weder die Tatsache noch das Wesen der Auferstehung Jesu können wir ohne die Offenbarung

[24] F. X. Durrwell, Die Auferstehung Jesu als Heilsmysterium, Salzburg 1958.

[25] L. Scheffczyk, a. a. O., 47–50; H. Gesché, Die Auferstehung Jesu in der dogmatischen Theologie (Theologische Berichte 2), Einsiedeln 1973, 275.

[26] L. Scheffczyk, a. a. O., 17: »Der Glaube an das Erscheinen eines Gottmenschen in der Welt, an sein Weiterleben in der Kirche, an seine dynamische Gegenwart in den Sakramenten, an seine personale Präsenz in der Eucharistie, die Überzeugung von der Vollendung der Welt wie des Einzellebens durch ihn: all dies weist auf einen Verknüpfungspunkt und auf ein Urereignis hin, in dem die genannten Wahrheiten unentfaltet zusammenlagen und aus dem sie entlassen worden sind. Die Auferstehung, als Sieg des Gottmenschen über den Tod verstanden, kann alle diese Bildungen des Glaubens erklären und ihnen Licht spenden.« Das führt L. Scheffczyk im einzelnen in eindrucksvoller Weise in dem zitierten Werk aus.

[27] STh III q. 55 a. 2 ad 2.

[28] Ebd., q. 55 a. 1 c.

Gottes erreichen, wobei das Wesen nur in schwachen Analogien in unserer Sprache ausgedrückt werden kann, da die Realität unser Vorstellungsvermögen absolut übersteigt und alle Kategorien unserer Erfahrung sprengt[29]. Es ist bezeichnend, daß wir in den Evangelien nichts über das Ereignis der Auferstehung selbst erfahren. Davon ist erst in den Apokryphen die Rede. Anders als sonst bei den Ereignissen im Leben des irdischen Jesus werden hier nur die Folgen beschrieben. Damit unterstreicht die Schrift, daß sich bei dem Ereignis der Auferstehung eine Welt auftut, »die jenseits unserer Raum-Zeit-Welt liegt ..., die (aber) dennoch unsere Welt tangiert, wie die Erscheinungen des Auferstandenen und die Existenz des Kerygmas beweisen«[30]. Die Erscheinungen werden daher in den Osterfragmenten der Evangelien in Paradoxen beschrieben: Der Auferstandene ist kein Phantom, und doch ist er nicht greifbar, er begegnet den Jüngern als erkennbar-unerkennbar, als sichtbar-unsichtbar, als faßbar-unfaßbar, als materiell-immateriell, als diesseits und jenseits von Raum und Zeit[31], er wird erkannt, und doch wird er nicht erkannt, er ist der gleiche und doch ein anderer als zuvor[32]. Einerseits ist er mit dem den Jüngern wohl bekannten Jesus von Nazareth identisch, andererseits ist er doch ein anderer, jenseits von Raum und Zeit, von Unnahbarkeit und Hoheit umgeben[33], weshalb die Jünger niederfallen und dennoch zweifeln[34]; »nur wo das Herz sehend wird, können auch die Augen ihn erkennen«[35].

Die Auferstehung meint, daß der am Kreuz Gestorbene durch ein wunderbares Eingreifen Gottes nicht im Grab verblieben ist, wo-

[29] J. Gnilka, Hrsg., Wer ist doch dieser? Die Frage nach Jesus heute (Theologisches Kontaktstudium 4), München 1976, 40; K. Lehmann, Die Erscheinungen des Herrn, Thesen zur hermeneutisch-dialogischen Struktur der Ostererzählungen, in: H. Feld, J. Nolte, Hrsg., Wort Gottes in der Zeit, FS K. H. Schelkle, Düsseldorf 1973, 361–377; W. Pannenberg, Grundzüge der Christologie, Gütersloh [3]1969, 47–112.

[30] F. Mussner, a. a. O., 125; vgl. J. Kremer, a. a. O., 132.

[31] W. Bulst, Die Auferstehung Jesu: Gegenstand oder Grund unseres Glaubens, in: Glaubensbegründung heute, Botschaft und Lehre (Veröffentlichungen des Katechetischen Institutes der Universität Graz), Graz 1970, 117; H. Küng, Christ sein, München 1974, 340.

[32] Jo 20,15 f.; Lk 24,13–31 (J. Ratzinger, Einführung in das Christentum, München 1968, 255: »Diese Dialektik ist ... immer die gleiche; nur die Stilmittel, mit denen sie ins Wort gebracht wird, wechseln.«).

[33] A. Vögtle, a. a. O., 41.

[34] Mt 28,17.

[35] J. Ratzinger, Dogma und Verkündigung, München 1973, 350.

durch der physische Tod nicht rückgängig gemacht, sondern in ein neues eschatologisches Dasein aufgehoben und die Macht des Todes endgültig überwunden wurde[36], daß Jesus den irdischen Daseinsbedingungen enthoben und in die Welt Gottes versetzt, in eine neue Daseinsweise verwandelt wurde. Das wird vor allem in den ältesten Osterbekenntnissen deutlich, die von Verklärung[37], von Sitzen zur Rechten des Vaters[38], von Erhöhung[39], von Aufnahme in die Herrlichkeit Gottes[40] und von Einsetzung zum Herrn und Kyrios[41] sprechen. Es geht um ein Auferstehen zu einem qualifizierten Leben. Jesus wurde in seiner gottmenschlichen Existenz aus der Macht des Todes befreit[42]. Dabei handelt es sich um eine wirkliche Auferstehung. Das bestätigt das Pauluszeugnis 1 Kor 15, wo Paulus von der Auferstehung Jesu im Zusammenhang der Auferstehung der Toten, nicht des Fortlebens der Seele spricht. Jesus ist nicht in das irdische Leben zurückgekehrt, sondern in das entgültige Leben hinein auferstanden. Diese Tatsache bedingt jene andere, daß die Begegnung mit ihm Erscheinungen, d. h. wunderbare Ereignisse sind.

Die Auferstehung Jesu ist nur für die Augen des Glaubens sichtbar. Dieser Glaube aber hat seine rationalen Gründe in den Erscheinungen des Auferstandenen, im leeren Grab, in der Glaubwürdigkeit der Erstzeugen, in der inneren Widerspruchslosigkeit dieser Botschaft und ihrer Wirkungsgeschichte[43]. Sie machen die Auferstehung glaubwürdig, entbinden aber nicht vom Glauben.[44] Auch der Erstzeuge ist letztlich ein Glaubender. Aber der Glaube bedarf stets eines rationalen Fundamentes. Er kann nur verantwortlich gefordert und geleistet

36 J. Kremer, a. a. O., 132; F. Mussner, a. a. O., 151.

37 1 Kor 15,35ff.

38 Mk 16,19. Besonders häufig ist diese Terminologie in der Briefliteratur (vgl. Rö 8,34; Kol 3,1; 1, 13; Eph 1,20; Hebr 1,3; 8,1; 10,12; 12,2; 1 Petr 3,2).

39 Apg 2,32f; 5,30.

40 Mk 16,19; Apg 1,2; Lk 9,26; 24,26; Phil 2,9; Joh 13,13ff; 17,5.

41 Apg 2,26; Rö 10,9; Hebr 1,1 ff.; 9.11.24; 1 Petr 3,18–22; Eph 1,20f; 2,1–10; 4,8.10; Kol 1,10f; 2,15; Apk 5,2–13; 1 Tim 3,16.

42 J. Kremer, a. a. O., 139.

43 Das I. Vatikanische Konzil erklärt, die Kirche bezeuge durch ihre Existenz und ihre gottesgesegnete Wirksamkeit die Wunderbarkeit ihres Anfangs (DS 3013). Damit kann es sich auf Paulus berufen, der bereits die Wirkung seiner Predigt als Bestätigung ihres Inhaltes bezeichnet (Phil 3,12; 1 Kor 9,1 f.; 1,4 ff.).

44 Jo 20,29.

werden als »obsequium rationabile« bzw. »obsequium rationi consentaneum«[45].

Die Einwände der sog. Leben-Jesu-Forschung gegen die Auferstehung Jesu kann man heute als überholt bezeichnen. Das Sterben Jesu war real. Daran gibt es keinen Zweifel. Ebensowenig kann bezweifelt werden, daß die Jünger von der Auferstehung Jesu überzeugt waren, zumindest subjektiv. Sie hatten einen Grund für jene auch für das damalige Verständnis ungeheuerliche Behauptung. Dabei kann man allerdings nach der objektiven Tragfähigkeit dieses Grundes fragen.

Man hat gesagt, die Jünger Jesu hätten nach Jesu Tod über seine Worte und Taten nachgedacht und seien so allmählich zu der Überzeugung gekommen, die Worte und Taten dieses Propheten müßten auch nach seinem Tod verkündet werden. Die Erscheinungen des Auferstandenen seien nur ein Ausdruck der subjektiven Überzeugung, daß dieser Jesus irgendwie weiterlebe, daß vor allem seine Verkündigung und seine Sache weitergehen müßten.

Gegen diese Deutung spricht jedoch das Verhalten der Jünger nach dem Tod Jesu. Sie waren von sich aus für den Osterglauben absolut nicht disponiert. Angesichts des Todes Jesu war ihre Enttäuschung so groß, daß sie nur langsam zum Glauben kamen.[46] Es ist psychologisch nicht denkbar, »daß sie durch das bloße Nachdenken über ihr Zusammensein mit dem irdischen Jesus auf die Idee kommen konnte(n), dieser Jesus sei der von Gott gesandte Messias«[47]. Am Anfang steht nicht der Osterenthusiasmus, sondern der Zusammenbruch der messianischen Hoffnungen der Jünger. Das darf man nicht übersehen oder gar überspielen.[48] Zudem war dieser Jesus durch seine Hinrichtung ein für allemal in den Augen der Israeliten desavouiert[49]. Der Osterglaube der Urgemeinde ist ein Neuansatz, der als solcher auf neue Erfahrungen hinweist, die uns glaubwürdig als Begegnun-

[45] DS 3009. Vgl. Augustinus, De praedestinatione Sanctorum 2,5; PL 44, 962f: »Nullus quippe credit aliquid, nisi prius cogitaverit esse credendum«.

[46] G. Bornkamm, Jesus von Nazareth, Stuttgart [5]1960, 169. M. Hengel spricht von der »fast explosionsartigen missionarischen Expansion«, hinter der ein »einzigartiger dynamischer Impuls« stehe (M. Hengel, Ist der Osterglaube noch zu retten?, in: TThQ 153, 1973, 261). Eine solche Wirkung bedarf eines Grundes. Dieser ist aber nach Aussage des NT in den Erscheinungen zu suchen bzw. in der durch sie zum Bewußtsein der Jünger gekommenen Auferstehung Jesu (vgl. auch L. Scheffczyk, a. a. O., 146).

[47] K. H. Weger, Gott hat sich offenbart (Herderbücherei 946), Freiburg 1982, 71.

[48] M. Hengel, a. a. O., 260.

[49] K. H. Weger, a. a. O., 70f.

gen mit dem auferweckten Gekreuzigten bezeugt werden[50]. Die Auferstehung Jesu schuf einen Glauben in den Jüngern, »den sein Tod unwiederbringlich ausgelöscht hätte ... den weder sein Leben noch sein Tod anderweitig hätten hervorbringen können«[51]. In diesem Neuansatz wird der Auferstandene zum entscheidenden Inhalt der Verkündigung, freilich in Kontinuität zur Botschaft des historischen Jesus, der bereits die Basileia in einzigartiger Weise auf seine Person bezogen und mit seiner Person verbunden hatte.

Die Auferstehung Jesu ist ein objektives Geschehen. »Das Bekenntnis zur Auferstehung Jesu als einem wirklichen Ereignis gehört ... notwendig zum christlichen Glauben und kann nicht als zeitbedingte, zu anderen Zeiten auch anders aussagbare Ausdeutung einer innergeschichtlichen, innerweltlichen oder innermenschlichen Erfahrung verstanden werden«[52]. Dabei gilt freilich, daß sie heilsunwirksam bleibt, wenn sie nur als Ereignis an sich verstanden wird. Aber bei aller existentiellen Bedeutung dieses Ereignisses darf nicht übersehen werden, daß es sich hier um eine Gegebenheit »extra nos« handelt, um ein Ereignis, das nicht gemacht wird durch die Glaubensentscheidung des Menschen. Die Wirklichkeit ist da, ob dieser glaubt oder nicht. Gott hat sein Heil außerhalb dessen gewirkt, was der Mensch glaubt oder denkt. Es ist objektiv real. So entspricht es jedenfalls der Sicht der Offenbarung[53].

Die Urgemeinde versteht die Auferstehung Jesu nicht als zeitgebundenes Interpretament für das Weitergehen seiner Sache[54], als einen

50 Vgl. H. Küng, a. a. O., 363.

51 J. P. Mackey, Jesus der Mensch und der Mythos, Eine zeitgemäße Christologie, München 1981, 102.

52 Schreiben der deutschen Bischöfe an alle, die von der Kirche mit der Glaubensverkündigung beauftragt sind, vom 22. September 1967, Sonderdruck des Sekretariats der Deutschen Bischofskonferenz, Nr. 34.

53 E. Fuchs, W. Künneth, Die Auferstehung Jesu von den Toten, Dokumente eines Streitgesprächs, Neukirchen 1973, 22–24.155.

54 Vgl. W. Marxsen, Die Auferstehung Jesu als historisches und theologisches Problem, Gütersloh 1964, 24f.; ders., Die Auferstehung Jesu von Nazareth, Gütersloh 1968, 147ff. 51. Für Marxsen ist das Wunder »eben nicht die Auferstehung Jesu, sondern ... das Zum-Glauben-Gekommen-Sein« der Jünger (ebd., 142). Die Sache Jesu besteht in dem Angebot, es mit Gott in der Welt zu wagen, oder einfach in der bleibenden Bedeutung von Glaube und Liebe (ebd., 118–130).

Ausdruck der Bedeutsamkeit des Kreuzes[55], der »Einheit von Leben und Tod in der Liebe«, der »Allgemeingültigkeit der Botschaft«[56], der »Wirkkraft des historischen Jesus«[57] oder einfach seiner Autorität, wobei dann konkret nur noch die Mitmenschlichkeit als Vergegenwärtigung Gottes bleibt[58], sondern als ein objektives Ereignis, als Tat Gottes an Jesus, wodurch dieser nach seinem Tod in die Welt Gottes aufgenommen wurde. Sie sieht darin freilich ein Geheimnis, das nur dem Glauben zugänglich ist, aber eine Realität. Für die Urgemeinde geht es in der Offenbarung überhaupt um Heilstatsachen, um Wirklichkeiten, nicht nur um Betroffenheit. Die Mitte der apostolischen Verkündigung ist die Auferstehung des gekreuzigten Jesus als Faktum[59], seine Einsetzung zum Herrn und Kyrios als objektive Begebenheit, die als solche hinreichend verbürgt ist[60]. Es ist daher eine Verfälschung der ursprünglichen Osterbotschaft, wenn die Auferstehung zu einem leeren Begriff, zu einer Chiffre, zu einer »ideogrammatischen Deutung« verflüchtigt und ihr Wirklichkeits- und Tatsachengehalt aufgegeben wird, wenn sie »eine sinnbildliche Bezeichnung für irgendeine christliche Bedeutsamkeit« wird[61]. Das Heil des Menschen gründet in der Faktizität der Auferstehung, nicht nur in

[55] Für R. Bultmann ist Jesus ins Kerygma auferstanden. Es geht demnach im Osterglauben lediglich um den Glauben an den im Kerygma präsenten Christus (vgl. R. Bultmann, Das Verhältnis der urchristlichen Christusbotschaft zum historischen Jesus [Sitzungsberichte der Heidelberger Akademie der Wissenschaften, Phil.-hist. Klasse 1960, 3. Abhandlung], Heidelberg 1962, 27; H. W. Bartsch, Das Auferstehungszeugnis, Sein historisches und theologisches Problem, Hamburg 1965, 43; A. Kolping, Wunder und Auferstehung Jesu Christi [Theologische Brennpunkte 20], Bergen-Enkheim 1969, 35). Natürlich ist Jesus ins Kerygma auferstanden, aber eben nicht nur. Die Urgemeinde war auch davon überzeugt, daß der erhöhte Christus bei Gott lebte (vgl. J. Gnilka, a. a. O., 35; F. Mussner, a. a. O., 145).

[56] E. Fuchs, W. Künneth, a. a. O., 157. 62. 171; E. Fuchs, Zur Frage nach dem historischen Jesus (Gesammelte Aufsätze II), Tübingen ²1965, 241.165.299. Fuchs meint, nur der frage nach der Auferstehung als nach einem Geschehnis zurück, der keinen Glauben habe. Wie Bultmann identifiziert er das Ostergeschehen mit dem Wortgeschehen (vgl. E. Fuchs, Zum hermeneutischen Problem in der Theologie, Die existentiale Interpretation, Tübingen ²1965, 237–260; J. Gnilka, a. a. O., 36).

[57] H. Zahrnt, Wozu ist das Christentum gut?, München 1972, 112f. 109f. 36.

[58] H. Braun, Jesus, Stuttgart 1969, 151–154.

[59] Rö 4,25; 10,9; 1 Kor 15,3–5; Apg 2,23f; 3,14f; 5,30f (vgl. B. Klapperet, Hrsg., Diskussion um Kreuz und Auferstehung, Zur gegenwärtigen Auseinandersetzung in Theologie und Gemeinde, Wuppertal 1968, 47).

[60] 1 Kor 15,3ff (vgl. B. Klappert, a. a. O., 49; W. Bulst, a. a. O., 120).

[61] E. Fuchs, W. Künneth, a. a. O., 169.

der Botschaft davon oder im Glauben daran[62]. Für das Neue Testament gilt die Wirklichkeit des erhöhten Herrn [63]. Ihm geht es nicht um Kreuz und Kerygma, sondern um Kreuz und Auferstehung[64]. Weil das biblische Kerygma an Fakten orientiert ist, deshalb ist der Glaube nicht einfach nur Betroffenheit, deshalb hat er es mit übernatürlichen Realitäten zu tun. Beschränkt man sich auf die Bedeutsamkeit der Sache, auf das »pro me«, so wird das Kerygma letztlich auf die in ihm enthaltenen ethischen Lehren reduziert. Dann wird es aber selber im Grunde überflüssig, da man diese ethischen Appelle oder Lebensmaximen schließlich auch ohne die Offenbarung entwickeln kann[65].

Das Neue Testament denkt nicht vom Menschen oder vom Glauben, sondern von der Tat Gottes her. Nicht der Glaube macht die Auferstehung, er entsteht vielmehr durch die Verkündigung der erfolgten Auferstehung. Man darf hier nicht die Ursache mit der Wirkung verwechseln. »Christus ist nicht auferstanden, weil verkündigt wird, er sei der Herr, sondern weil er auferstanden ist, wird verkündigt, daß er der Herr ist.«[66]

Man kann daher nicht in angemessener Weise von der Auferstehung Jesu reden, ohne ontologische Kategorien zu verwenden[67]. Das aber bedingt ein Wirklichkeitsverständnis, das das rein immanente, diesseitige in Frage stellt. Das ist der tiefere Grund, weshalb die Auferstehung schon immer als ein Ärgernis empfunden wurde. Der Ärgernischarakter gilt auch dann, wenn man sich noch so sehr um begriffliche Klarheit bemüht, da er im Wesen dieser Realität liegt. Man kann ihn nur beseitigen um den Preis ihrer Reduzierung oder Auflösung[68]. Von Anfang an wurde die Auferstehung Jesu als Skandalon empfunden. Man spottete darüber und wandte sich ab[69] oder suchte nach natürlichen Erklärungen[70], um so dem Ärgernis zu entgehen. In ähnli-

62 1 Kor 15,14; J. Kremer, a. a. O., 146.
63 L. Goppelt, Das Osterkerygma heute, in: Lutherische Monatshefte 3, 1964, 51.
64 H. Graß, Ostergeschehen und Osterberichte, Göttingen ²1962, 244.
65 L. Scheffczyk, a. a. O., 181.
66 E. Fuchs, W. Künneth, a. a. O., 63.
67 Ebd., 21f.
68 J. Kremer, a. a. O., 131.136–138; E. Fuchs, W. Künneth, a. a. O., 21f.
69 Apg 17,32.
70 Mt 27,62–66.

cher Weise will heute die existentialtheologische Interpretation das Mysterium rationalisieren und plausibel machen[71].

Die Auferstehung Jesu ist im größeren Zusammenhang der Heilsgeschichte zu sehen. Sie macht ein neues Sein, eine neue Wirklichkeit sichtbar und leitet die endzeitliche Vollendung ein. Daher ist sie im Anschluß an 2 Kor 5,17 in Parallele zur Schöpfungstat zu sehen, als eine neue Schöpfung[72]. Bei dem verwandelnden Wirken des transzendenten Gottes, um das es hier geht, handelt es sich gewissermaßen um einen schöpferischen Akt[73], um eine Tat Gottes, die allein in seiner Schöpfungstat eine Parallele hat[74].

Die zentrale Bedeutung der Auferstehung Jesu für den christlichen Glauben macht deutlich, daß das Christentum inniger mit der Person seines Stifters verbunden ist als irgendeine andere Religion. Im Mittelpunkt des Christentums steht Christus als der Auferstandene. Die Stellung zu ihm, nicht zu seiner Sache, entscheidet über Heil oder Unheil des Menschen[75]. Wenn bereits der vorösterliche Jesus die Menschen an seine Person gebunden und sich mit der Basileia identifiziert hat, so erhält das seine letzte und tiefste Begründung im Lichte des Osterkerygmas.

3. Vollendung des Lebens Jesu

Die Auferweckung oder Auferstehung Jesu[76] ist die Vollendung seines Lebens. Sie bedeutet die Aufnahme auch seiner Menschheit in die

[71] Schreiben der deutschen Bischöfe an alle, die von der Kirche mit der Glaubensverkündigung beauftragt sind, vom 22. September 1967, Nr. 35 (vgl. oben Anm. 52).

[72] E. Fuchs, W. Künneth, a. a. O., 21.154f; K. Lehmann, Jesus Christus ist auferstanden, Freiburg 1975, 60f.

[73] L. Scheffczyk, a. a. O., 227.

[74] J. Kremer, a. a. O, 132.

[75] J. P. Mackey, a. a. O., 9.

[76] In der Schrift wird die Auferstehung Jesu häufiger dem Vater appropriiert und als Auferweckung bezeichnet, anders als in den Symbola und an einer Reihe weiterer Stellen, wie 1 Thess 4,14 und Lk 24,7 (vgl. Mk 12,25f; 16,9; Lk 24,46; Apg 2,31; 4,33; 26,23; Rö 1,4; 6,5; 1 Kor 15,12f; Phil 3,10; 1 Petr 1,3; 3,21). Das Passiv von ἐγείρειν, ein Passivum divinum, scheint die ältere Formulierung der Botschaft zu sein. Auferstehung ist dann das Ergebnis einer entwickelteren Theologie, durchaus legitim, da »die Wirksamkeit Gottes nach außen ein einziges Werk des dreifaltigen Gottes in der Einheit der Natur ist« (K. Rahner, Art. Auferstehung IV, in: LThK I, Freiburg ²1957, 1039; vgl. DS 531f. 535.790. 800f. 1330).

Herrlichkeit Gottes als Frucht seines Gehorsams[77]. Das II. Vatikanische Konzil erklärt: »Als aber Jesus nach seinem für die Menschen erlittenen Kreuzestod auferstanden war, ist er als der Herr, der Gesalbte, und als der zum Priester auf immer Bestellte erschienen.«[78] In der Auferweckung erfolgt die Erhöhung Jesu, die sich in der Parusie vollendet[79]. Erhöhung meint im Anschluß an alttestamentliche Formulierungen[80] soviel wie Herrschaftsantritt, Inthronisation. Daher ist der Auferstandene der Kyrios[81]. Wie Israel das Kyrios-Sein Jahwes bekannte[82], so bekennt die Christengemeinde Jesus als ihren Kyrios[83]. Dieser Titel schreibt seinem Träger göttliche Würde zu, da er bereits von der jerusalemischen Urgemeinde benutzt wurde[84]. Im Namen des Kyrios ist das Heil gegeben[85], und seine Vollendung bedeutet die Erlösung der Menschen[86], sofern ihnen durch ihn die Möglichkeit der Umkehr, der Vergebung und der Rettung im Gericht gegeben ist[87].

Im Ostergeschehen erfaßt die Urchristenheit das tiefste Geheimnis Jesu.[88] Durch die Erscheinung des Auferstandenen erkennt Paulus ihn als den Sohn Gottes, nachdem er bisher über ihn dem Fleische nach, d. h. nach menschlichen Maßstäben geurteilt hat[89]. Im Johannesevangelium löst die Begegnung des Thomas mit dem Auferstandenen das Bekenntnis aus: »Mein Herr und mein Gott«[90]. Durch die

[77] A. Kolping, Art. Auferstehung Jesu II, in: H. Fries, Hrsg., Handbuch theologischer Grundbegriffe I, München 1962, 143–145.

[78] Lumen gentium, Art. 5, mit Hinweis auf Apg 2,36; Hebr 5,6; 7,17–21.

[79] Vgl. Phil 2,9–11; 1 Kor 15,23–28; Apg 2,22–36; 5,30; 13,33; 17,31.

[80] Ps 110,1; 68,19.

[81] Rö 10,8; 14,9; 1 Kor 6,14; Apg 2,36; 10,42; 26,15; 2 Tim 2,8.

[82] Dt 6,4.

[83] Phil 2,11; Rö 10,9.

[84] Das beweist der Gebrauch des aramäischen Maran atha 1 Kor 16,22.

[85] Apg 10,41–43.

[86] Hebr. 5,9: »Und so vollendet, ward er allen, die ihm gehorchen, Urheber ewiger Erlösung.«

[87] Apg 5,31; 10,43; 13,38; 26,18; vgl. G. Delling, Die Bedeutung der Auferstehung Jesu für den Glauben an Jesus Christus, Ein exegetischer Beitrag, in: W. Marxsen, U. Wilckens, G. Delling, H.-G. Geyer, Die Bedeutung der Auferstehungsbotschaft für den Glauben an Jesus Christus, Gütersloh [2]1966, 77.

[88] Ebd., 87.

[89] Gal 1,16; 2 Kor 5,16.

[90] Jo 20,28.

Osterbotschaft erreicht das Verständnis des Werkes und der Person Jesu sein Ziel[91].

Damit wird aber das Ärgernis des Kreuzes aufgehoben. Gott bestätigt, daß der Gekreuzigte in seinem Auftrag gehandelt hat[92]. Was zunächst nur ahnungsweise, unsicher und vieldeutig vorhanden war, was dann jedoch durch das Kreuz entgültig als Täuschung erwiesen war, das wurde nun zur Gewißheit und Klarheit. Gott hatte durch die Auferweckung Jesu das Urteil des Hohen Rates über ihn ausgelöscht, Gott hatte den, der schmählich am Kreuz geendet hatte, gerechtfertigt, indem er ihn von den Toten erweckt hatte, und so den Stein, den die Bauleute verworfen hatten, zum Eckstein gemacht. Dieser Gedanke begegnet uns programmatisch in den Petrusreden der Apostelgeschichte[93]. Die höchste Selbstoffenbarung Jesu als des von Gott gesandten Messias kann so nun die gesamte apostolische Verkündigung legitimieren[94].

Dadurch wird zugleich die Tatsache besiegelt, daß Jesus im Gehorsam gegenüber dem Willen Gottes das Kreuz auf sich genommen und »daß Gott in der Hingabe des Sohnes in den Tod heilsam gehandelt hat«[95], daß die Erhöhung Jesu »die eigentliche Heilszuwendung (Gottes) an die Welt«[96] brachte bzw. das entsprechende Verständnis der Passion und des Todes Jesu ermöglichte.

In der Bestätigung Jesu durch Gott ist aber auch die Trennung der Urgemeinde vom Judentum prinzipiell vollzogen, wenngleich sie faktisch erst später erfolgte. Die Juden hatten Jesus in den schmachvollen Tod geschickt. Gott hatte sich jedoch auf seine Seite gestellt[97]. Daher trat nun an die Stelle des jüdischen Gesetzes das »Gesetz Christi«[98], die neue Gerechtigkeit, die Gerechtigkeit aus dem Glauben an Jesus den Kyrios.

Von der Auferstehung her wurden, geschichtlich gesehen, Präexi-

[91] G. Delling, a. a. O., 87f.

[92] Vgl. U. Wilckens, Das Offenbarungsverständnis in der Geschichte des Urchristentums, in: W. Pannenberg, Hrsg., Offenbarung als Geschichte, Göttingen ²1963, 61.

[93] Vgl. Apg 2,22–36; 3,14f.

[94] M. Schmaus, Der Glaube der Kirche I, München ¹1969, 477 (vgl. Apg 1,12f; 1 Kor 15,13–19).

[95] G. Delling, a. a. O., 86.

[96] L. Scheffczyk, a. a. O., 228.

[97] Vgl. Dt 21,23; Gal 3,13.

[98] Gal 6,2.

stenz und Inkarnation erkannt und formuliert, während die Auferstehung ihrerseits die höchste Ausreifung der hypostatischen Union ist[99]. Zwar trat das Göttliche an der Person des Jesus von Nazareth in dem Außerordenlichen seiner Taten und Worte hervor, jedenfalls in Ansätzen, aber ohne die Auferstehung »mußte der Tod am Kreuz nicht nur als schmähliches Ende des Lebenswerkes Jesu angesehen werden, sondern auch als endgültige Tilgung aller besonderen Ansprüche der Person dieses Menschen«[100]. Durch die Auferstehung erhält nicht nur der Tod Jesu eine absolute Bedeutung, sondern auch seine Person. Darin erkennt die Urgemeinde, daß er letztlich alle menschlichen Kategorien sprengt. Diese Erkenntnis unterstreicht die moderne Exegese, wenn sie feststellt, daß die christologischen Hoheitstitel des Neuen Testamentes das Ergebnis der Deutung der Jesusgestalt von seiner Auferstehung her sind.
Es wird so deutlich, daß der Auferstandene für die Urgemeinde mehr war als nur »der schlechthin gute Mensch«[101] oder der Mensch, der die »unüberbietbare, endgültige Nähe und Präsenz Gottes«[102] sichtbar macht, daß er für sie etwas anderes war als eine gewisse Bedeutsamkeit für die Menschen, bedingt durch paradigmatische Relevanz, oder als die Offenbarung der vollkommenen ungetrübten Gottverbundenheit eines Menschen[103].
Seine Heilsbedeutung hat ihren Ursprung nicht im Osterglauben der Jünger, sondern diese haben sein Werk und seine Person erst von der Auferstehung her begreifen können. Der Osterglaube selbst aber hat seinen Ursprung im österlichen Handeln Gottes. So entspricht es den Aussagen des Neuen Testamentes. Das ist freilich nicht historisch erkennbar oder aufweisbar, denn es übersteigt die Empirie. Gewiß sind dem Historiker das Werk und die Person Jesu in einem bestimmten Umfang zugänglich, ebenso das Bezogensein des Osterglaubens der Jünger darauf, endlich auch das Bezogensein des Osterglaubens der Jünger auf bestimmte Widerfahrnisse, die sie als Erscheinungen des Auferstandenen bezeugen, und auf das leere Grab. Daß hier aber

[99] M. Schmaus, a. a. O., 469.
[100] L. Scheffczyk, a. a. O., 210 und 208–210.
[101] Ebd., 217.
[102] H. Kessler, Erlösung als Befreiung? Inkarnation, Opfertod, Auferweckung und Geistgegenwart Jesu im christlichen Erlösungsverständnis, in: StdZ 192, 1974, 13.
[103] L. Scheffczyk, a. a. O., 211–218.

Gott am Werk ist, ist jedoch nur dem Glauben zugänglich[104], wobei es freilich gute rationale Gründe für diese Überzeugung gibt.

4. Bestimmung des Christseins

Wichtiger als die Erkenntnis des metaphysischen Wesens Jesu und die Bestätigung des Gottesboten ist für den Osterglauben das, was der Auferstandene in der Zukunft und in der Gegenwart wirkt[105].
Die Auferstehung Jesu ist der Beginn der Endereignisse. In der Osterbotschaft wird Jesus als der Erstling der Entschlafenen und als der Erstling der neuen Menschheit verstanden[106], d. h. als Grund und Modell und zugleich Anfang der Auferstehung seiner Jünger[107]. 1 Kor 15,14 gilt daher nicht nur im apologetischen, sondern auch im ontologischen Sinn. Was für Jesus vollinhaltlich gilt, gilt für seine Jünger anfanghaft[108]. Mit seiner Auferstehung hat bereits die Endzeit begonnen[109].
Die Auferstehung Jesu ist als die Mitte des Heilgeschehens für Jesus die Vollendung seines irdischen Lebens, für die Christen aber die erwartete Zukunft, die in der Befreiung vom Tode und von allen damit verbundenen physischen Übeln besteht. Das geschichtliche Ereignis der Auferstehung Jesu, das der Vergangenheit angehört, ist hingerichtet auf seine volle Entfaltung in der Zukunft. Diese Überwindung des Todes, Gabe des auferstandenen Gekreuzigten, gründet in seiner Liebe, die das letzte Geheimnis der Erlösung darstellt, der Liebe, die sich schon rein innerweltlich stärker als der Tod erweist, wenigstens intentionaliter[110].
Die Auferstehung Jesu gibt dem Menschen eine umfassende Antwort auf die existentiell drängende Frage nach dem Tod und nach der Unsterblichkeit. Wie alle Religionen und Kulturen beweisen, überschreiten das Angelegtsein des Menschen auf Zukunft und die Hoff-

104 G. Delling, a. a. O., 88f.
105 Vgl. A. Vögtle, a. a. O., 90.
106 Kol 1,18; 1 Kor 15,20.23.45–49; Rö 8,29; 5,12ff.
107 1 Petr 1,3.4; Phil 3,21.
108 A. Kolping, Art. Auferstehung Jesu, a. a. O., 144.
109 O. Cullmann, a. a. O., 46. 48; E. Fuchs, W. Künneth, a. a. O., 26f.
110 Vgl. J. Ratzinger, Einführung in das Christentum, a. a. O., 253.

nung die Grenze des Todes. Der Mensch fragt nach dem Sinn und dem Wohin über sein biologisches Ende hinaus. Er ersehnt das erfüllte, unvergängliche Leben und geht im allgemeinen davon aus, daß der Tod nicht das absolute Ende ist. Dabei denkt er allerdings nur an die Unsterblichkeit der Seele, wodurch er jedoch auf seine geistige Dimension reduziert wird und ein wesentliches Moment seines Daseins von der Vollendung ausgeschlossen bleibt. Die Auferstehung Jesu belehrt ihn nun über die Vollendung des ganzen Menschen[111].

Die Auferstehung der Toten, von der bereits im Alten Testament die Rede ist, wird in der Auferstehung Jesu zur Gewißheit[112]. Sie ist angelegt in seiner Basileia-Verkündigung sowie in seinen Dämonenaustreibungen und Krankenheilungen, die wesentlich zu dieser Verkündigung gehören, sofern in ihnen die Basileia Gottes anbricht und die Herrschaft Satans, die in der Unheilssituation der Welt sichtbar wird, speziell in Krankheit und Tod, zugrunde gerichtet wird. Damit kommt »in den vorösterlichen Wundern schon zeichenhaft zur Sprache, was sich in der Auferweckung Jesu von den Toten inchoativ erfüllen wird: Die Überwindung der umfassenden Todessituation der Welt«[113]. Das Heil wird im Neuen wie schon im Alten Testament auch als Leben verstanden. Retten bedeutet soviel wie vor der Scheol bewahren, aus der Sphäre des Todes in die Sphäre des Lebens hinüberführen. Krankheit ist gleich Schwächung der Lebenskraft. Die völlige Überwindung der Todesherrschaft, wie sie in der Osterbotschaft zum Ausdruck kommt, ist mithin bereits im Alten Testament, vor allem aber im Wirken und in der Botschaft Jesu vorbereitet[114].

In der Auferweckung Jesu sieht die Urgemeinde die Garantie und die Bestätigung für die allgemeine Auferstehungshoffnung[115]. Ostern ermöglicht ihr eine neue Sicht des Todes[116]. Eingehend legte Paulus im

[111] Vgl. W. Bulst, a. a. O., 118f; J. Kremer, a. a. O., 139; M. Blondel, Die Aktion, Freiburg 1965, 66.412f; H. Bouillard, Logik des Glaubens, Freiburg 1966, 114–136.

[112] 1 Kor 15,20; Kol 1,18; Apk 1,5; vgl. Ignatius von Antiochien, Ad Trallianos 9,1 f.: » ... qui et vere resurrexit a mortuis resuscitante ipsum Patre ipsius, quemadmodum ad eius similitudinem et nos ei credentes Pater eius ita resuscitabit in Christo Jesu, sine quo veram vitam non habemus« (F. X. Funk I, 209).

[113] F. Mussner, a. a. O., 53 bzw. 50–53.

[114] G. Fohrer, Art. σῴζειν, in: ThW VII, Stuttgart 1966, 977; W. Wagner, Über ΣΘΖΕΙΝ und seine Derivate im Neuen Testament, in: ZNW 6,1905, 205–235; W. Förster, Art. σῴζειν, in: ThW VII, 989–999; F. Mussner, a. a. O., 54–59.

[115] 1 Kor 15,20; Kol 1,18; Apk 1,5.

[116] Phil 3,20f.

1. Korintherbrief [117] dar, wieso die Auferstehung Jesu die Auferstehung des Fleisches bedingt. Bereits im 1. Thessalonicherbrief hatte er das Problem der leiblichen Auferstehung erörtert[118] und festgestellt, daß bei der Parusie zuerst die Auferstehung der verstorbenen Gläubigen erfolgen werde und dann die Entrückung der noch lebenden Gläubigen in die Luft, dem Herrn entgegen[119]. Hier nun, im 1. Korintherbrief, ungefähr sechs Jahre später, setzt er sich mit jenen auseinander, die grundsätzlich die Auferstehung der Toten leugnen[120]. Zunächst betont er, daß die Auferstehung Jesu unbestreitbar feststeht[121]. Daraus folgert er, daß die Auferstehung Toter grundsätzlich möglich ist und daß derjenige, der grundsätzlich die Möglichkeit der Auferstehung der Toten leugnet, damit auch die Auferstehung Jesu leugnet[122]. Dann stellt er fest, daß Christus der Erstling der Entschlafenen ist, daß also mit ihm bereits die Auferstehung aller beginnt[123]. Dieser Gedanke begegnet uns auch im Römerbrief, wo Christus als der »Erstgeborene unter vielen Brüdern«[124] bezeichnet wird, und im Kolosserbrief, wo er der »Erstgezeugte von den Toten«[125] genannt wird. Hier, im 1. Korintherbrief, wird er unterstrichen durch die Adam-Christus-Typologie[126], die dann später im Römerbrief weiter ausgeführt wird[127]. Adam wird als Exponent der alten Menschheit verstanden, Christus aber als Haupt der erlösten Menschheit. Während alle in Adam sterben, werden alle jene, die in Christus sind, in ihm lebendig gemacht werden[128]. Dabei ist zu bedenken, daß der Terminus »alle« hier jeweils eine verschiedene Bedeutung hat, sofern die Auferstehung in Christus nur denen zuteil wird, die durch ihn repräsentiert werden und sich durch ihn repräsentieren lassen. Das sind je-

[117] Kap. 15.
[118] 1 Thess 4,13–17.
[119] 1 Kor 15,51f ist noch von der Verwandlung der bei der Parusie noch Lebenden die Rede.
[120] E. Ruckstuhl, J. Pfammatter, Die Auferstehung Jesu Christi, Heilsgeschichtliche Tatsache und Brennpunkt des Glaubens, Luzern 1968, 189f.
[121] 1 Kor 15,5–8.
[122] 1 Kor 15,12–19.
[123] 1 Kor 15,20–24.
[124] Rö 8,29.
[125] Kol 1,18.
[126] 1 Kor 15,20–24. 45–49.
[127] Rö 5,12–21.
[128] 1 Kor 15,21f.

ne, die ihm nachfolgen oder die ihm angehören. Über die anderen wird an dieser Stelle nichts ausgesagt. Paulus betont, daß die Auferstehung Jesu der Vergangenheit angehört, die Auferweckung seiner Brüder jedoch noch aussteht.[129] Den zukünftigen Charakter dieser Auferstehung hebt er auch sonst wiederholt hervor[130]. Im weiteren Verlauf seiner Darlegungen zur Frage der Auferstehung stellt er dann die Frage nach dem Wie der Auferstehung der Toten [131]. Im Mittelpunkt dieser Überlegungen steht das Bild vom Samenkorn, das sterben muß, damit daraus eine neue Pflanze entstehen kann. Der Auferstehungsleib wird als ein pneumatischer Leib bezeichnet und als solcher dem psychischen gegenübergestellt[132]. Die Auferstehung meint demnach Verwandlung in das Bild des himmlischen Menschen Christus.

In der Auferstehung Jesu beginnt für Paulus[133] die Vollendung der Heilsgeschichte, zu ihrem letzten Ziel kommt sie in der völligen Vernichtung des Todes und aller gottfeindlichen Mächte und in der Übergabe des Reiches an den Vater[134]. Daher folgt für ihn die Auferstehung der Toten notwendig aus der Auferstehung Jesu Christi[135]. Die logische Verknüpfung zwischen diesen beiden Ereignissen sieht er darin, daß die Auferstehung der Toten eschatologisches Geschehen ist und daß Jesu Auferstehung die allgemeine Auferstehung der Toten einleitet und damit garantiert.

Wenn in diesen Erörterungen nicht das Gericht erwähnt wird und nicht gesagt wird, was mit den Bösen geschieht, so erklärt sich das aus der Tatsache, daß der Apostel hier aufzeigen will, daß die Geschichte Gottes im sieghaften Durchbrechen der Osterherrlichkeit zu ihrem Ziel kommt[136]. Vom Gericht spricht er an anderen Stellen[137]. Im 2.

[129] 1 Kor 15,23; vgl. Rö 8,10; 2 Kor 5,4.

[130] Rö 8,11: »Wenn aber der Geist dessen in euch wohnt, der Jesus von den Toten auferweckt hat, dann wird er ... auch eure sterblichen Leiber lebendig machen durch seinen in euch wohnenden Geist«; 1 Kor 6,14: »Gott hat den Herrn auferweckt – er wird auch uns auferwecken durch seine Kraft« (vgl. 2 Kor 4,14; Kol 1,22; Eph 5,27; 1 Thess 4,14).

[131] 1 Kor 15,35–58.

[132] Dieser Gedanke begegnet uns bereits 1 Kor 2,14–16.

[133] 1 Kor 15,24–28.

[134] E. Ruckstuhl, J. Pfammatter, a. a. O., 189–201.

[135] Rö 8,11; 1 Kor 6,14; 2 Kor 4,14; 1 Thess 4,14; Phil 3,10f.

[136] E. Ruckstuhl, J. Pfammatter, a. a. O., 200f.

[137] Rö 2,2f. 5.16; 11,33; 14,10; 1 Kor 11,29.34.

Korintherbrief erklärt er kategorisch, daß wir alle »vor dem Richterstuhl Christi« erscheinen werden, »damit ein jeder Rechenschaft ablege über das, was er in seinem irdischen Leben getan hat«[138].
Die Wahrheit von der Auferstehung der Toten ist für das Christentum nicht weniger zentral als jene von der Auferstehung Jesu. Diesen Gedanken greift Augustinus auf, wenn er sagt: »Sublata ... fide resurrectionis mortuorum, omnis intercidit doctrina christiana«[139]. Die Offenbarung kulminiert in der eschatologischen Vollendung, in die der Leib einbezogen ist. Er ist nach Tertullian »der Angelpunkt des Heiles«[140]. Das christlich verstandene Heil kann nicht die Sphäre des Fleisches ausklammern. Darauf weist bereits der Prolog des Johannesevangeliums hin[141]. »Die Theologie darf nicht leibvergessen sein, wenn sie der biblischen Offenbarung gerecht werden will«[142]. Das endgültige Heil bedeutet nicht Rettung der Seele, sondern des ganzen Menschen. Der letzte Artikel des Apostolischen Glaubensbekenntnisses bekennt sich zur Auferstehung des Fleisches. Dabei bedeutet »Fleisch« in der Sprache der Bibel den Menschen in seiner Ganzheit, nicht nur den Körper[143]. Dieses Bekenntnis läßt sich zwar nicht rational begreifen, resultiert aber unumstößlich aus der Osterbotschaft der Offenbarung und darf daher in seiner Bedeutung nicht unterschätzt werden[144].
Die Auferstehung Jesu ist aber nicht nur Grund, Modell und Anfang der Endvollendung des einzelnen, sondern auch der Welt insgesamt. Die Herrlichkeit des auferstandenen Christus wird die ganze Schöpfung umgestalten[145]. Die griechischen Väter weisen häufig darauf hin, daß mit der Auferstehung Jesus der ganze Kosmos auferstanden ist[146]. Bereits der Kyrios-Titel zeugt davon, »daß der auferstandene Gottmensch auf diese Welt Macht ausübt«[147]. Durch den, in dem die Schöpfung repräsentiert und zusammengefaßt ist, wird in der Aufer-

138 2 Kor 5,10 (vgl. Jo 5,29; Mt 25,46).
139 Sermo 361,2; PL 39.1599.
140 De resurrectione mortuorum 8,2; Corp. Chr. II, 931 (»caro cardo salutis«).
141 Jo 1,14.
142 F. Mussner, a. a. O., 192.
143 Ebd., 193f.
144 Vgl. L. Scheffczyk, a. a. O., 293.
145 2 Petr 3,12f; Apk 20,11.
146 M. Schmaus, a. a. O., 478f.
147 L. Scheffczyk, a. a. O., 227.

stehung alles Geschaffene verwandelt[148]. Im Römerbrief ist die Rede »von der Schicksalsgemeinschaft zwischen Menschheit und Kosmos, zwischen dem geistigen Menschen und der untergeistigen Kreatur«[149]. Es wird die Hoffnung auf die Befreiung der Schöpfung von der Sklaverei der Verwesung zur Freiheit der Herrlichkeit der Kinder Gottes artikuliert[150], denn auch der Kosmos soll von der Todverfallenheit und der Vergänglichkeit befreit werden. Die verwandelnde Kraft der Auferstehung wirkt sich auch auf die Materie aus. Das ist bereits ein beliebter Gedanke in der Väterzeit. Charakteristisch ist das Wort des Ambrosius: »Resurrexit in eo mundus, resurrexit in eo caelum, resurrexit in eo terra«[151].

Wenn die Auferstehung sich auf den Menschen und den Kosmos bezieht, so gehört dazu auch die Geschichte der Menschheit. Für die Urgemeinde ist die Auferstehung Jesu die Erfüllung und das Ende der Geschichte. Sie gehört zur Endzeit und diese verwirklicht sich in ihr. Sie ist das Endereignis, »über das hinaus eine wesentliche Steigerung des Welthandelns Gottes nicht mehr möglich ist«[152]. Was danach folgt, kann nur noch Explikation dieses Ereignisses sein. In der Auferstehung und der daraus folgenden Erlösung, der Überwindung von Sünde und Tod, dem eigentlichen Thema der Weltgeschichte, hat von daher bereits der Prozeß der »Weltvergöttlichung« begonnen[153].

Die Verklärung des Menschen und des Kosmos unterstreicht als ein zentrales Moment des Evangeliums nachdrücklich das Ja Gottes zur Welt[154]. Sie bedarf gegenwärtig einer besonderen Hervorhebung in der Verkündigung angesichts der Zukunftsorientiertheit des modernen Menschen, wie sie speziell in der marxistischen Zukunftsutopie deutlich wird.

Die Auferstehung der Toten gehört der Zukunft an. Sie ist Verheißung. Es gilt noch die Realität des Todes, und die endgültige Erlö-

[148] Ebd., 228.

[149] Ebd.; vgl. 235.287f; K. Rahner, a. a. O., 1040.

[150] Rö 8,21.

[151] Ambrosius, De excessu fratris sui I,2; PL 16,1354 (vgl. L. Scheffczyk, a. a. O., 240; H. de Lubac, La pensée religieuse du Père Teilhard, Paris 1962, 185–200).

[152] L. Scheffczyk, a. a. O., 245.

[153] Ebd., 252.244–252; F. Mussner, a. a. O., 170ff.

[154] Vgl. J. A. T. Robinson, Honest to God, London ^{8}1963, 101; J. Kremer, a. a. O., 143f.

sung des Menschen und der Welt vom Tod steht noch aus[155]. Dennoch erklärt Paulus im 2. Korintherbrief: »Wenn einer in Christus ist, ist er eine neue Schöpfung; das Alte ist vergangen, siehe, Neues ist geworden«[156]. Der Kolosserbrief betont, daß das Leben des Jüngers mit Christus in Gott verborgen ist und daß das Verborgene hervortreten wird, wenn Christus erscheinen wird[157]. Der an Christus Glaubende ist somit in einem gewissen Sinne bereits auferstanden. Seine Existenz wird von der Spannung zwischen dem »schon« und dem »noch nicht« bestimmt. Seit der Auferstehung ragt der neue Äon in den alten hinein und »überlagert ihn in einer eigenartig dialektischen Weise, die sich begrifflich nur schwer fassen läßt, die jedoch dem zur Erfahrung werden kann, der den Mut zu einer entschieden christlichen Existenz hat«[158]. Diese muß verstanden werden als Leben im Tod[159], d. h. wenngleich der einzelne dem Tod und die Geschichte als ganze dem Ende entgegengeht, »sind die heilbringenden, eschatologischen Lebenskräfte des Auferstandenen«[160] in dieser Welt bereits wirksam.

Der Auferstandene ist im Pneuma gegenwärtig und führt jeden einzelnen und die Welt zur Vollendung. Daher kann auch seine Erhöhung zum Vater nicht als Abschied und schmerzliche Entrückung betrachtet werden, sondern als Ermöglichung einer neuen und tieferen Einheit[161].

Die Pastoralkonstitution des II. Vatikanischen Konzils erklärt: »Durch seine Auferstehung zum Herrn bestellt, wirkt Christus, dem alle Gewalt im Himmel und auf Erden gegeben ist, schon durch die Kraft seines Geistes in den Herzen der Menschen«[162]. Sie greift damit einen Gedanken auf, den sie bereits früher angesprochen hat, in dem sie feststellt, daß der Christ zwar gegen das Böse und viele Anfechtungen zu kämpfen und den Tod zu ertragen hat, daß er aber »dem

[155] Rö 8,18–23.
[156] 2 Kor 5,17.
[157] Kol 3,3f.
[158] F. Mussner, a. a. O., 153.152.159.
[159] P. Hoffmann, Die Toten in Christus, Münster 1966, 345.
[160] F. Mussner, a. a. O., 153; M. Schmaus, a. a. O., 484.
[161] Vgl. Jo 12,32; 14,16–20.28; 16,7–15 (H. Ludochowski, Auferstehung, Mythos oder Vollendung des Lebens, Zur Diskussion der Verständnisse von Strauß, Bultmann und Marxsen, Heilsbotschaft von der Lebensvollendung [Der Christ in der Welt V, 13], Aschaffenburg 1970, 102. 110–114.
[162] Gaudium et spes, Art. 38.

österlichen Geheimnis verbunden und dem Tod Christi gleichgestaltet ... durch Hoffnung gestärkt, der Auferstehung entgegen«-gehen kann[163]. Sie erinnert dabei an Rö 8,11: »Wenn der Geist dessen, der Jesus von den Toten erweckt hat, in euch wohnt, wird er, der Jesus Christus von den Toten erweckt hat, auch eure sterblichen Leiber lebendig machen wegen des in euch wohnenden Geistes«. Es handelt sich hier um eine real-dynamische Gegenwart des Auferstandenen, um eine Wirkgegenwart, im Heiligen Geist. Durch die Gemeinschaft mit dem Auferstandenen wird für den Erlösten der ferne Gott zum nahen Gott[164].

Nach Aussage des Neuen Testamentes vollzieht sich die aktuelle Machtausübung des Kyrios in der Gegenwart vor allem in der Kirche, die man mit Recht als »Reflex der Auferstehungswirklichkeit«[165] bezeichnet hat. Zwar hat sie ihre tieferen Wurzeln im Wirken des historischen Jesus, formell tritt sie jedoch erst nach Ostern zusammen. Mit ihrem Ursprung erklärt die Auferstehung Jesu zugleich ihren Bestand und ihr Wesen. Wie der Kolosserbrief zum Ausdruck bringt[166], ist die Kirche »der gnadenvolle Wirkbereich des himmlischen Christus«[167], der »Kernbereich und der zentrale Bezirk, von dem aus sich die Herrschaft des Auferstandenen auf die ganze Welt erstreckt«[168]. Die Einheit des Kyrios mit seiner Kirche ist »als bleibende, objektive und leibhafte Zusammengehörigkeit zwischen dem Auferstandenen und der Kirche«[169] zu verstehen. Die Kirche ist der Leib Christi und von daher »als Vergegenwärtigung des auferstandenen und erhöhten Herrn zu verstehen, und zwar auch in dessen vergeistigter Leiblichkeit«[170]. So hat sie ein sakramentales Gepräge, das sich in den einzelnen Sakramenten jeweils aktualisiert. Die Sakramentenlehre versteht sich von daher als eine Lehre »von dem in der Kirche fortwirkenden Herrn ... und zwar dem auch in seiner Menschheit fortwirkenden Herrn«[171]. Damit ist aber der Auferstandene angesprochen. »Die ei-

[163] Ebd., Art. 22.
[164] M. Schmaus, a. a. O., 485; J. Kremer, a. a. O., 140f.
[165] L. Scheffczyk, a a. O., 253.
[166] Kol 1,18.24.
[167] L. Scheffczyk, a. a. O., 255.
[168] Ebd., 256.
[169] Ebd., 257.
[170] Ebd., 258.
[171] Ebd., 265.

gentümliche Kraft der Erlösung kommt nicht zuletzt auch aus der Menschheit Christi, die ja allein gelitten und das Opfer der Erlösung gebracht hat«[172]. Besonders deutlich kommt die Beziehung der Auferstehung zu den Sakramenten zum Ausdruck bei der Eucharistie. Wenn die eucharistische Speise als Leib Christi verstanden wird, so ist damit der in den Tod gegebene Leib Christi gemeint, der in der Auferstehung zu neuem Leben erwacht ist. Es ist konsequent, wenn diese Speise die Auferweckung am Jünsten Tag garantiert[173]. Daher muß eine Entleerung des Auferstehungsereignisses auch zu einem symbolischen Verständnis der Eucharistie führen. Einen toten Leib kann man nicht vergegenwärtigen. Ein einfaches Gedächtnismahl ist aber nicht mehr etwas typisch Christliches[174].
Die Gemeinschaft mit dem Auferstandenen wird dem einzelnen vermittelt durch den Glauben und die Taufe[175]. So wird ihm göttliches Leben zuteil[176]. Eine neue Heilswirklichkeit wird ihm geschenkt, die biblisch auch als Gotteskindschaft[177], als heiligendes Einwohnen des Geistes[178] und vor allem als In-Christus-Sein bezeichnet wird[179]. Sie meint Partizipation an der Heiligkeit oder an der Herrlichkeit Gottes, und zwar zunächst im ontologischen, nicht im moralisch-ethischen Sinn[180], und sie bedingt die zukünftige Auferweckung[181]. Christliches Leben ist Sterben mit Christus und von daher bzw. dadurch Teilhabe an seiner Auferstehung. Zeichenhaft dargestellt wird dieses Sterben durch die Taufe, durch das Eintauschen in das Taufbecken. Der alte Mensch wird mit Christus gekreuzigt. Der Leib der Sünde wird vernichtet, damit der Erlöste nicht mehr der Sünde dient. Dieses Sterben für die Sünde ist aber nicht ein einmaliger Akt, sondern von lebenslanger Dauer[182]. Im Sterben mit Christus wird dem Christen die erlösende Kraft des Kreuzes und der Auferstehung zu-

172 Ebd.
173 Jo 6,54.
174 L. Scheffczyk, a. a. O., 259–282.
175 Rö 6,1–23.
176 Eph 4,18; 1 Thess 4,7; 2 Petr 1,4.
177 Rö 8,16; 1 Joh 3,1.
178 1 Kor 1,2; Rö 5,5 und Rö 15,16.
179 Vgl. bes. 2 Kor 5,17. Diese Terminologie begegnet uns im Neuen Testament insgesamt 164 mal.
180 L. Scheffczyk, a. a. O., 227–232.
181 Rö 6,5; vgl. E. Ruckstuhl, J. Pfammatter, a. a. O., 202.
182 Ebd., 187f, 194–197.

teil, d. h. Vergebung, Versöhnung, Rechtfertigung und Heiligung[183]. Durch die Inkraftsetzung der Versöhnung werden die Gemeinschaft mit Christus und eine neue Zukunft gegründet. In der Versöhnung ist der Verheißungscharakter der Auferstehung grundgelegt. »Die Versöhnung zielt auf die kommende Vollendung und impliziert sie als ihr Telos, aber die Vollendung gründet in der Versöhnung.«[184]
Der an Christus Glaubende stirbt in seiner Taufe der Sünde. Dieses Sterben ist auf das Kreuz Jesu bezogen. Und er steht auf zu einem neuen Leben. Das gilt im Hinblick auf die Auferweckung Jesu. »Die Auferstehung Christi wird hier dadurch bedeutsam, daß in ihr das neue Leben der Christen gesetzt ist, ... in der neuen Existenz haben die Christen an der Auferstehung Jesu (schon jetzt) teil.«[185]
Das sakramentale Sterben mit Christus in der Taufe gilt der Sünde, und die neue Belebung im Heiligen Geist verpflichtet zum Wandel in einem neuen Leben[186]. Das In-Christus-Sein bedingt das In-Christus-Wandeln. In dem Wandel in Christus erweist sich die Echtheit des In-Christus-Seins[187], das zur Nachfolge verpflichtet, zur ethischen Ausrichtung auf Christus, die allerdings letztlich nicht aus eigener Kraft stammt, sondern Befähigung aus Gott ist[188].
Der Glaube muß in der Liebe wirksam werden[189]. »Wer nicht liebt, bleibt im Tod.«[190] In der Liebe erhält das neue Leben seine Gestalt[191]. Der Indikativ des neuen Seins wird zum Imperativ des neuen Lebens. Der Christ muß sich für die verheißene Zukunft bereiten. Das impliziert die Gestaltung der Welt[192]. Die sakramental grundgelegte Auferstehung des Auferstandenen in dem Erlösten muß noch Gestalt gewinnen in der Tat seines Glaubens und seiner Liebe, in einem Leben

183 Rö 4,25; 8,34; 2 Kor 5,15. Vgl. G. Delling, a. a. O., 85; H. Schlier, Über die Auferstehung Jesu Christi, Einsiedeln 1968, 66f.
184 W. Kreck, Die Zukunft des Gekommenen, Grundprobleme der Eschatologie, München [2]1966, 208.
185 G. Delling, a. a. O., 82 bzw. 81f.
186 Kol 3,1.
187 E. Ruckstuhl, J. Pfammatter, a. a. O., 186f.
188 2 Kor 3,5.
189 Gal 5,6.
190 1 Jo 3,14.
191 1 Jo 3,14: »Wir wissen, daß wir vom Tode in das Leben hinübergeschritten sind, weil wir die Brüder lieben.«
192 Kol 3,5ff; Eph 2,3.

in der Gemeinschaft mit Christus, im Einsatz für die Welt und für die Menschen[193].

Das Jünger-Sein besteht nicht nur in der Annahme des Glaubens und im Empfang der Taufe, sondern auch darin, daß das in der Taufe geschenkte neue Leben nun wirklich gelebt wird, daß alles zur Tat gebracht wird, was Jesus geboten hat. So bekräftigt es das Christusmanifest im letzten Kapitel des Matthäusevangeliums[194].

Ein wesentlicher Punkt des Wandels in Christus ist die missionarische Verantwortung, das Zeugnis nach außen hin. Die wichtigste Erscheinung des Auferstandenen ist bei den Synoptikern wie auch bei Johannes jene vor den Elfen[195]. Darin ist der Missionsauftrag ein integrales Moment. Der Auferstandene will durch die Jünger in der Welt weiterwirken. Das betont auch Paulus im 1. Korintherbrief und im Galaterbrief[196]. Überhaupt spielt das Sendungsmotiv in den Erscheinungen des Auferstandenen eine wichtige Rolle. Zum Osterereignis gehört wesentlich die Osterverkündigung. Der Osterglaube ist nicht von dem Osterbekenntnis zu trennen. Neben dem Osterereignis steht »von Anfang an ... der Zeuge, der dieses proklamiert«[197]. Diesen Gedanken greift das II. Vatikanische Konzil auf, wenn es sagt: »Jeder Laie muß vor der Welt Zeuge der Auferstehung und des Lebens Jesu, unseres Herrn, und ein Zeichen des lebendigen Gottes sein ... .«[198]

Wenngleich das Heilsgeschehen als solches entscheidend ist, das dem Menschen von Gott geschenkt wird, nicht die eigene Leistung, wenngleich im Christentum der Primat der Gnade gilt, so dispensiert das den Menschen jedoch nicht von seinem eigenen Tun und Bemühen. Dem »du sollst« geht zwar das »du kannst« voraus, aber die ethische Anstrengung bleibt dem Christen nicht erspart[199]. Er ist dazu berufen, vom Mysterium paschale her nicht nur zu denken und zu lehren, sondern auch zu leben. Daher gewinnt er das Leben, indem er

[193] K. Rahner, Glaube, der die Erde liebt, in: Christliche Besinnung im Alltag der Welt (Herder-Taschenbuch 266), 63–68; H. Sand, Der Begriff »Fleisch« in den paulinischen Hauptbriefen, Regensburg 1967, 305.

[194] Mt 28,16f (vgl. A. Vögtle, a. a. O., 80–82).

[195] Lk 24,36–49; Mt 28,16–20; Mk 16,14–18; Jo 20,19–23.

[196] 1 Kor 9,1; Ga 1,16 (vgl. G. Delling, a. a. O., 79f).

[197] B. Klappert, a. a. O., 31 bzw. 27–31.

[198] Lumen gentium, Art. 38.

[199] A. Vögtle, a. a. O., 67.80–84.

es verliert, und er verliert es, wenn er es besitzen will, d. h. wenn er es selbstsüchtig für sich behalten will. Der Auferstandene ist der Gekreuzigte, und sein Jünger muß die Kraft des Auferstandenen in der Verlassenheit des Kreuzes erfahren[200]. Er muß in der Liebe die pneumatische Strahlkraft des Auferstandenen sichtbar machen[201].
In der Auferstehung Jesu offenbart sich Gott in spezifischer Weise als der Gott, der lebendig macht. Der christliche Glaube richtet sich auf den Gott, der Jesus von den Toten auferweckt hat. Dafür gibt es eine Fülle von Hinweisen im Neuen Testament[202]. Nach Rö 4,24 sind die Christen solche, die glauben »an den, der Jesus ... von den Toten auferweckte.« Ähnlich heißt es 1 Petr 1,21: Ihr glaubt »an Gott, der ihn (Jesus) von den Toten erweckte«. Die Christen sind also Menschen, die sich zu jenem Gott bekennen, der Jesus nicht im Tode ließ. Ihr Gottesbild wird demnach entnscheidend bestimmt durch das Ostergeschehen. Damit wird die Gottesvorstellung des Judentums in charakteristischer Weise abgewandelt. In der 2. Benediktion des Achtzehngebetes wird Gott gepriesen, »der die Toten lebendig macht«. Diese Formel nimmt Paulus im Römerbrief auf und erweitert sie[203]: Gott ist derjenige, der das, was nichts ist, ins Dasein ruft. Das ist eine Steigerung, die sich konkretisiert in der Auferweckung Jesu und der daraus folgenden und damit bereits anbrechenden Verklärung von Mensch und Welt[204].

5. *Zusammenfassung*

Die Auferweckung oder die Erhöhung des gekreuzigten Jesus von Nazareth, die göttliche Rechtfertigung seines Anspruchs und seines

[200] E. Käsemann, Die Gegenwart des Gekreuzigten, in: Christus unter uns, Vorträge in der Arbeitsgruppe »Bibel und Gemeinde« des 13. Deutschen Evangelischen Kirchentags Hannover 1967, Stuttgart ³1967, 10–14 (vgl. E. Ruckstuhl, J. Pfammatter, a. a. O., 189).

[201] E. Fuchs, W. Künneth, a. a. O., 26.

[202] Rö 4,24; 8,11; 2 Kor 4,14; Gal 1,1; Eph 1,20; Kol 2,12; Hebr 13,20.

[203] Rö 4,17: » ... (sie kommen) aus jenem Glauben, den er (Abraham) Gott entgegenbrachte, der die Toten lebendig macht und das, was noch nicht ist, ins Dasein ruft« (vgl. 2 Kor 1,9: » ... wir haben das Todesurteil innerlich in Empfang genommen, um keinerlei Selbstvertrauen zu behalten, sondern allein auf Gott zu vertrauen, der die Toten auferweckt«).

[204] Vgl. G. Delling, a. a. O., 75f.

Wirkens erschließt sein tiefstes Wesen und verändert in charakteristischer Weise die Zukunft und die Gegenwart des Menschen und der Welt. Sie bedingt die Hoffnung auf die Verklärung des Menschen und des Kosmos und den Glauben an die bleibende Gegenwart und Wirksamkeit des Auferstandenen in der Welt, im Leben des an den Auferstandenen Glaubenden und speziell in der Kirche. Wo immer der an Christus Glaubende mit Christus stirbt, sakramental und im Nachvollzug seines Lebens, da nimmt die eschatologische Auferstehung schon ihren Anfang, da beginnt schon die zukünftige Verwandlung. Sie stellt sich dar als göttliches Leben, als Gotteskindschaft, als In-Christus-Sein.

Im Christentum geht es primär um das Bekenntnis zum gekreuzigten und auferstandenen Christus und um die Gemeinschaft mit ihm. Dieses Bekenntnis und diese Gemeinschaft werden getragen von der Hoffnung auf seine Parusie und dem Glauben an ihre verwandelnde Kraft, die sich bereits in der Gegenwart auswirkt. Das bringt die Osterbotschaft zum Ausdruck, der Kern des urchristlichen Kerygmas, der Höhepunkt der Offenbarung Gottes und ihre bleibende Mitte.

Der Mensch Jesus als Vorbildursache der Verwirklichung des Menschen

von Georg Söll, S.D.B., Benediktbeuern

Einleitung

»Ecce homo!«: »Seht, der Mensch-Seht, ein Mensch-Seht, welch ein Mensch.« Alle drei Übersetzungen des berühmten Wortes von Pilatus (Joh 19,5) werden mit Recht nicht nur als Appell an das Mitleid der Menschen von heute und ehedem betrachtet, sondern auch als Ausdruck der Bewunderung für jenen königlichen Mann der Schmerzen, von dem der 1. Petrusbrief sagt: »Er wurde geschmäht, schmähte aber nicht wieder, er litt, drohte aber nicht, sondern überließ seine Sache dem gerechten Richter« (1 Petr 2,23). Man ist versucht hinzuzufügen: »auch dem ungerechten«. Bewunderung führt oft zum Verlangen nach Gleichförmigkeit oder gar Besitz. Den Besitz verwehrt hier die Individualität, d. h. die Unteilbarkeit und Unmittelbarkeit des menschlichen Individuums, die unveräußerlich mit der Würde der Persönlichkeit verbunden ist. Das Ich wird nicht zugleich sich selbst zum Du, aber es kann sich danach sehnen, mit einem anderen Du verbunden zu sein, von ihm zu lernen, sich nach ihm zu gestalten als Vorbildursache seiner Verwirklichung.
Unter diesem Gesichtspunkt soll im folgenden die geschichtliche Erscheinung des Gottmenschen Jesus Christus betrachtet werden. Das heißt, es geht nicht um dogmatische Christologie als Deutung der Person des christlichen Erlösers – und sie muß stets der Soteriologie vorausgehen, weil ich der Erlösung nicht sicher sein kann, wenn ich nicht weiß, wer mein Erlöser ist –, sondern es geht um den Menschen Jesus, wie er sich in den Urkunden des Neuen Testamentes darbietet, und wie ihn in Anspielung auf Hebr 4,15, der vierte Meßkanon meint mit den Worten: »Er hat wie wir als Mensch gelebt, in allem uns gleich, außer der Sünde.«
In Wortlaut und Tendenz ist das gestellte Thema mehr der Spiritualität als der Dogmatik zugeordnet, will mehr narrative als argumentative Theologie verwerten und unbefangen aus dem Glauben zur Meditation verhelfen, ohne alles sagen zu können, was die Offenbarung

auch über das Menschliche an Jesus Christus zu künden weiß. Der Arbeitskreis »Theologie und Spiritualität« im Rahmen des ›International Institute of the Heart of Jesus‹ ist in Zielsetzung und Zusammensetzung auch für solche Themen und Schauweisen der Gestalt Jesu offen.

Eine an sich wünschenswerte eingehende Exegese der einzelnen Bibelstellen, mit denen die zu treffenden Feststellungen zu dokumentieren sind, kann hier ebenso wenig erfolgen wie ein theologiegeschichtlicher Überblick (vgl. Referat L. Scheffczyk). Einzelheiten wurden in vorausgegangenen Referaten bereits angesprochen, wie das verborgene Leben, die Versuchung, die Verklärung und die Sühneleistung Jesu.

Doch erhebt sich hier sofort die Frage: Ist der Mensch Jesus klar und umfassend vom einpersonalen Träger der hypostatischen Union seiner göttlichen und menschlichen Natur abzuheben, wie die Behandlung des vorliegenden Themas es erfordert? Hat die ›Leben-Jesu-Forschung‹ nicht vergebens versucht, dieses Leben, befreit von der sogenannten Übermalung durch das Dogma, wieder zurückzugewinnen? Günther Bornkamm bescheinigt ja Albert Schweitzer, dem genialen Historiographen dieses Unternehmens, daß er ihr »ein Denkmal gesetzt, aber zugleich die Grabrede gehalten« hat[1]. Dennoch glaubt Herbert Braun, unter Absehnung von den »Titeln, die Jesus im Laufe der Entstehung der neutestamentlichen Schriften und auch noch danach erhalten hat«, feststellen zu können: »Der wirkliche Mensch Jesus ist die eindeutige Basis des Neuen Testamentes«[2]. Andererseits gesteht Herbert Leroy: »Ein Personbild im eigentlichen Sinn von Jesus zu zeichnen, ist schlicht unmöglich. Dafür sind die angezogenen Quellen, nämlich die synoptischen Evangelien (und andere Quellen, die in Betracht kämen, haben wir nicht), ungeeignet. Sie lassen von einer inneren Entwicklung Jesu nichts erkennen.«[3]

Gewiß: Das Innenleben dieser geheimnisgeladenen Persönlichkeit entzieht sich jeder wissenschaftlichen Diagnose, nicht aber, was Jesus in Wort und Tat aus der Tiefe seines Herzens und seiner Empfindungen kundgetan und nachträglich feststellbar gemacht hat. Solange die Evangelien nicht durch neuentdeckte und authentische Urschrif-

[1] Jesus von Nazareth, Stuttgart 1956, 11.

[2] Jesus. Der Mann aus Nazareth und seine Zeit, Gütersloh ^{2}1973, 11.

[3] Jesus. Überlieferung und Deutung, Darmstadt 1978, 14.

ten und Traditionsstücke in Einzelheiten widerlegt sind, dürfen sie als vertrauenswürdige Quellen auch für Jesu Sein und Tun als Mensch gewertet werden. Hier gilt die abschließende Feststellung von Rainer Riesner aus seiner Untersuchung »Jesus als Lehrer«, wenn er sagt: »Man darf die synoptische Tradition mit der berechtigten Hoffnung befragen, daß sie darüber Auskunft geben kann, wer Jesus war und was er wollte.«[4]

Wollte man freilich auch für das anstehende Thema den Ergebnissen Rechnung tragen, die von der Traditions-, Redaktions- und Formgeschichte zur Frage der Echtheit ntl. Texte bzw. nach den ›ipsissima verba et facta‹ Jesu vorgelegt wurden, dann müßte der Versuch einer Bearbeitung als wenig aussichtsreich erscheinen.

Daher werden im folgenden die ntl. Aussagen genommen, wie sie lauten. Ihre Deutung im Sinn des Themas kann und darf nicht davon absehen, daß Jesus mehr war als ein bloßer Mensch; sie will aber auch nicht den pauschalen Charakterisierungen dieser Gestalt folgen, der moderne Deutungsversuche erlegen sind, wenn sie Jesus lediglich darstellen als religiösen Schwärmer, Propheten, Romantiker, Sozialisten, Bandenführer oder »tragisch Irrenden, dessen Augen aus Liebe zu Israel geblendet wurden«[5].

Es darf auch nicht verschwiegen werden, daß das NT aus dem Glauben an Jesus als den Christus und Sohn Gottes geboren, zum Glauben an Ihn führen will und keine Biographie Jesu oder einer anderen biblischen Gestalt bietet. Dazu kommt ein theologisches Moment.

Da die Passionsgeschichten den ersten Kern der Evangelien bildeten, und die Zufügung der Wunderberichte und der Streitreden der genannten Tendenz dienen sollten, trat das Interesse am Biographischen sehr in den Hintergrund. Dadurch wurde im Keim die sogenannte staurozentrische Soteriologie grundgelegt, die das Erlösungswerk Jesu fast ausschließlich auf sein Todesleiden konzentriert, die Konzeption der Westkirche, während die Ostkirche sich den Blick für die Heilsbedeutung des ganzen Lebens Jesu wahrte und mit ihrer inkarnatorischen Soteriologie in rechter Schau von Phil 2 die Kenose des Gottessohnes schon in der Menschwerdung begonnen sah und so das ganze Leben Jesu als soteriologisch fruchtbar deutete. Dem trugen ja schon Mt und Lk Rechnung, als sie in ihren Kindheitsgeschich-

[4] Wissenschaftliche Untersuchungen zum NT, 2. Reihe 7, Tübingen 1981, 502.
[5] Schalom Ben-Chorin, Bruder Jesus, München 1972, 27.

ten den verfolgten und armen Jesus schilderten. Doch nun zum Bild des Menschen Jesus von Nazareth.

I. Die demütige und hochherzige Annahme der condicio humana durch Jesus im sozio-kulturellen Kontext seiner Zeit

Nach dem Beispiel des Dulders Job haben schon viele Menschen den Tag verflucht, an dem sie ins irdische Dasein hineingeboren wurden. Wer im heutigen Palästina nicht nur die modernen Städte und andere Zeichen des kulturellen und technischen Fortschritts gesehen hat, um den sich der Staat Israel zweifellos verdient gemacht hat, sondern auch die ländlichen Lebensverhältnisse besonders der arabischen Bevölkerung, wie auch die Wüste Juda und andere Zeugen ›jener Zeit‹, der konnte darüber staunen, in welche Primitivität der äußeren Lebensbedingungen unser Erlöser hineingeboren werden sollte. Es ist hier nicht die oft gestellte Frage zu beantworten, warum Er gerade in diesen Winkel der Erde und als Glied dieses Volkes Mensch werden sollte. »Hic Verbum caro factum est« kündet schlicht die Inschrift an der gemeinten Stelle in der Geburtskirche zu Bethlehem. Die demütige Annahme der conditio humana bedeutete zugleich ein Ja zu all den damit verbundenen Bedingungen menschlichen Daseins: die zeitliche Begrenzung und damit das Hinleben auf den Tod, das Erlebnis von Leid, Anfechtung und Gefährdung.
Es ist schwer, sich über fast zwei Jahrtausende hinweg nach rückwärts in jenes Milieu und in die Mentalität jener Umwelt hineinzuversetzen. Man spürt aber, wie sehr die im Christushymnus des Philipperbriefes genannte Erniedrigung für Jesus von Nazareth schon in der Stunde seiner Geburt begann, und – wenn man glaubt, wer er wirklich war –, welche Zumutung dieses Aufwachsen und Miterleben der Verhältnisse und der davon geprägten Menschen für Ihn bedeuten mußte. Ein Gang durch Nazareth vermag noch heute daran zu gemahnen. Der Sohn des Zimmermanns, der selbst mit diesem Beruf identifiziert wurde (Mt 13,55), ließ es geschehen, daß er den damit gegebenen Umständen und all den Menschlichkeiten und anderen Widerfahrnissen ausgesetzt war. Ja, Paulus spricht es lapidar aus, was die Berichte der Kindheitsgeschichte widerspiegeln: »Geboren von einer Frau und unter das Gesetz gestellt« (Gal 4,4). Daher die Übernahme der gesetzlichen Vaterschaft durch Josef (Mt 1,21), die

Beschneidung und Darstellung (Lk 2,21–34), die alljährlichen Wallfahren nach Jerusalem (Lk 2,41), die Teilnahme am Sabbatgottesdienst (Lk 4,16; Mt 4,23; Joh 18,20), die Entrichtung der Kopfsteuer (Mt 17,27). Jesus dispensierte sich nicht vom profanen und religiösen Lebensrhythmus seines Volkes und stieg nicht aus dem sozio-kulturellen Kontext seiner Zeit aus, an dem Ihn so manches anekeln konnte. Er ersparte sich keine Phase der menschlichen Entwicklung und stellte sich unter das Gesetz des Wachstums im Kreis seiner Familie. Er sprach ›Ja‹ zur Welt und zu den Eigenarten und Unarten der Menschen seiner Umgebung. Er hätte mit Terenz sagen können: »Ich bin ein Mensch; nichts Menschliches ist mir fremd.«[6] Für keinen der Sterblichen galten die Worte im Philipperbrief schmerzlicher als für Jesus: »Sein Leben war das eines Menschen; er erniedrigte sich selbst und war gehorsam bis zum Tod.« (2,8)
Im Lichterglanz des Weihnachtsbaumes und über der romantischen Ausschmückung des Geschehens von Bethlehem wird die Bitterkeit der Kenose der Menschwerdung Jesu oft übersehen, und der Sprung der evangelischen Berichterstattung vom Zwölfjährigen im Tempel bis zur Stunde seines öffentlichen Auftretens mit »ungefähr 30 Jahren« (Lk 3,23) läßt kaum jemanden an die kleinen und großen Opfer, Mißhelligkeiten, Enttäuschungen und Entbehrungen, aber auch an den Lernprozeß denken, denen der Sohn des Zimmermanns im Alltag von Nazareth und im Kreis all der Menschen, die er zu ertragen hatte, ausgesetzt war. Den letzten tragenden Grund dieser demütigen und zugleich hochherzigen Hinnahme all dieser Bedingungen menschlichen Daseins »in jener Zeit« nannte er selbst, als er am Jakobsbrunnen den Jüngern erklärte: »Meine Speise ist es, den Willen dessen zu tun, der mich gesandt hat« (Joh 4,34). Über der mitleidsvollen Betrachtung des leidenden »Herrn im Elend« seiner Passion sollte der zum Mannesalter Reifende nicht vergessen werden, der in Arbeit und Gebet, in Schweigen und Verstehen es erlernte und erduldete, in einer kleinbürgerlichen Welt die ihm gesetzten Bedingungen menschlichen Daseins zu bejahen und der Erfüllung seiner Aufgabe in Geduld entgegenzugehen. Die äußere Erscheinung Jesu, die Edelbert Stauffer beschreiben zu können glaubte, bleibt für unser Thema belanglos. Viel bedeutsamer ist noch nach zwei Jahrtausenden, daß

[6] In: Heautontimorumenos I,I,25.

Er auch ein Beispiel gab, wie man irdisches Dasein annimmt und erfüllt.

II. Die vorbildliche und wegweisende Verwirklichung edelster menschlicher Grundhaltungen durch Jesus

Das Schaubild der Persönlichkeit eines Menschen wird nicht so sehr geprägt von den Lebensbedingungen, in die er hineingestellt wird, und von der Umwelt, die er zu ertragen und mitzugestalten hat, sondern mehr von seinem Charakter, seinen Worten und Taten und von der selbstgewählten Sinnerfüllung seines Daseins. Insofern hat jeder Mensch die Gabe seines Lebens als Aufgabe zu bewältigen und den Entwurf seiner Bestimmung zu verwirklichen. Das um so mehr, als er sich über das rein Biologische erhebt und auf Ziele hinlebt, und dies nicht allein, sondern eingebunden in seine Zeit und Umwelt und zugleich verpflichtet auf die Menschen, die ihm dazu verhelfen und sein Leben mitgestalten, ob zu Freud oder Leid. Fühlt sich ein Mensch zudem als ein Gesandter, wie der Sohn des Zimmermanns von Nazareth, dann wird dadurch auch die Reifung und Entfaltung seiner Persönlichkeit und seiner Wirksamkeit geprägt. So war es auch beim Menschen Jesus.
Es fällt schwer, die wegweisenden Vorzüge seiner Persönlichkeit und seines Verhaltens in einer klassifizierenden Reihenfolge aufzuzählen. Vielleicht darf als herausragender Kristallisationspunkt verschiedener Vorzüge der Grundcharakter seines Wesens als Proexistenz, sein Dasein als »der Mensch für andere«, seine unüberbietbare Mitmenschlichkeit hervorgehoben werden.
Sie hatte freilich ihre tiefste Wurzel in seinem Sendungsbewußtsein, das bei Lk schon der Zwölfjährige seinen Eltern zu Bewußtsein zu bringen wußte (2,49). Denn damit war er aus der Motivation seiner Menschwerdung von Anfang an auf seine Mitwelt bezogen und zu ihrem Dienst berufen. Daher auch sein Bekenntnis: »Der Menschensohn ist nicht gekommen, um sich bedienen zu lassen, sondern um zu dienen und sein Leben hinzugeben als Lösepreis für viele« (Mk 10,45); und: »Ich bin in eurer Mitte wie einer, der dient« (Lk 22,22b). Was Paulus den Römern schrieb: »Keiner lebt sich selbst und keiner stirbt sich selbst ... Ob wir leben oder sterben, wir gehören dem Herrn« (14,7f), das hat Jesus in der geistigen Gegenrichtung, d. h.

auf die Menschen zu, verstanden und verwirklicht. Das »Für andere« beherrschte sein ganzes Denken und Tun. Das führte jedoch nicht zu einer Beschlagnahme seiner Persönlichkeit für die irdischen Wesen und Werte. Der Längsbalken seines patibulums blieb die sinngebende Richtung seiner Existenz und entzog sie für alle Zeiten einer radikalen Horizontalisierung, d. h. Einebnung in den rein menschlichen Bereich. Er wußte sich unter dem Gesetz seiner Heilssendung stehend, und dies sicherte ihm die Freiheit und Verdienstlichkeit seines fürsorgenden Handelns. Bereitschaft zur Kenose bis in den Tod und doch auch ein unantastbares Selbstbewußtsein gegenüber aller Verkennung prägten die Persönlichkeit Jesu.
Und wenn er in seiner Antwort auf die Testfrage des Schriftgelehrten die Nächstenliebe neben die Gottliebe stellte, dann hat er selbst die Erfüllung dieses Grundgesetzes des Christentums praktiziert, ohne Ansehen der Person, ja mit besonderer Bevorzugung der Randgruppen der Gesellschaft sowie der Kinder, der Kranken und der Sünder. Die goethische Formulierung des neuzeitlichen Humanitätsideals »Edel sei der Mensch, hilfreich und gut« hat in Jesus von Nazareth vorweg seine höchste Erfüllung gefunden. Der vordergründige Sinn der meisten seiner Wunder, besonders der Krankenheilungen und Teufelsaustreibungen zeigt es, so daß Petrus in Joppe bezeugen konnte, »wie dieser (Jesus) umherzog, Gutes tat und alle heilte, die in der Gewalt des Teufels waren; denn Gott war mit ihm« (Apg 10,38). Ja, Jesus selbst schickte einen Geheilten, der ihm dankbar nachfolgen wollte, heim mit den Worten: »Berichte deiner Familie alles, was der Herr für dich getan hat und wie er Erbarmen mit dir gehabt hat« (Mk 5,19). Keiner sollte seiner Fürsorge entbehren: »Kommet alle zu mir, die ihr unter Lasten stöhnt« (Mt 11,28).
Die treue Sorge um die alleinstehende Mutter (Joh 19,27) und der Blick für die Notwendigkeit von Ruhe und Entspannung für die von der Verkündigung heimkehrenden Jünger: »Geht an einen einsamen Ort und ruht euch ein wenig aus« (Mk 6,31) illustrieren seinen Sinn für die kleinen und großen Sorgen des menschlichen Alltags. Die Mitmenschlichkeit Jesu ist unbestritten, ob man sie in dichterisch frommer Sprache ausdrückt wie Luise Hensel: »Immer wieder muß ich lesen in dem alten heil'gen Buch, wie der Herr so gut gewesen ohne List und ohne Trug«, oder ob man mit einem durch die Tatsachen nicht gerechtfertigten Optimismus feststellt: »Nie hat irgend ein Marxist die sogenannte ›Sache Jesu‹, d. h. die mit der Person Jesu di-

rekt verknüpften sittlichen Aufrufe, für absolut schlecht und restlos schädlich gehalten. Im Gegenteil: trotz aller Unterschiede unter den Marxisten gibt es in dieser Hinsicht fast völlige Übereinstimmung darüber, daß es an der ›Sache Jesu‹ auch Gutes gab, daß jedoch gerade die Marxisten und die von ihnen geförderte, geschichtliche Weltbewegung legitime Erben, Nachfolger, Ersetzer alles dessen sind, was an dieser ›Sache‹ relativ gut, d. h. humanistisch, sozial, moralisch usw. ist.«[7]

Die schenkende, dienende und verzeihende Liebe zu den Menschen seiner Zeit richtete sich nicht nur gegen leibliche Not und Bedürftigkeit, sondern auch gegen seelische Leiden, wie sein Wort an den Gelähmten beweist: »Hab Vertrauen, mein Sohn, deine Sünden sind dir vergeben« (Mt 9,2). Damit waren allerdings rein menschliche Möglichkeiten überschritten.

Was die 2. Lesung aus der Hirtenmesse des Weihnachtstages aus dem Brief an Titus wiederholt: »Erschienen ist die Güte und Menschenliebe Gottes, unseres Retters (benignitas et humanitas, chrästótäs kai philanthropía sagen die biblischen Sprachen), das ist durch Jesus zum Vorentwurf wahren Menschentums geworden. Er hat den Gläubigen und besonders den Amtsträgern auch des 20. Jh. den Dienstcharakter ihres Christseins und ihres kirchlichen Auftrags verdeutlicht und dabei jene gefällige Tugend vorgelebt, die von den Lehrern des geistlichen Lebens (wie Augustinus und Benedikt) als das Fundament aller anderen Tugenden betrachtet wird, und ihren Namen von der Dienstfunktion bezieht als die Demut, d. h. den Mut zum Dienen. Auch christliche Diakonie hat im Beispiel Jesu ihren Ursprung. Ja, er konnte sich selbst bescheinigen: »Ich bin gütig und demütig von Herzen.« (Mt 11,29)

Das führte jedoch nicht zur Preisgabe seiner eigentlichen Würde, wie Dorothea Sölle in einem Rundfunkvortrag unter dem Titel »Enteignung Gottes« durch eine seltsame Neufassung des Christushymnus in Phil. 2 glaubhaft machen wollte, wenn es da heißt: »Daher hat Gott ihn endgültig beheimatet auf der Erde; er hat ihm, der eine Nummer geworden war, einen Namen gegeben, der für alle gilt, damit auf der Erde und im Weltraum in diesem Namen die Fremdherrschaft ein Ende hätte und Mut aufkäme zu sagen; daß Jesus recht hat;

[7] Milan Machoveć, Die ›Sache Jesu‹ und marxistische Selbstreflexionen, in: Marxisten und die Sache Jesu, hrsg. v. Iring Fetscher und Milan Machoveć, München 1974, 85.

denn das ist gut für Gott.«[8] Das damit intendierte Stichwort »Emanzipation« braucht hier nicht unterschlagen zu werden. Doch bleibt festzuhalten, daß Jesus (wie auch Paulus) keine soziale oder politische Revolution verkündet oder entfesselt hat, wohl auch deshalb, weil er sonst das ökonomische Gefüge der antiken Kultur zum Einsturz gebracht und seine religiöse Sendung mißkreditiert hätte. Wohl aber hatte er, wie Paulus in Gal 3,27f die zeitlos gültigen Grundsätze einer wahren Befreiung, vor allem aus den drückendsten Sklavenketten von Schuld und Sünde proklamiert. Jesusbilder, die in eine andere Richtung weisen, tun der Bibel Gewalt an.

Der Sohn des Zimmermanns gab sich allerdings auch nicht nur als der fröhlich Lächelnde, wie ihn die Jesus-People-Bewegung sah, wenngleich gerade die dort vermittelte Gewißheit: »Jesus liebt dich«, vielen gestrandeten Menschen zu neuem Lebensmut und zur Umkehr verhalf. Er, der sich selbst schwerste Opfer der Entsagung abverlangte, verhieß keinen bequemen Weg, sondern stellte seinen Jüngern Ablehnung durch die Umwelt, haßerfüllte Verfolgung und das Kreuz in Aussicht. Ja er wagte es, von Gericht, Vergeltung und Verwerfung zu sprechen, und verlangte den Mut zur Entscheidung für oder gegen sich, und seine Botschaft: »Wer nicht mit mir ist, der ist gegen mich; wer nicht mit mir sammelt, der zerstreut« (Mt 12,30). Seine Bergpredigt ließ an Radikalität nichts zu wünschen übrig, und dem reichen Jüngling stellte er eine Bedingung für seine Nachfolge, die den jungen Mann überforderte. Was der Evangelist Johannes beim Bericht über die Tempelreinigung als Bestätigung des Psalmwortes »Der Eifer für dein Haus verzehrt mich« (Ps 69,10 – Joh 2,17) zitiert, war eine der Triebkräfte seines ganzen Wirkens.

Diese Leidenschaft für Gott und Gottes Sohn, verbunden mit unbedingter Verfügbarkeit, war es auch, die ihn seine oft unbequeme Botschaft mit bewundernswertem Freimut vertreten ließ, vor allem in den Auseinandersetzungen mit den religiösen Führern seines Volkes. Hier gab es keine faulen Kompromisse, kein Zurückweichen vor Macht und Drohung. Die Wahrhaftigkeit, mit der Jesus vor Freunden und Feinden, auch im Angesicht des Todes vor seinen Richtern zu seiner Sendung stand, fordert noch nach zwei Jahrtausenden Respekt. Er war ja auch bereit, dafür zu sterben und bezeichnete es als

[8] In: Gott heute, 15 Beiträge zur Gottesfrage, hrsg. v. N. Kutschki, Mainz 1967, 103

den Höhepunkt der Liebe, »wenn einer sein Leben für seine Freunde hingibt«. (Joh 15,13)
Virtus, Mannestugend bewies Jesus besonders in seiner Sanftmut und Geduld. Wenn Paulus später in seinem Hohen Lied der Liebe bekennt: »Die Liebe hält alles aus« (1 Kor 13,7), dann konnte er an das Beispiel des Schmerzensmannes gedacht haben. Vielleicht hat Thomas von Aquin sich erinnert, als er in seiner Summa theologica schrieb: »Standhalten ist schwerer als angreifen«; und »Wer tapfer ist, ist auch geduldig« (II II, 126,6 ad 1 u. 66,4 ad 2). Jesus selbst und sein Christentum haben dafür statt Dank oft bitteren Hohn geerntet, und niemand erlag hier einem größeren Mißverständnis als Nietzsche, der Prophet des Übermenschen. Geduld, die in den Briefen der Apostelfürsten oft genannte Tugend Gottes selbst, forderte Jesus auch von seinen Jüngern, als sie »Feuer vom Himmel« auf unbußfertige Städte herabwünschten (Lk 9,54), und die im Gleichnis genannten Knechte das Unkraut ausreißen wollten (Mt 13,30). Was war das anders als die Bekundung von Toleranz, die so oft als Errungenschaft der Neuzeit gepriesen wird, als Achtung vor der Freiheit des Menschen, die niemand so sehr respektiert als der, der sie dem Menschen gegeben hat, auch wenn manche Gläubige daran irre zu werden drohen.
Weiterhin muß eine wegweisende Tugend Jesu hervorgehoben werden, die man bei Menschen oft vergeblich sucht: die Treue. Er erwies sie nicht nur seinem himmlischen Vater und der ihm aufgetragenen Sendung, sondern auch den Mitmenschen, von denen er ein Gleiches erwarten durfte. Was der 2. Brief an Timotheus von Gott selbst aussagt: »Wenn wir untreu werden, so bleibt er doch treu; denn er kann sich selbst nicht verleugnen« (2,13), das hat der Mann aus Nazareth bis in den Tod bezeugt, auch dann, wenn sie nicht erwidert wurde, wie er dies von seinem so heiß umworbenen Volk Israel erfuhr. Den Aposteln, die ihn dann feig verlassen sollten, verkündete er kurz vorher: »In all meinen Prüfungen habt ihr bei mir ausgeharrt, darum vermache ich euch das Reich, wie es mein Vater mir vermacht hat« (Lk 23,28). Und ehe sie ihn am Ölberg alle verließen, legte er schützend die Hand über die Seinen und schritt allein in seine Passion.
Besondere Treue erwies der Mensch Jesus den Aposteln insgesamt, als er die verängstigte Schar nach seiner Auferstehung erneut sammelte, bevollmächtigte und aussandte, um sein Werk weiterzuführen. Besonders erwies er sie dem Apostelfürsten Petrus, den er die Schuld

der Verleugnung vergessen ließ und nur das Geständnis seiner Liebe verlangte, um ihn erneut zu berufen. Jesus bestätigte hier im voraus, was Paulus später den Römern schrieb: »Unwiderruflich sind Gnade und Berufung, die Gott gewährt.« (11,29)

Auch anderer Züge im Bild des Mannes aus Nazareth darf gedacht werden, die er im täglichen Umgang mit den Menschen seiner Zeit bewies: die Teilnahme an ihren Freuden und Leiden: »Als er die vielen Menschen sah, hatte er Mitleid mit ihnen; denn sie waren wie Schafe, die keinen Hirten haben« (Lk 19,41). Er nahm teil an einer fröhlichen Hochzeitsfeier und wirkte dort sein erstes Wunder (Joh 2,11). Er freute sich darüber, daß sein Vater »all das den Weisen und Klugen verborgen, den Unmündigen aber geoffenbart« hatte (Lk 10,21). Und er versicherte den Jüngern: »Dies habe ich euch gesagt, damit meine Freude in euch ist, und damit euere Freude vollkommen werde« (Joh 15,11). Jesus konnte aber auch weinen über den Tod seines Freundes Lazarus (Joh 11,35) und über die Unbußfertigkeit Jerusalems (Lk 19,41). Für die ganze Bandbreite menschlicher Empfindungen und Erlebnisse blieb der Zimmermannssohn offen. Das zeigte sich auch in seinem ungebrochenen Verhältnis zur Natur und in der Schlichtheit seiner bilderreichen Sprache, die ihn befähigte, die größten Geheimnisse des Gottesreiches in sie einzukleiden.

Die vorbehaltslose Annahme der menschlichen Gestalt ließ ihn auch teilnehmen an der Anfechtbarkeit durch die verführerische Macht des Bösen, das er ohne Kampf beispielhaft besiegte, so daß er zwar vom Vater »Für uns zur Sünde gemacht« (2 Kor 5,21), dennoch mit Überzeugung fragen konnte: »Wer von euch kann mir eine Sünde nachweisen?« (8,46)

Noch eine andere edle menschliche Grundhaltung hat Jesus vorgelebt: die Dankbarkeit, um die er selbst mit all seinem Wohltun so oft betrogen wurde (vgl. Lk 17,17f). Er dankte vor jedem Brotwunder für diese Gottesgabe (Mt 14,19), er dankte dem Vater am Grab des Lazarus für die Erhörung seiner Bitte (Joh 11,44) und er machte die Hingabe seines Fleisches und Blutes zur leibhaftigen Danksagung seines Lebens, die in der Feier der Eucharistie für alle Zeiten fortdauern sollte. Sein ganzes Leben war ein Preislied auf den Vater der Lichter sowie ein Akt der Hingabe an den Willen dessen, der ihn gesandt hatte.

Wenn die Frage »Wer ist ein Mann? mit der Feststellung beantwortet wurde: der beten kann!, dann gilt das gewiß auch für Jesus, der mit

seiner Hinwendung zum Vater die Apostel zu der Bitte provozierte: »Herr, lehre uns beten!« (Lk 11,1). In seiner nächtlichen Zwiesprache mit Gott hat er sich als Mensch der Innerlichkeit und Besinnlichkeit gezeigt, der Distanz zu nehmen verstand vom Getriebe des Alltags.
Wenn der Hebräerbrief diesen Jesus noch für eine andere transzendierende Sinnrichtung als Vorbild hinstellt, nämlich als »Urheber und Vollender des Glaubens«, verstehbar als den Wegweiser und die causa exemplaris der fides qua creditur, d. h. die vertrauensvolle und bedingungslose Hingabe an den Vater, und als den krönenden Abschluß der fides quae creditur, d. h. als den Vermittler der Fülle der Glaubenswahrheit und Offenbarung Gottes, dann hat er damit die von Pascal gepriesene Fähigkeit des Menschen als »capax infiniti« exemplarisch für den Menschen Jesus vindiziert.
Schließlich muß an diesem Leitbild edler Mitmenschlichkeit etwas hervorgehoben werden, das ihn über alle anderen Religionsstifter und Sittenprediger hinaushebt: das Gebot und die Praxis der Feindesliebe, und zwar in einer Situation, die solches nicht erwarten ließ: »Vater, verzeih ihnen; denn sie wissen nicht, was sie tun!« (Lk 23,34) Die frei und wachen Herzens übernommene Passion Jesu brachte sozusagen eine Aufgipfelung seiner ethischen Haltungen und verdeutlichte ein Wort von Augustin Wibbelt: »Alles höhere Leben quillt aus dem Opfer.« Zwar hing auch er als junger und gesunder Mensch am Leben und konnte um den Vorübergang des Kelches beten, Angst und Furcht empfinden und zu Tode betrübt sein (Mk 14,33), aber auch in dieser Stunde der Anfechtung verließ ihn nicht die Treue zu seiner Sendung und die Verfügbarkeit für den Willen Gottes.
Das Erlebnis der Todesangst vollends hat ihn Ungezählten menschlich noch näher gebracht und so zu ihrem Tröster in der letzten Stunde werden lassen. Und wenn das Urcredo des Paulus bekannt: »Christus ist für unsere Sünden gestorben, gemäß der Schrift, und ist begraben worden« (1 Kor 15,3), dann wurde damit das Ja zur condicio humana durch den Urheber des Lebens selbst zu Ende gesprochen und zugleich die irdische Voraussetzung zur nachfolgenden Auferstehung geschaffen: »Surrexit tertia die secundum scripturas.« Die Verherrlichung auch des Menschen Jesus in untrennbarer Einheit mit der Person des ewigen Logos fällt eigentlich aus dem Rahmen des zeitbegrenzten Daseins hinaus. Sie kann ja nur geglaubt und nicht historisch bewiesen werden. Aber sie erscheint rückschauend auch als

die verdiente Krönung unüberbietbarer exemplarischer Verwirklichung menschlicher Existenz.
Nie war ein Leben vollendeter und wegweisender als das des Jesu von Nazareth, nie ein Hinscheiden sinnerfüllter und befreiender für den Sterbenden und für die ganze Menschheit als dieser Tod mit »geneigtem Haupt« (Joh 19,30).
Vielleicht ist bei dieser Rückschau auf das Leben Jesu das eine oder andere Mosaiksteinchen außer acht geblieben. Aber vielleicht kann man den Reichtum und das Geheimnis dieser geschichtlichen Persönlichkeit nie ganz durchleuchten und erschöpfend zur Darstellung bringen. Wenn jeder Mensch sein eigenes Geheimnis hat und ist, dann gewiß, ja noch mehr der Mann Jesus. Geht es einem Versuch adäquater Nachzeichnung hier nicht auch wie der Leben-Jesu-Forschung, von der Albert Schweitzer sagen konnte: »Sie zog aus, um den historischen Jesus zu finden, und meinte, sie könne ihn dann, wie er ist, als Lehrer und Heiland in unsere Zeit hineinstellen. Sie löste die Bande, mit denen er seit Jahrhunderten an den Felsen der Kirchenlehre gefesselt war, und freute sich, als wieder Leben und Bewegung in die Gestalt kam, und sie den historischen Jesus auf sich zu kommen sah. Aber er blieb nicht stehen, sondern ging an unserer Zeit vorüber und kehrte in die seinige zurück.«[9]
Was soll nun gelten? Die wegweisende Bedeutung dieses Lebens, seine Funktion als causa exemplaris. Daher:

III. Der Mensch Jesus als Leitbild für die Verwirklichung des christlichen Menschenbildes

So unergründlich auch im letzten der Mensch Jesus von Nazareth sich jedem Versuch einer Analyse erweist, so deutlich und unabweisbar ist die Folgerung, die sich aus einer Betrachtung des Jesusbildes für jeden ergibt, der es nachzeichnet und bewundert. Wie Jesus selbst die Orthodoxie seiner Lehre durch die Orthopraxie seines Lebens und Verhaltens beglaubigte und damit die ethische Schizophrenie, d. h. die mangelnde Kongruenz von Lehre und Leben der Pharisäer, brandmarkte, so ruft die Vorbildursächlichkeit seiner Gestalt nach

[9] Geschichte der Leben-Jesu-Forschung, München-Hamburg (Siebenstern Taschenbuch 77/78, 1966, 620).

einem Nachvollzug durch all jene, die sich seines Namens rühmen, d. h. Christen sein wollen. Jesus macht bewußt, was es heißt: Worte begeistern, Taten reißen hin.
Wenn das menschliche Mosaikbild Jesu nur zergliedernd durch den Aufweis der es bestimmenden Haltungen zu verdeutlichen ist, dann kann die Wirkung dieser Ursache nur durch den Nachvollzug des konkret gegebenen Beispiels zur Geltung kommen. Hat Jesus nicht selbst wie kein anderer Religionsstifter auf sich verweisen können: »Lernet von mir!« (Mt 11,29)? Und hat nicht Paulus den Christushymnus in seinem Philipperbrief mit der Mahnung eingeleitet: »Seid untereinander so gesinnt, wie es dem Leben in Jesus Christus entspricht!« (2,5)? Mit anderen Worten: Das Leitbild Jesus ist nicht unverbindlich. Die Information zielt auf die Motivation für ein Handeln aus dem Geiste dieser Ur-Person Jesus. Auch hier gilt die Feststellung des Paulus: »Was einst geschrieben wurde, ist zu unserer Belehrung geschrieben« (Röm 15,4) und das Wort Jesu selbst: »Wer mir nachfolgt, der wird nicht in der Finsternis umhergehen.« (Joh 8,12) »Nachfolge Christi« ist nicht allein der berühmte Titel eines viel gelesenen Büchleins als Wegweisung zu christlichem Lebensvollzug, sondern zu Recht auch der Untertitel des Lehrbuchs der Moraltheologie von Fritz Tillmann (Düsseldorf 1936). Doch wenn Bruchstück umser Erkennen auch der Persönlichkeit Jesu ist, dann meist auch ein Torso die Verwirklichung seiner vorbildhaften Ursächlichkeit für die Verwirklichung des Menschen.
Kaum je zuvor wurde so oft und eindringlich von Verwirklichung des Menschen, von Mitmenschlichkeit und Humanität gesprochen als in unserem Jahrhundert, wo der Mensch wie nie in der Geschichte an Leib und Seele gemartert, entehrt und zerstört, aber auch vergötzt wurde. Selbst der Ruf nach einem menschlichen Sozialismus wurde laut und dann leider allzu unmenschlich unterdrückt.
»Verwirklichung« heißt einen Entwurf vollenden, einer Zielursache, der aristotelischen causa formalis und exemplaris zu Effizienz verhelfen. »Werde, was du sein sollst!«, steht über jedem reifenden Menschenleben. Nicht jedem glückt dies, nicht jeder gelangt zur Vollendung seiner selbst. Selbst der Märtyrerbischof Ignatius von Antiochien (110) konnte den Römern voll Sehnsucht nach dem Tod schreiben: »Mir steht die Geburt bevor ... Wen ich dort angelangt bin, werde ich ein Mensch sein« (6,1.2). Die besten unter den Sterblichen, die Heiligen der Kirche, fühlten am meisten die Unvollkommenheit

ihres Menschseins und die Unzulänglichkeit ihrer Bemühungen. Auch Paulus bekannte: »Brüder, ich bilde mir nicht ein, daß ich es schon ergriffen hätte. Eines aber tue ich: Ich vergesse, was hinter mir liegt, und strecke mich nach dem aus, was vor mir liegt« (Phil 3,13). Mag damit auch die letztmögliche Vollendung im Reiche Gottes gemeint sein, so ist sie doch nicht möglich ohne glaubhafte Verwirklichung des Menschen, der dazu gelangen will. Eine solche Verwirklichung aber meint die Entfaltung der Persönlichkeit mit all ihren Anlagen, die Erfüllung berechtigter Sehnsüchte ihres Trägers und der Erwartungen ihrer Mitwelt, die Reife hin bis zum Gelingen des Planes, den der Schöpfer meinte, als er sprach: »Laßt uns den Menschen machen nach unserem Bild und Gleichnis« (Gen 1,26). Der Weg dorthin ist lang und beschwerlich, nicht frei von Anfechtung und Mißerfolg: »Der ich bin, grüßt trauernd den, der ich sollte sein«, bekennt Friedrich Hebbel.
Die Humanwissenschaften, die nach den Erlebnissen von so viel Unmenschlichem und Untermenschlichem im 20. Jahrhundert eine besondere Pflege erfahren, sprechen heute oft von »Selbstverwirklichung« des Menschen. Was ist damit gemeint?
Man unterscheidet hier drei Spielarten bzw. Versuche: 1. die naive Selbstverwirklichung, bei der oft nur Gefühle oder spontane Wünsche realisiert werden, ohne Rücksicht auf andere und ihre Belange, durchsetzt mit mangelndem Wirklichkeitsbezug, Egozentrik und ideologischem Wunschdenken, 2. eine therapeutische Selbstverwirklichung, die auf ein realitätsbezogenes Ich-Selbst zielt, Bedürfnisse von Verdrängung und Abwehr freisetzt und so die Voraussetzung für Hingabefähigkeit und ich-überschreitende Sinnverwirklichung schafft, 3. religiöse Selbstverwirklichung, wo das Selbst als schöpferisches Subjektsein und als personales Medium transzendenter Erfahrung aufgefaßt und erlebt wird. Hier wird der Mensch offen für einen nie endenden Lernprozeß, für Sinn- und Glaubenserfahrung, bis schließlich Selbstverwirklichung zur völligen Selbsthingabe wird und als totale Befreiung des Sinn-Selbst erscheint. Hier öffnet sich der Weg zur Metaphysik, und es kommt unter der Entwicklungshilfe Gottes, d. h. der Gnade, zur Erfahrung eines transzendenten Anrufs zur fortwährenden Entscheidung für oder zur personalen Antwort auf diesen Anruf. Ziel ist das Du Gottes.«[10]
Jedoch ist hier zu fragen, ob Selbstverwirklichung noch als solche anzusprechen ist, wenn sie erst durch die Entwicklungshilfe Gottes ihr

Ziel erreicht. Die Bezeichnung des Unternehmens ist so problematisch wie der Terminus »Selbstheiligung«.
Humanwissenschaftliche Analysen führen bei Jesus nicht zum Ziel. Die Frage der Massen von ehedem: »Wer ist dieser?« (Mk 4,41 u.a.) ist zwar dogmatisch durch Chalzedon beantwortet, nicht aber restlos psychologisch. Auch hier hat Jesus das Geheimnis mit ins Grab und zum Vater mit hinaufgenommen. Anthropologie ist nicht der Schlüssel zum Verständnis dieser einmaligen Gestalt. Aber die Freilegung der Grundzüge seines Menschseins kann eine Hilfe für all jene bedeuten, die nicht auf dem Weg einer argumentativen Theologie und dogmatischen Wesensschau zum Christus des Glaubens finden, sondern durch die Betrachtung und Bewunderung des Menschen Jesus, wenngleich sich hier die Gefahr einer Horizontalisierung dieser Gestalt auftut. Immerhin kann das Christentum im Konkurrenzkampf der Religionen, Weltanschauungen und Ideologien durch den Verweis auf Jesus von Nazareth das überzeugendere Menschenbild als Kriterium seiner Glaubwürdigkeit geltend machen. Das Menschenbild ist ja heute für viele der Maßstab für Gefolgschaft, und hier bieten Christentum und Marxismus die wahre und klarste Alternative.
Die ersten Interpretationsversuche aus marxistischer Sicht, unternommen von Karl Kautzky 1908 in seinem Buch über »Der Anspruch des Christentums« wollte die Jesusgestalt für den Sozialismus retten. Weil aber der biblische Nazarener als Begründer schlecht ins marxistische Konzept paßte, wurde aus der geschichtlichen Gestalt Jesu eine mythische ›Sache Jesu‹ gemacht und somit als in der Luft hängend hingestellt, also irrelevant für die irdische Wirklichkeit und ihre Bewältigung, bis im Neomarxismus der Mann aus Nazareth wieder als historische Persönlichkeit entdeckt wurde. Der von seinem Amt als Professor der Philosophie entfernte Vitřeslav Gardavský stellt in seinem Buch »Gott ist nicht ganz tot« Jesus im Rahmen des alttestamentlichen Menschenbildes nicht als Humanisten, gemäß der bürgerlich-liberalen Theologie vor, sondern als einen wahren ›Ecce-homo‹, einen ›Hoministen‹, wie Gardavský sich ausdrückt, d. h. nicht als Träger ewiger Ideale und als sittlichen Helden, sondern als eschatologischen Bahnbrecher und Zeugen eschatologischer Mög-

[10] In: Geist u. Leben 56 (1983) 347–357; erweitert in: Theologie und Leben, Festgabe für Georg Söll zum 70. Geburtstag, hrsg. von A. Bodem und A. Kothgasser, Rom 1983, 441–459 unter dem Titel »Opferbereitschaft« Kontra Selbstverwirklichung?

lichkeiten des Menschen. »Der Mensch«, so formuliert Gardavský, »ist ein Geschöpf, das sich im Kampf und in der freien Entscheidung, mit der es auf den Anruf der Gegenwart antwortet, gestaltet. Bringt er es dabei fertig, radikal zu lieben, dann eröffnet er mit seiner Tat die Zukunft; er wird zu einem, der mehr ist als in seinen Möglichkeiten liegt. Darin liegt sein ganzes Geheimnis, darin ist der Mensch selbst ein Wunder; etwas, was da ist und nicht wiederholt werden kann.«[11]
Man kann hier freilich mit Jan Milič Lochman fragen, ob dieses Jesusbild noch marxistisch ist mit den fundamentalen Kategorien: Transzendenz – Wunder – Liebe[12]. Lochman stellt fest, daß dieser ›warme Strom‹ des Marxismus sich gegen den ›kalten Strom‹ nicht behaupten konnte. Er versucht, den ›Lieblingsheiligen‹ von Karl Marx: Prometheus, den Rebellen und Bringer eines ›rebellisch-humanen Heils‹, in den Spuren von V. Gardavský und Ernst Bloch zur christologischen Schlüsselfigur zu machen und so »eine neue Epoche und eine höhere Stufe des christlich-marxistischen Dialogs« einzuläuten.
Wenn er aber dann ausführt: »Auf dem Weg zur endgültigen Selbstverwirklichung versteht sich der prometheische Mensch als wahrer Erbe der biblischen Verheißungen. Sein Reich erfüllt und ersetzt die Erwartung des Gottesreiches. Der prometheische Traum des ›eritis sicut deus‹ geht in Erfüllung als die reale Zukunft einer befreiten Menschheit. Die Erlösung ist zuhanden: in unseren Händen«[13], dann wird die Grenzlinie sichtbar. Die Menschheit konnte sich nie selbst erlösen und kein einziger Sterblicher war dazu imstande. Damit soll noch einmal Jesus ins Bild treten. Im 1. Brief am Timotheus heißt es: »Einer ist Gott. Einer auch Mittler zwischen Gott und den Menschen: der Mensch Jesus Christus« (2,5). Die Gestalt dieses Mittlers ist ohne den Doppelnamen nicht zu verstehen. Die Menschheit dieses Gottmenschen war die Opfergabe, die er selbst nach dem Willen seines Vaters auf den Altar des Kreuzes legte und für uns dahingegeben hat. Es gibt keine Gestalt in der Geschichte der Menschheit, in der das Menschliche in so überzeugender und gewinnender Weise zum Leuchten gekommen ist, wie in Jesus von Nazareth, dieser so einfachen und zugleich dynamischen Persönlichkeit als Verwirklichung des aristotelischen Ideals vom ›Megalópsychos Anär‹. Doch Je-

[11] München 1970, 63.
[12] Christus oder Prometheus, Hamburg 1972, 25.
[13] A. a. O. 50f.

sus war mehr, wie ihm selbst die Dämonen bezeugten. Er war »der Heilige Gottes«, der zwar die Mühsal und Anfechtbarkeit menschlichen Daseins, nicht aber die Last der Sünde zu tragen hatte. Er war das wahrhaftige Bild und Gleichnis Gottes, die Wiederbehauptung der durch die Sünde kopflos gewordenen Menschheit. Er war der Adam, wie ihn der Schöpfungsplan für alle Menschen wollte, So steht er vor uns auch als Leitbild der Humanität und als Wegweiser zur höchstmöglichen Verwirklichung des Menschen.

Wer sich diesem Bild des Menschen Jesus gleichförmig zu machen versucht, ist auf dem besten Weg zur Verwirklichung seines eigenen Menschseins. Dazu bedarf es nicht einer Kenntnis der Psychologie Jesu ja nicht einmal gelehrter Theologie. Der unbefangene Blick auf den Jesus der Bibel, eine vom Glauben erleuchtete Lektüre der Heiligen Schrift zeigt den Menschen Jesus, wie er war, und macht die faszinierende Kraft seines wegweisenden Beispiels sichtbar.

Maximus Confessor (662) sah in der christologischen Formel von Chalzedon »unvermischt und ungetrennt«, daß hier das Menschsein erst so recht in die Vollendung geführt werde und die Verwirklichung seiner selbst empfange.[14]. Daraus folgert A. Grillmeier: »Das ist bedeutsam für die christliche Anthropologie. Dadurch, daß das Menschsein Christi zur Existenz des Logos in der Welt wird, ist das der Höhepunkt des Menschseins überhaupt. Ein von der göttlichen Hypostase getragenes Menschsein ist ›vollendetes Menschsein‹, auch in naturhafter Sicht, indem Aktivität und Freiheit in Christus – echt menschlich bleibend – Aktivität des Sohnes vor Gott werden. Andererseits wird Gottes Mitmenschlichkeit mit uns erst dadurch vollendet, daß er echter Mensch ist, daß der Menschheit Christi in ihrer Entfaltung möglichst viel Raum gegeben wird.«[15]

So wie in Jesus Christus Raum gegeben war für das echt Menschliche so sollte in jedem personalen Träger der menschlichen Natur die Mitmenschlichkeit Jesu als Vorbildursache wirksam werden, damit er zur wahren Verwirklichung und Vollendung gelangt und nach ständigem Ringen und Reifen wenigstens am Ende seines Lebens mit Paulus gestehen kann: »Ich lebe, nein nicht ich: Christus lebt in mir« (Gal 2,20).

[14] Opusc. theol. pol. 8: PG 91, 97 A.
[15] Mit Ihm und in Ihm, Freiburg 1975, 299f.